データに
隠された真実

# ビジュアルでわかる日本

Visualizing Japan

にゃんこそば［著］
宮路秀作［監修］

SB Creative

# はじめに

## ○ビジュアル化すると地理はもっと楽しくなる

子どものころや学生のころ、社会科や地歴公民の資料集が好きだった人は多いのではないでしょうか。あるいは、都道府県ランキングや「○○県のひみつ」のような、地理に関する雑学ネタならいくらでもお代わりできるとか、なんとなく地図を眺めるだけでうれしくなる――といったライトな地理ファンもたくさんいることでしょう。

筆者は、地理や自然に関するデータをわかりやすく「可視化」することをテーマに活動し、X（旧Twitter）や講演会を通じて、さまざまな作品を世に送り出しています。データ可視化とは、複雑なデータをひと目でわかるように表現することを指していて、一般的に地図やグラフ、チャート、アニメーションなどの表現手法が使われます。

数値や文字の羅列であるデータをビジュアル化することによって物事の全体像を理解できるようになりますし、先入観にとらわれずに物事の本質を認識できるようになるため、ビジネスにおける意思決定の場や、研究における分析や考察の場でよく使われてきました。また近年では、新聞などの報道でも、データをわかりやすく視覚化した記事が増えてきました。

書店の地理コーナーに行くと、作者が主役の本（エッセイや紀行文）や地図が主役の本（ビジュアル解説書）、地域が主役の本（ご当地あるあるネタ）が目に飛び込んできます。しかし「データが主役」×「ビジュアルが多くて読みやすい本」はあまり多くなかったことが、本書を執筆した動機です。あまり専門的にならず、かといって雑学に偏ることなく、ライトな地理ファンから地理学を学ぶ学生、さらには行政や企業の方まで幅広い読者を想定して書きましたので、気軽に手に取っていただければと思います。

## 本書の読み方

### ①日本を読み解くためのツールとして

本書では日常生活や食文化などのライトな話題から、少子高齢化や気候変動、感染症による行動変容といった社会問題に至るまで、45のテーマでデータを可視化し、ひと目でわかるビジュアルと解説文をお届けすることで、日本をいろいろな角度から読み解いていきます。

単にデータを可視化するだけでなく、分析、考察のポイントや、関係する話題（周辺知識）についてもやさしく触れているので、本書を読了されたときには、知識欲が満たされると同時に、「もっと調べてみたい！」という適度な空腹感を覚えることでしょう。

### ②データ可視化の参考書として

本書では塗り分け地図、ポイントマップ、ラインマップ、ヒートマップ、路線図といった「すぐに使える表現手法」をできる限り網羅しているので、ご自身でデータを「可視化してみたい！」というときの参考書としても活用いただけます。

また、主題に応じた技法の使い分けや、文字と記号の大きさ、太さ、長さ、濃淡などの細かい点にも注意を払っているので、1枚1枚のビジュアルに込めた思いや心遣いにも着目していただけるとうれしいです。

### ③データ分析の着眼点のヒントとして

原則として国や自治体のオープンデータや公的統計、企業のWebサイトといった公開情報を使用しています。いろいろなデータを多様な切り口で分析、可視化することで、データの持つ情報量を余すことなく引き出し、新たな気づきを得られるように工夫しています。

本書を通じて、さまざまな可視化作品に触れていただくことで、データの読み手としても、表現者としても、広い視野と新たな視点を身につけていただけると幸いです。

# contents

■校正：曽根信寿
本書サポートページ：https://isbn2.sbcr.jp/15208/

第1章

# お店を可視化！

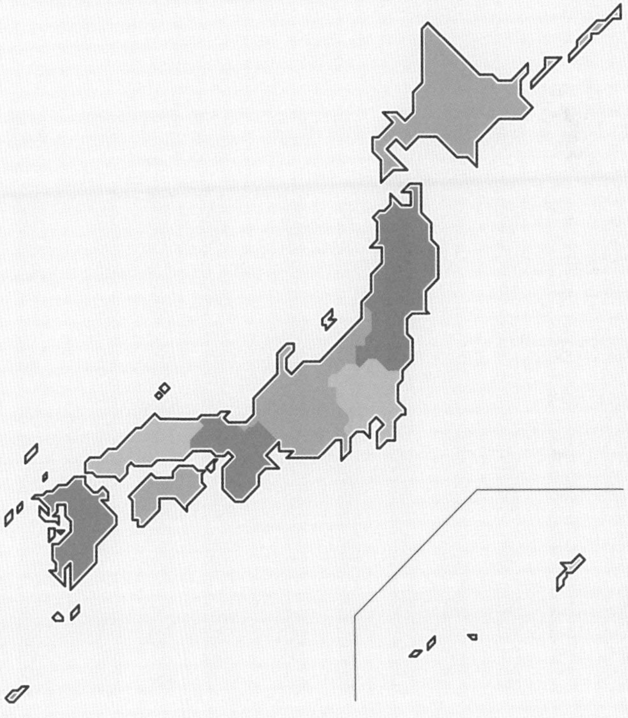

# 1-1 「有名チェーン店」が店を出す駅、出さない駅を可視化してみた

駅のまわりにどんなカフェチェーンがあるのか……「路線図風に表したらわかりやすいかも」と思い、可視化してみました。題して「カフェ路線図」です。

## ◎東急東横線

まず手始めに、渋谷と横浜を結ぶ東急東横線を見てみましょう（図1）。

スターバックスがある駅と、ドトールがある駅の違いに気づいた方は鋭い観察眼をお持ちです。スターバックスは「corner of Main & Main」と呼ばれるコンセプトを掲げ、駅周辺や繁華街など人通りの多い場所や、観光地、歴史的建造物などの目立つ場所に優先的に出店してきました。

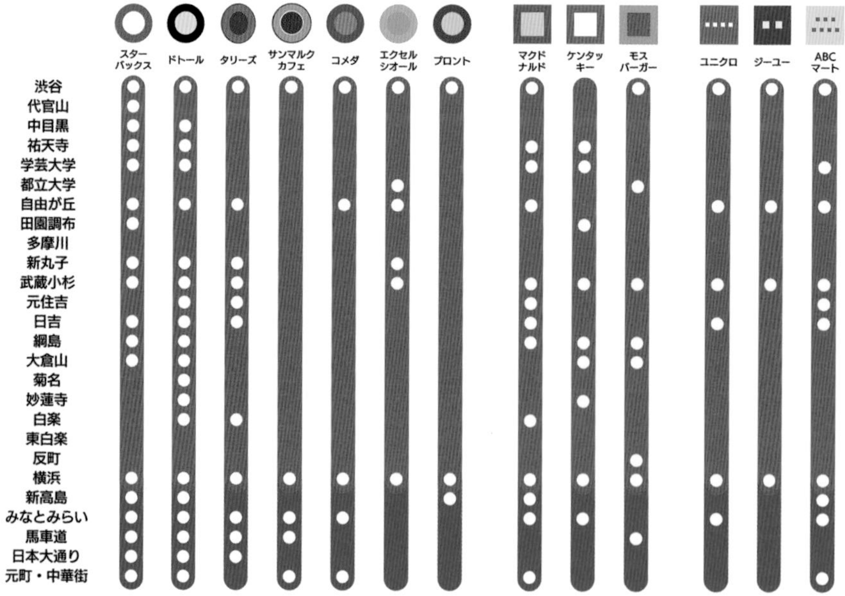


図1 東急東横線・みなとみらい線

スターバックスがある駅が多く、「駅力（えきりょく）」の高さが垣間見える。新丸子のスターバックスは病院内店舗。

一方、ドトールは小さな駅にも幅広く出店しています。

スターバックスとはターゲットの顧客層が異なるので一概に比較できませんが、立地条件を低くし、目立ちにくい場所や店舗面積の狭い物件にも積極的に出店することで、結果的にスターバックスと棲み分けができているように見えます。

各駅の充実度に着目すると、ターミナルの渋谷と横浜は主要7チェーンをすべて制覇しています。ファストフードやファストファッションのお店なども載せてみましたが、ほとんどのチェーンに「○」がつきました（渋谷には2022年までケンタッキー・フライドチキンの道玄坂店がありました）。

休日に買い物客でにぎわう自由が丘、タワーマンションとショッピングモールが林立する武蔵小杉もなかなかの充実ぶりです。横浜より先、みなとみらい線は横浜市の中心市街地をかすめるように走っていて、カフェ巡りはもちろん街歩きが楽しい路線です。

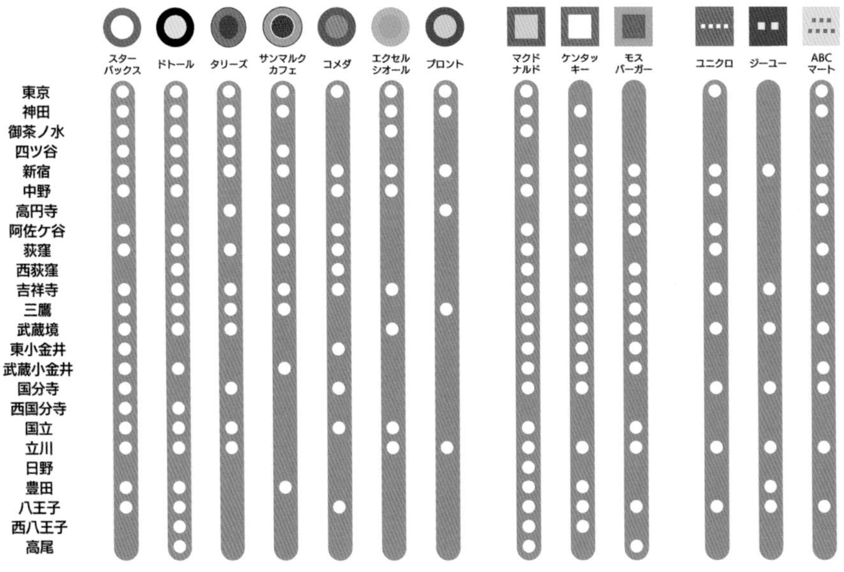


**図2** JR中央線快速（東京–高尾）

1日の乗降客数が5～10万人を超えるような大きな駅が続いている。吉祥寺にはプロント系列のワイン酒場「ディプント」がある。

## ◎JR中央線快速

続いて東京都内のJR中央線です（図2）。東京都心を駆け抜け、武蔵野の住宅地をまっすぐ貫く人気路線。ひとつひとつの駅が大きく、東急東横線よりもにぎやかな路線図になりました。中野区や杉並区の雑然とした駅前商店街も魅力的ですし、2000年以降に高架化された武蔵境〜武蔵小金井、国立の各駅も、高架下にお店やイベントスペース、さらには学生寮（！）などが整備されて、素敵な空間が生まれています。

## ◎スタバの多い路線、少ない路線

首都圏の私鉄各線をいくつか眺めてみましょう（図3〜6）。今回は新宿、池袋を発着する4つの路線をピックアップしましたが、西武新宿線の路線図が少し寂しいことに気づくでしょうか。

このような違いが生まれる理由のひとつが“駅力《えきりょく》”です。“駅力”とは一般的に知られている単語ではなく、時と場合によってさまざまな使い方をされていますが、ここでは「駅やその周辺の街に、どれだけ人を引き寄せる力があるか」と定義しておきましょう。

西武新宿線は東京都心と所沢、川越などを結ぶ通勤路線で、都内では中野区、杉並区や西東京市などの人口密集地を貫いています。沿線人口は他の路線とも遜色ないのですが、数km南側を走るJR中央線の求心力が強すぎるために、西武新宿線とJR中央線の間に住む人たちが（バスを使ってまで）JRの駅に向かう……といった現象が起きています。飲食店、特にスターバックスやタリーズは出店候補地の人通りをシビアに見るので、“駅力”の弱い駅への出店はどうしても後回しになってしまうのです。

## ◎名古屋、大阪では……？

名古屋、大阪の地下鉄の中でも一番人気の路線が東山線と御堂筋線です（図7〜8）。東山線は名古屋と栄、御堂筋線は梅田からなんばの各駅に多くのカフェが集まっています。首都圏よりもコメダ珈琲店（本社：名古屋）が多いのが特徴的で、特に東山線の路線図を見ていると、名古屋の皆さんの「コメダ愛」が伝わってくる気がします。

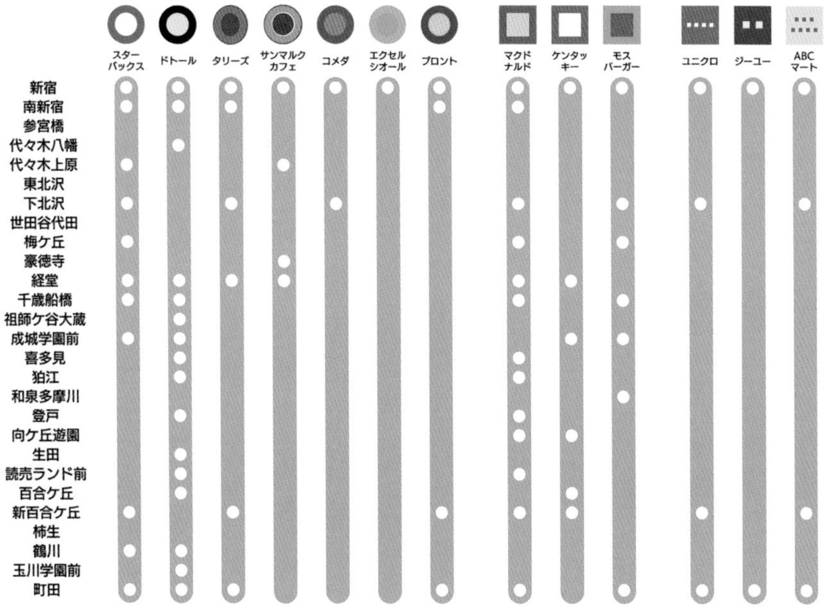


図3　小田急小田原線(新宿－町田)

昔ながらの商店街にドトールとマック(もしくはモスバーガー)があるのが典型的な駅前風景。

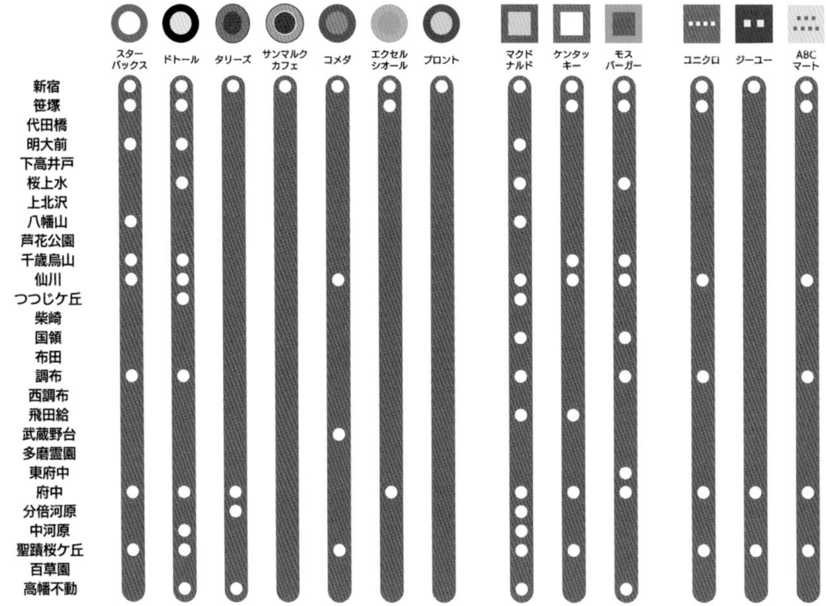


図4　京王線(新宿－高幡不動)

仙川駅には女子大や音大もあり、駅前商店街が幅広い年代層でにぎわっている。

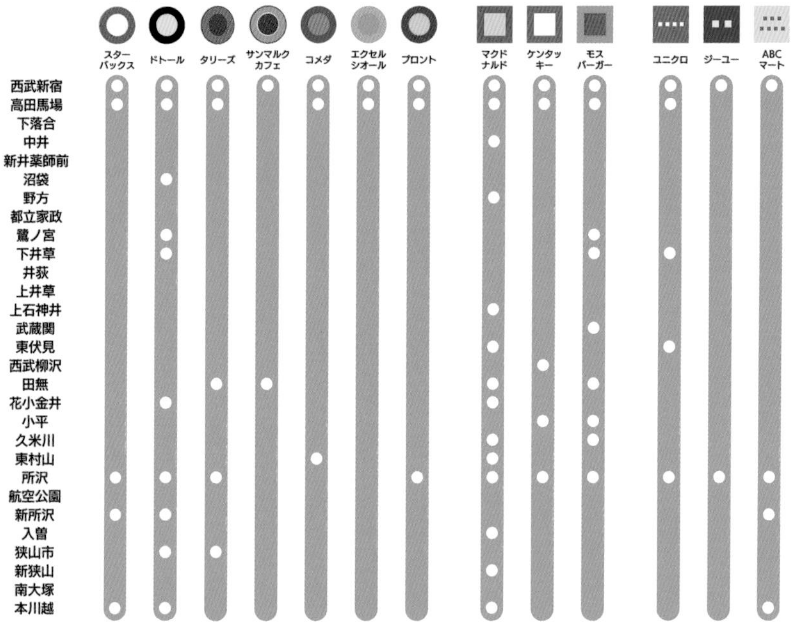


図5 西武新宿線

住宅密集地を走り、高架化や地下化などの改良工事が進んでいないこともあって、各駅ともこぢんまりとしている。買い物や飲食のときには、バスで中央線沿線に出る人も多い。

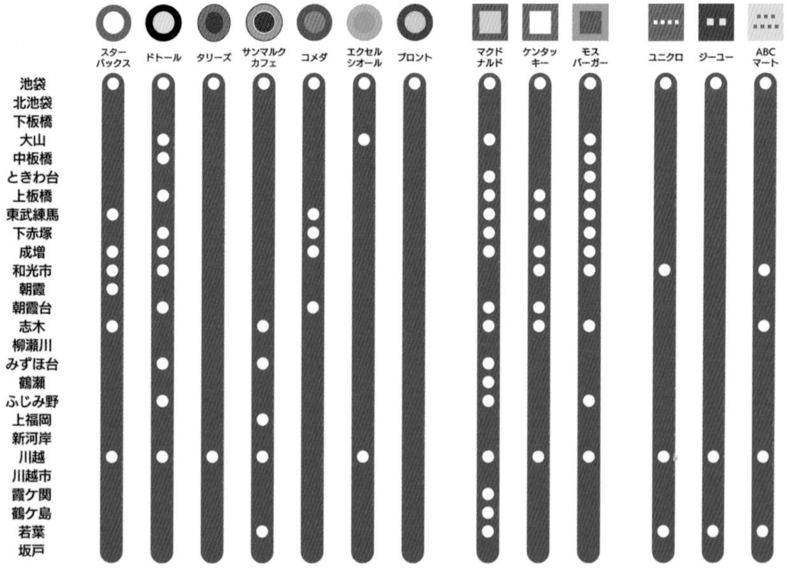


図6 東武東上線(池袋–坂戸)

和光市では2019～2020年に駅ビルができて、日々の買い物が便利になった。北口再開発も計画中。

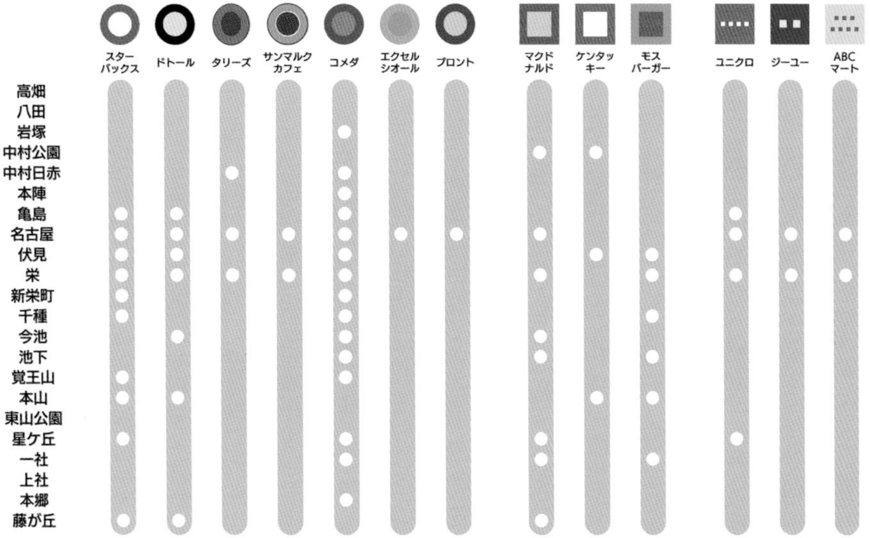


**図7**　名古屋市営地下鉄東山線
とにかくコメダが多い。覚王山〜藤が丘には落ち着いた住宅地が広がっている。

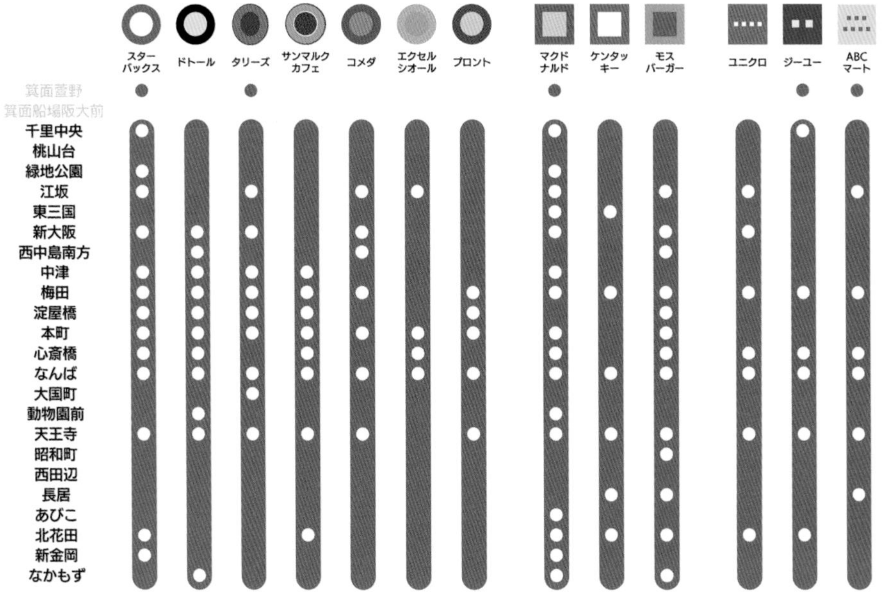


※箕面萱野・箕面船場阪大前は2024年3月開業予定

**図8**　北大阪急行・地下鉄御堂筋線
大阪の中心部を南北に貫く路線。梅田〜なんばには大企業のオフィスや百貨店などが集まる。

## ◎長距離路線に都市の"山"と"谷"を見る

最後に、首都圏を南北に貫くJR京浜東北・根岸線と、近畿圏を東西に貫くJR琵琶湖線・京都線・神戸線を見てみましょう（図9〜10）。

両線とも「○」印が密な区間と、まばらな区間があることが読み取れます。都市圏の中心部（上野〜品川、新大阪と大阪）に「○」が並んでいるのは予想通り、横浜市内（横浜〜石川町）、神戸市内（三ノ宮〜神戸）などにも密な区間が見られます。平日朝夕の混雑時間帯にこれらの路線を利用すると、横浜、神戸の中心部に向かって（東京、大阪方面とは逆方向の列車が）だんだん混んでくる……という現象を見ることができ、政令指定都市の底力のようなものを感じます。

そのほか、関東、関西や福岡の主な「カフェ路線図」を図11〜22にまとめてみました。

このようにカフェなどのチェーンを路線図にしてみる※と、単に店舗のあるなしがわかるだけでなく、各駅の発展度合いや駅の"性格"をひと目で理解することができます。こうしたオリジナルの路線図は、お店の場所さえわかればカフェ以外のテーマでも作成できるので、ぜひ、休みの日の"自由研究"として、あなたオリジナルの路線図を描いてみてください。

※：

- 2023年8〜9月に、各社の公式サイトで公開されている店舗情報をまとめました。
- 駅の出入口から徒歩で480m、または直線距離で320m以内に店舗がある場合に「○」と判定しました。
- サブブランドの店舗が含まれている場合があります。（例）STARBUCKS RESERVE、無印良品 500
- 病院や学校内の店舗が含まれている場合があります。
- 店舗や駅の位置、歩行ルートを正しく特定できず、店舗の有無を誤って判定している場合があります。

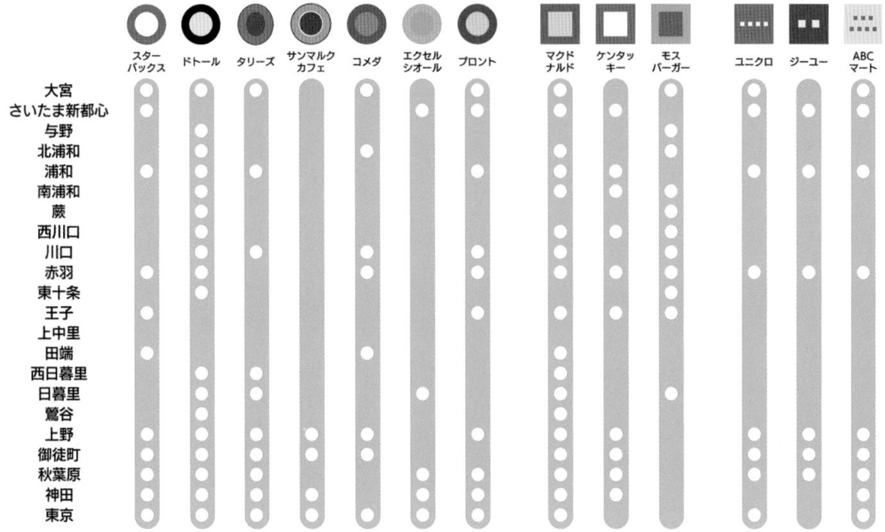


**図9** 京浜東北線（大宮–東京）

チェーン店の出店状況に山と谷がある。さいたま新都心は、駅直結のショッピングモール「コクーンシティ」の開業で様変わりした。

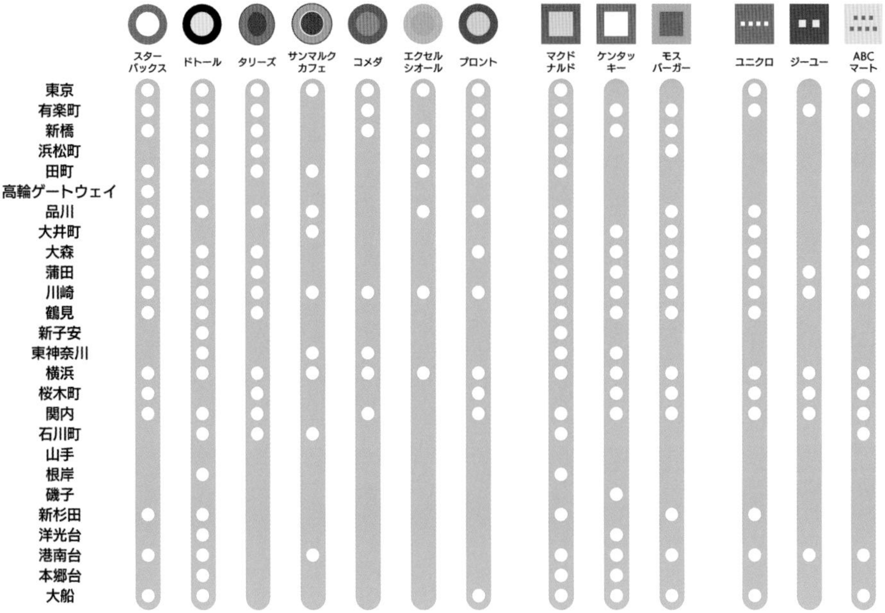


**図10** 京浜東北・根岸線（東京–大船）

横浜から先は根岸線。横浜～石川町の区間は横浜市の中心市街地で、オフィスや商店が密集している。

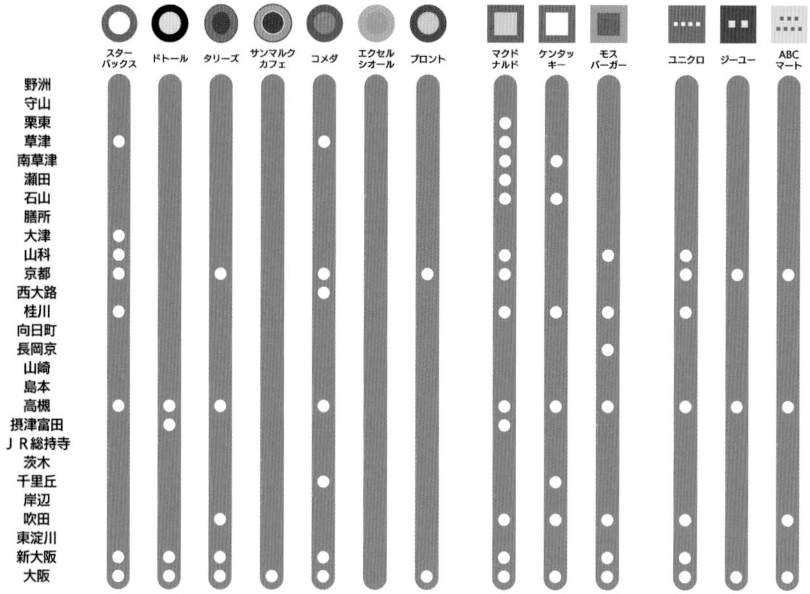


図11 JR琵琶湖線・京都線（野洲−大阪）

京都、大阪とも中心市街地をかすめるように走っているため、京浜東北線と比べると●の数が少ない。

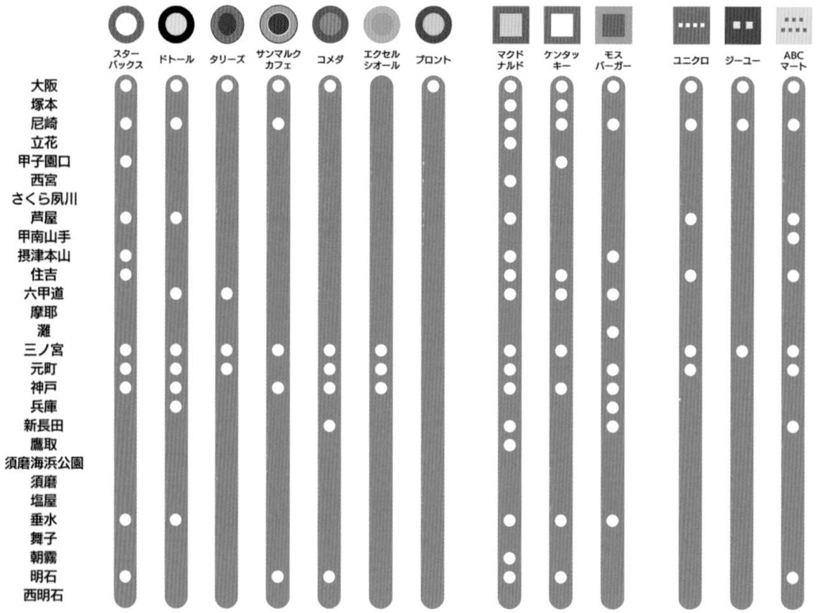


図12 JR神戸線（大阪−西明石）

三ノ宮〜神戸は神戸市の中心市街地。神戸駅の地下街「デュオこうべ」に日本最西端のエクセルシオールがある。

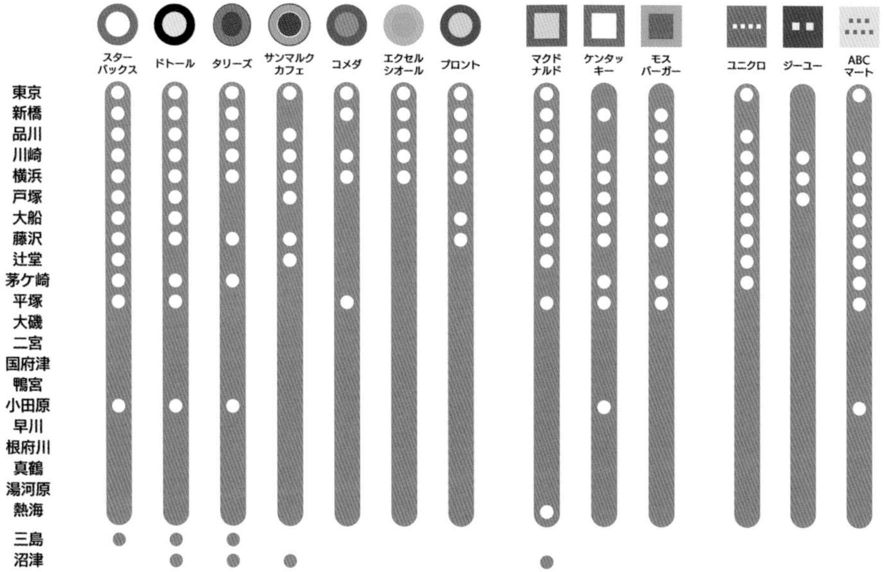


図13 JR東海道本線（東京－熱海）
東京から約64kmの平塚駅まで、乗降客数10万人クラスの大きな駅が続いている。

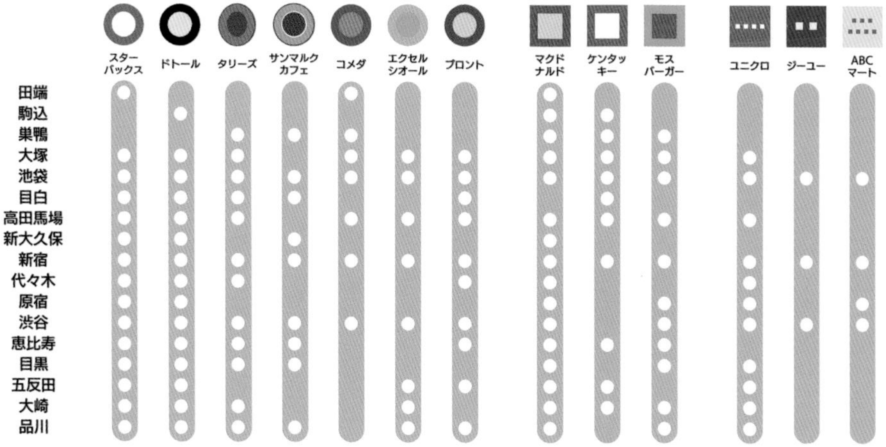


図14 JR山手線（田端－新宿－品川）
田端、駒込は閑静な住宅地。京浜東北線と並行する区間は図9、10（京浜東北線）を参照。

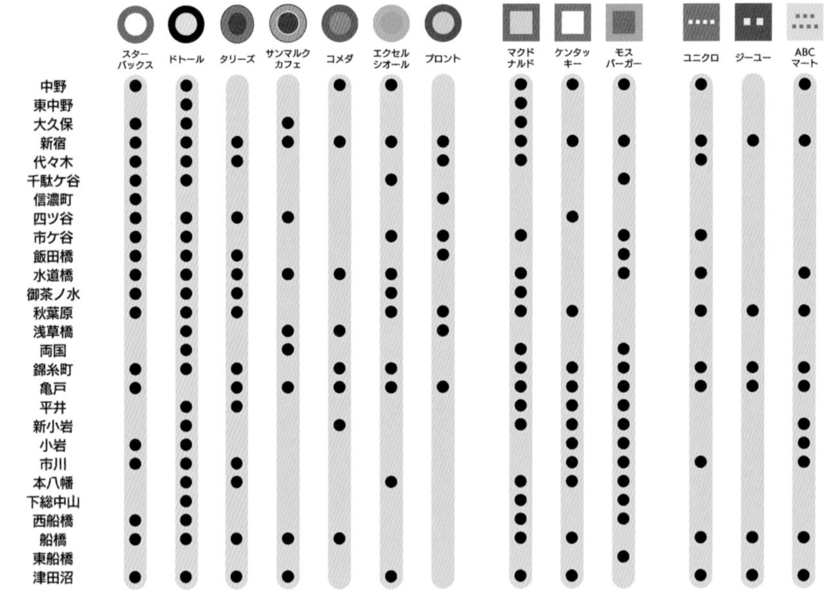


**図15** 中央・総武線各駅停車（中野–津田沼）

都会のオフィス街から江戸城の外濠、電気街、住宅街……と、変化に富んだ車窓を楽しめる。

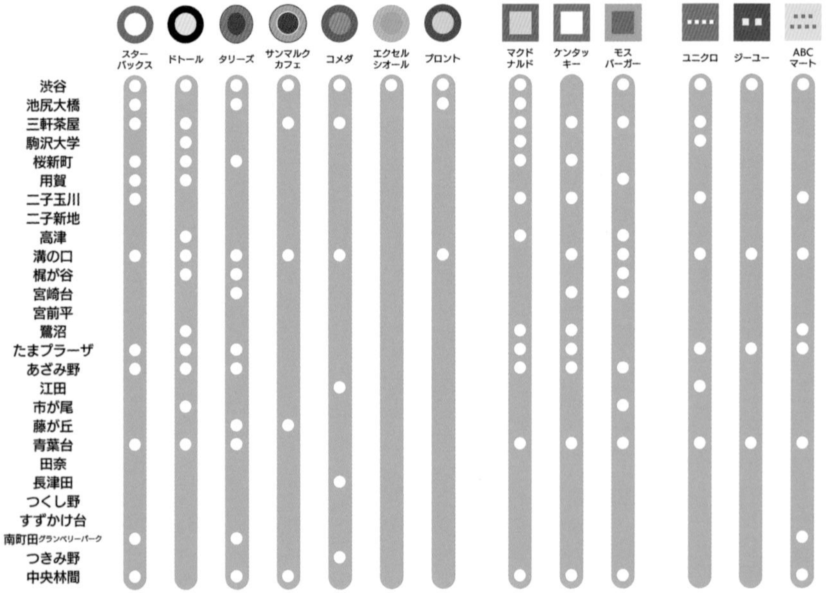


**図16** 東急田園都市線

溝の口から先は、東急が拓いた新興住宅地を走る。たまプラーザ駅は2007～2010年の再開発で、今風の駅直結型ショッピングセンターに生まれ変わった。

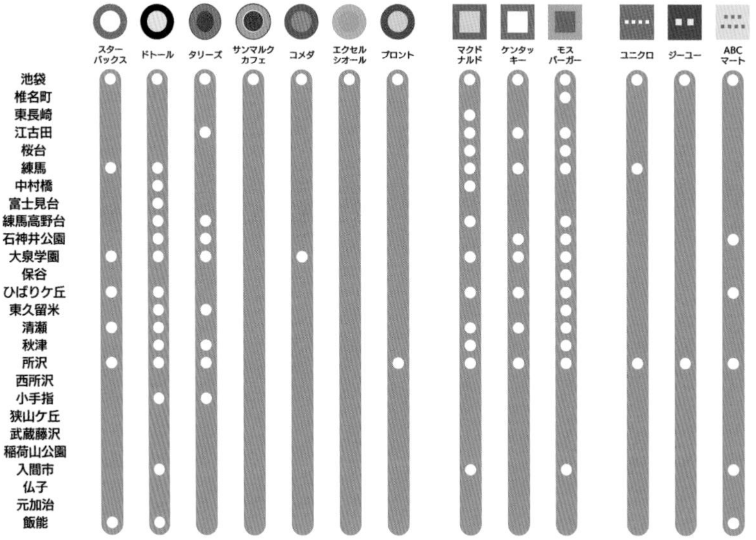


図17　西武池袋線（池袋–飯能）

練馬駅、所沢駅が特ににぎわっている。飯能の人気スポット・ムーミンバレーパークは、飯能駅からバスで13分（園内にもスタバがある）。

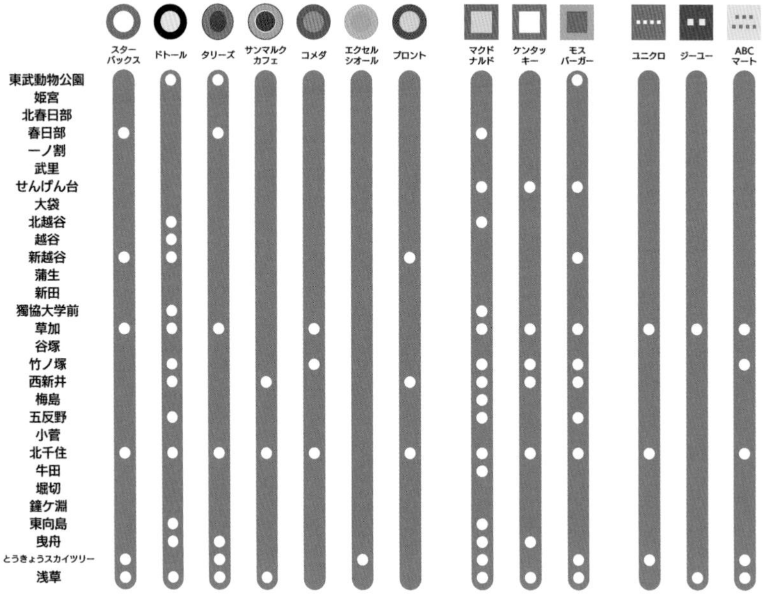


図18　東武スカイツリーライン

主要駅のひとつ、春日部では、駅から少し離れた「ららガーデン」にユニクロ、ジーユー、ABCマートなどが出店している。

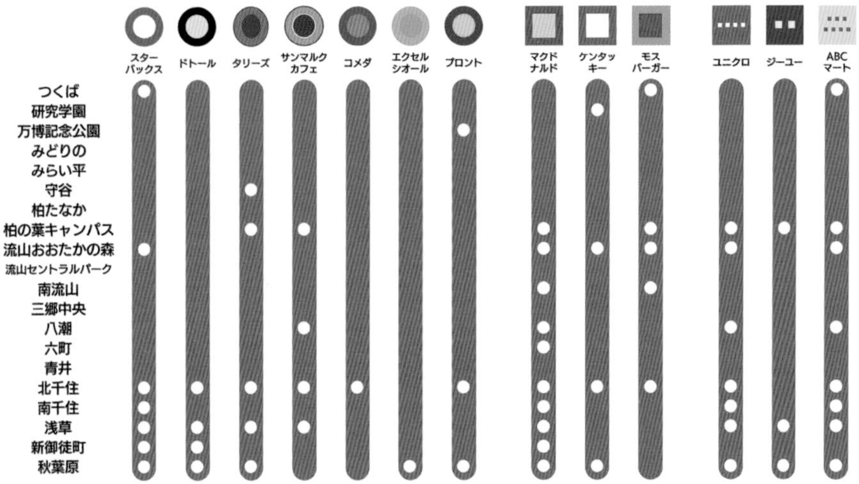


図19 つくばエクスプレス

柏の葉キャンパスと流山おおたかの森では、鉄道開通後に駅直結のショッピングモールが開業。多くの家族連れや若者でにぎわっている。

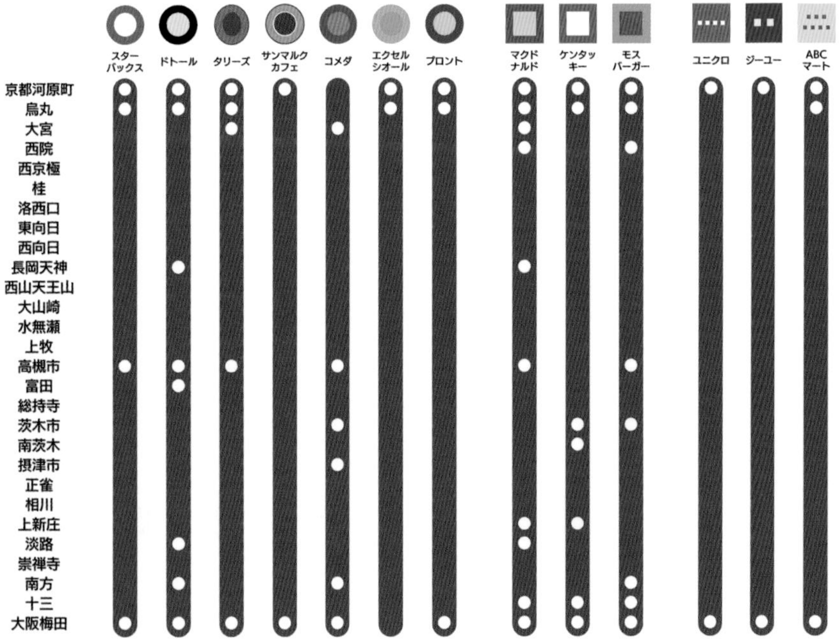


図20 阪急京都線

京都河原町駅、烏丸駅は京都市の中心市街地にある。高槻市は人口35万人の中核市。

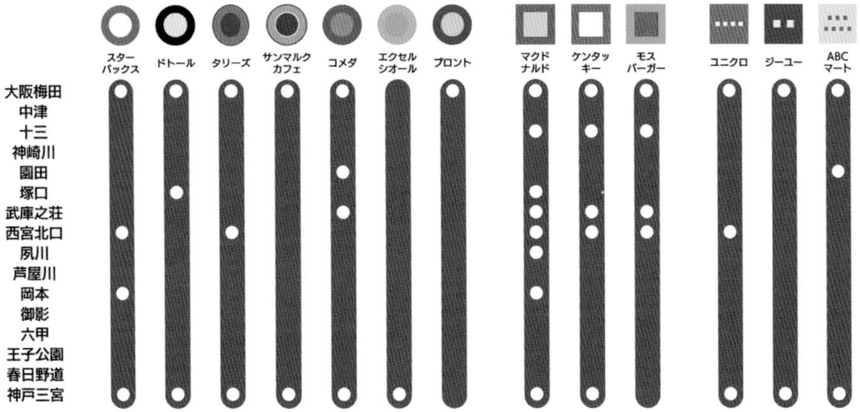


図21 阪急神戸線

西宮北口では阪急西宮スタジアムの跡地に、大型ショッピングセンターがオープン（2008年）。「住みたい街ランキング」にもたびたび登場している。

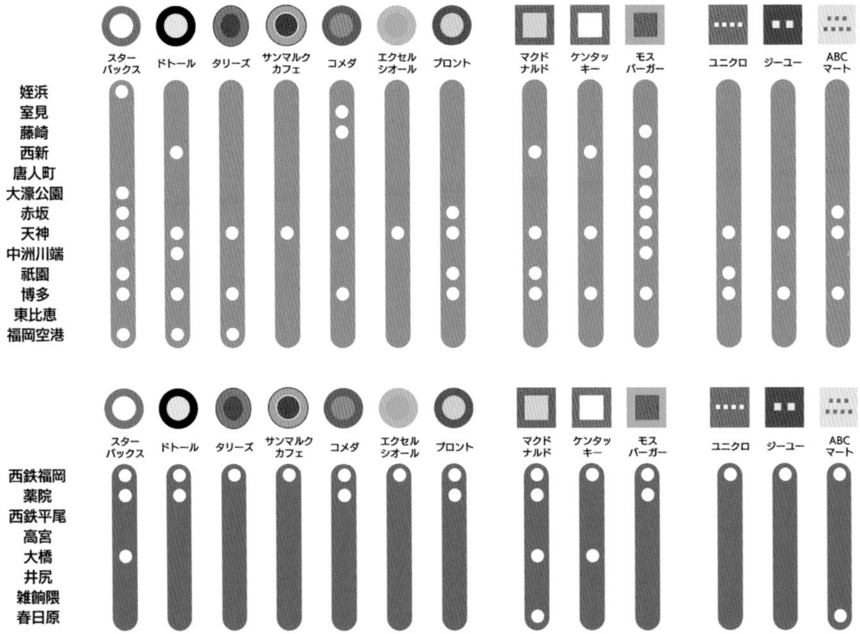


図22 福岡市営地下鉄空港線、西鉄天神大牟田線（西鉄福岡–春日原）

赤坂駅～博多駅あたりが中心市街地。「スターバックス コーヒー 福岡大濠公園店」はレイクビューの素敵なお店。

Column ①

# カフェ路線図制作の「裏話」

1-1では路線図の各駅に「○」をつけるかつけないか、その条件設定に苦労しました。なぜなら、誰がどう見ても「駅前」「駅近」と感じる範囲は駅によって、また説明の文脈によっても異なるからです。

いろいろと試行錯誤した結果、本書では駅の出入口から「歩いて480m以内」か「直線距離で320m以内」のお店に「○」をつけることにしました。「歩いて480m」というのは徒歩6分ぐらいに相当する距離で、スターバックス代沢5丁目店など、いくつかの実店舗をイメージしながら決めました。このお店は小田急線、京王井の頭線の下北沢駅から約500m、ライブハウスや飲食店が並ぶ南口商店街を抜けた先にあるのですが、ここまで来ると駅前の雑多な雰囲気も一段落していて、下北沢駅前とは区別したいと考えたためです。都内には駅と駅の間が1kmを切るところも多く、あまり探索範囲を広げると、隣駅のお店を拾いやすくなる……という心配もありました。

「直線距離320m」というのは一見不可解ですが、データ分析に使用したソフトが、駅から歩いて480m以内の範囲を正しく計算できない場合があったため、保険として入れています。

ほかの要素として、店舗の位置の誤差があります。各企業のWebサイトをもとにお店の住所録を作成し、駅からの距離を計算できるように緯度、経度に変換しているのですが、ショッピングモールなどの大きな建物にお店が入っている場合や住所表記があいまいな場合、本来の位置とは10〜100mぐらいずれたところに“ピン”が立ってしまう場合があります。

このような条件で機械的に「○」をつける、「○」をつけないという判定をしているので、もしかすると違和感を覚える読者もいるかもしれません。「ここは違うだろう」という駅があったら、「そういう背景があったのか」とご理解いただけると幸いです。

# 1-2 「うどん文化圏」と「そば文化圏」を可視化してみた

日本全国を「うどん文化圏」と「そば文化圏」で塗り分けてみました。西日本と東日本の違い、そしてあちこちに見られる飛び地が気になります。いろいろと深掘りしてみましょう！

この地図は、Yahoo! Japanがシステム開発者向けに公開している位置情報サービス『Yahoo!ローカルサーチ』を用いて、うどん屋さん、そば屋さんの軒数を市区町村別に取得し、その軒数を比較して作成しました。店舗情報には複数のジャンルを登録できるので、「うどんがメインなのにそば屋にもカウントされる」とか、「定食屋がうどん屋にカウントされる」といったケースもあるのですが、おもしろいもので、ある程度、軒数が集まると、地域差が見えてきます。

地図をざっと見渡すと、岐阜県～愛知県あたりを境に、西側ではうどんが優勢、東側ではそばが優勢です（図1）。愛知県といえば、うどんより「きしめん」（幅広の平打ち麺）のイメージがありますが、きしめん屋でもうどんを扱っていることが多く、味噌煮込みうどんや「ころうどん」（岐阜や愛知に広がるぶっかけうどん）といった「ご当地うどん」も愛されています。

## ◎東日本の「うどん文化圏」には何が？

関東甲信地方にも赤いうどんエリアがありますね（図2）。埼玉県や東京都多摩地方などに広がる武蔵野台地には大きな河川がなく、稲作に十分な水量を取れなかったことや、火山に由来する関東ローム層が水田稲作に不向きだったことなどから、大麦や小麦などの畑作が発達。その結果、「武蔵野うどん」と呼ばれるうどん食文化が根付くこととなりました。また、所沢で生まれたうどんチェーン店「山田うどん」（2022年3月現在158店舗）も、埼玉のうどん文化に一役買っていると言えます。

山梨県では「ほうとう」が有名ですね。平打ち麺で一見きしめんにも似ていますが、みそ仕立てのスープにかぼちゃなどの具材がゴロゴロ入って

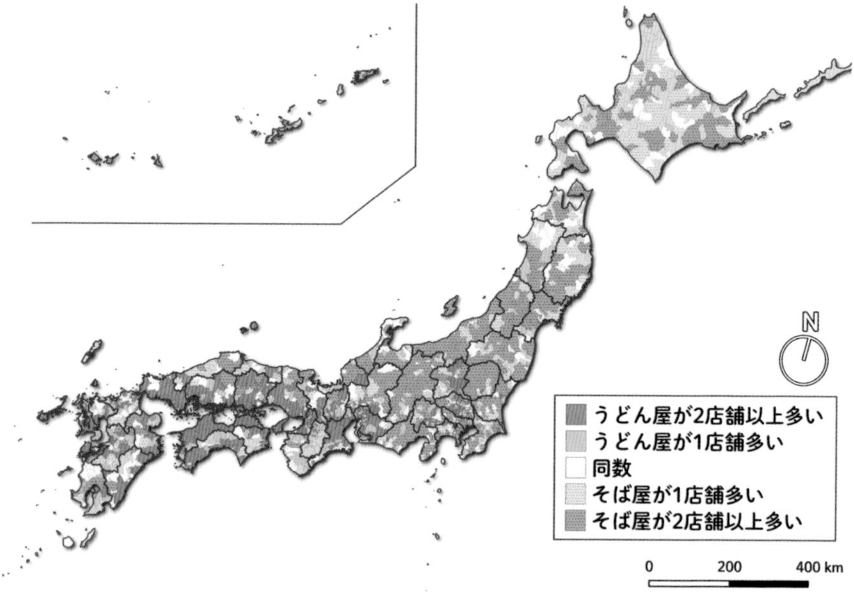


**図1**　「うどん文化圏」と「そば文化圏」(全国)
九州から愛知県あたりまでが、うどん文化圏。東日本にも飛び地がある。

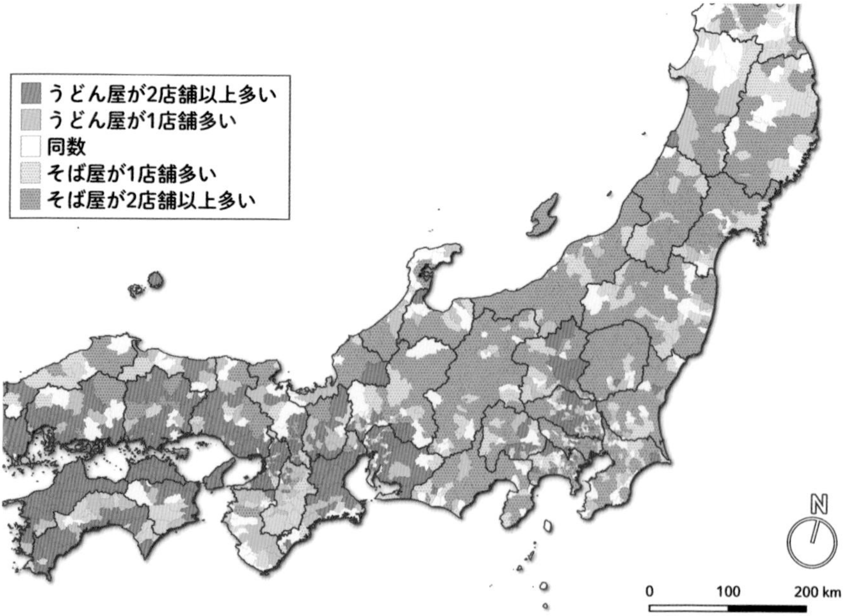


**図2**　「うどん文化圏」と「そば文化圏」(中部、近畿、関東甲信越)
山梨県や埼玉県、群馬県などにもうどん文化圏が見られる。

いるのが特徴。とても腹持ちがよくて、少し少食気味の筆者の場合、お昼に食べると夕食がいらなくなるぐらいです。東部・富士五湖地域では、硬さとのどごしが癖になる「吉田のうどん」も愛されています。

「氷見《ひみ》うどん」が有名な富山県氷見市も赤くなっていますが、なぜでしょうか。その歴史は室町時代にさかのぼります。長崎の五島列島から能登の輪島に油を使わない手延べ製法が伝わり、江戸時代にかけて輪島の地がそうめんの産地として栄えました。明治期に入って加賀藩の産業保護を受けられなくなると、技術者が氷見や大門《おおかど》（現在の富山県砺波《となみ》市）などに流出し、それぞれの地で独自の麺文化として定着したのです。

## ◎なぜ「西日本の山奥」にそば屋があるのか？

西日本の「そば文化圏」も気になりますね（図3）。日本海側では島根県・奥出雲地方の「出雲そば」、兵庫県豊岡市の城下町・出石《いずし》の「皿そば」などが有名です。筆者が昔、京都駅でいただいた「にしんそば」も、薄口のそばと甘辛いにしんの組み合わせが素敵でした。

全国一のうどん県・香川県のお隣、徳島県の祖谷《いや》地方には、郷土料理「祖谷そば」があります。これらのそばの名産地では、痩せた土地と少ない水、寒暖差の大きな気候によって稲作の普及が進まず、その代わりに、土壌や気候への順応性が高い蕎麦が好んで栽培されるようになりました。また、徳島県の山間部には、同じく寒暖差に強いゆずの産地もあります。おもしろいところでは、乾燥させたゆずの粉を麺に練り込んだ「上勝ゆずそば」という商品もあります。

## ◎「稲庭うどん」の里、秋田はどっちの文化圏？

東北から北海道を見てみましょう（図4）。「日本三大うどん」のひとつとされる「稲庭うどん」は秋田県湯沢市（旧・稲庭町）が発祥ですが、湯沢市は意外にもそば優勢の緑色に塗られました（うどん7軒、そば9軒）。残る三大うどん、五島（長崎県）と讃岐（香川県）のふるさとが赤く塗られているのと比べると対照的で、外食文化の違いが見え隠れします。

稲庭うどんは、江戸時代の初期に湯沢市稲庭町小沢で発明された「干し

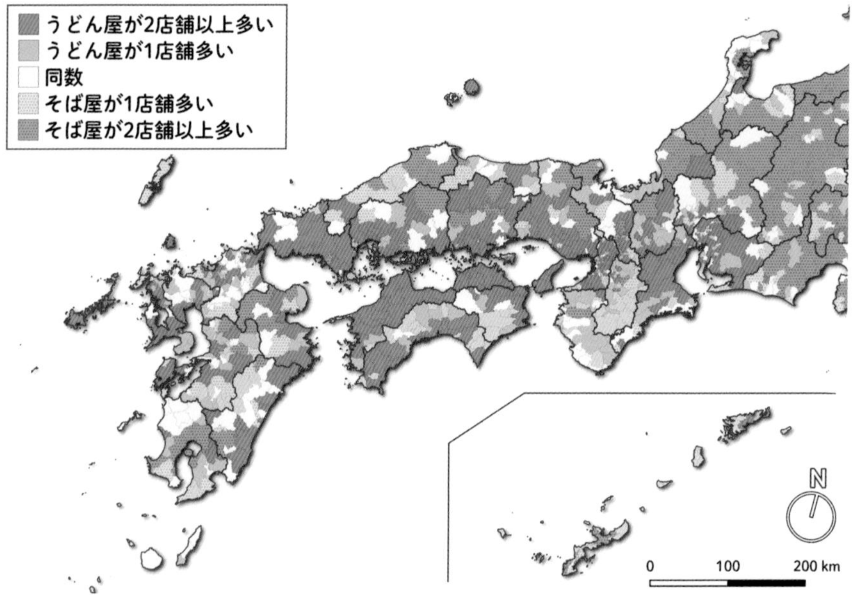


図3　「うどん文化圏」と「そば文化圏」（中国、四国、九州）
西日本にもそばが優勢な地域がある。

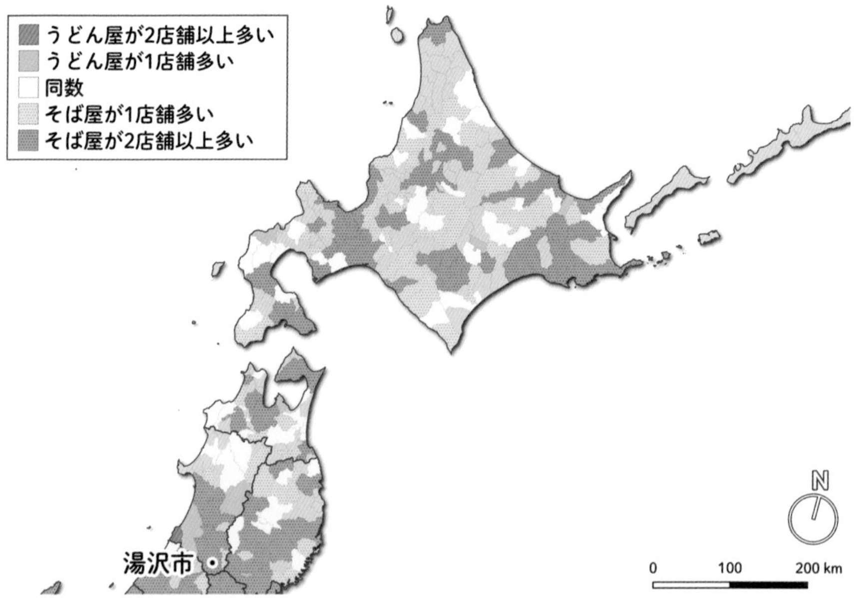


図4　「うどん文化圏」と「そば文化圏」（東北、北海道）
東北や北海道では、そばのほうがおおむね優勢。

うどん」がルーツであると言われています。「つるつるとしたのどごしと上品な味が、秋田藩主・佐竹氏にも好まれ、贈答品として用いられた」という記録や、「明治期の内国勧業博覧会で褒章を受けて宮内庁御用達となった」といったエピソードが残っています。しかし、その製法は長きにわたって門外不出で、稲庭の庶民の主食たりえなかったようです。

1972年に製法が解禁されて以来、製麺業が当地の一大産業となっていますが、瀬戸内のようにあちこちにセルフうどん店が林立するような状況にはならず、どちらかといえば飲食スペースを持たない製麺所のほうが多くなっています。

ちなみに、香港の日本料理店で稲庭うどんをいただいたとき、オーナーから「日本の佐藤養助商店がすばらしい」と聞きました。干しうどんの宗家・稲庭家から秘伝の製法を受け継いだ製麺所のひとつで、秋田県内のほか、都内にも数店舗あるようです。

2000年代以降、「はなまるうどん」「丸亀製麺」といったチェーン店が全国に進出し、いまや、「そば文化圏」の東日本でも讃岐うどんが市民権を得ています。食料自給率の低下とともに、食文化のグローバル化や画一化が進んでいるとも言われる昨今ですが、うどん文化圏、そば文化圏を地図にしてみると、「まだまだ日本の食文化は多様なんだ」と再認識させられます。今回はお店の分布を可視化してみましたが、ゆくゆくは「東西のだし汁の違い」「乾麺の消費量」なども比べてみたいところです。

参考：Yahoo! JAPAN『Yahoo! ローカルサーチAPI』(https://developer.yahoo.co.jp/webapi/map/openlocalplatform/v1/localsearch.html)

## 1-3 「ラーメン王国」は意外（?）な県だった！

ラーメンをはじめとする中華そば（外食）の年間支出金額を可視化してみました（図1）。出典は総務省統計局が毎年実施している『家計調査』で、2013～2022年の10年分の平均値。県庁所在地と政令指定都市に住む2人以上の世帯が調査対象です。

地図を眺めてみると、全体的に「東高西低」の傾向があるのがわかるでしょうか？　そして目を引くのが東北地方。特に山形市では年間支出金額が全国平均の2倍を超え、2007年の統計開始以降、16年連続で2位以上を記録しています（うち14回は52都市中1位！）。

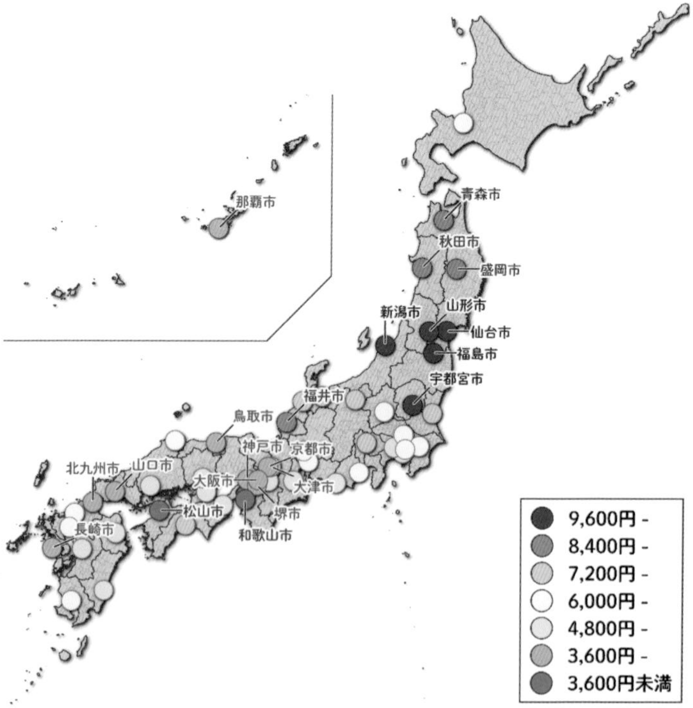


**図1** 主な都市の1世帯あたり「中華そば（外食）」年間支出金額
南東北と新潟を中心に、ラーメンの外食文化が根付いていることがわかる。

確かに山形県の酒田、米沢、福島県の喜多方、白河など、東北には人気のご当地ラーメンがありますが、ラーメンの有名な地方は他にもたくさんあるはず。どうしてこうなったのか……。これは深掘りしたくなるデータです！

## ◎ラーメン屋の多い地域、少ない地域

まず、ラーメン屋の分布にどのような地域差があるのか、地図で見てみましょう。図2は、市区町村ごとに「昼間人口※1 1万人あたりのラーメン店舗数」を示したものです。レストランなどの検索サービスを提供する

※1：昼間人口にはさまざまな定義がありますが、ここでは携帯電話等の匿名位置情報から推定した2021年11月、平日昼間の市区町村別滞在者数を使用。出典は国土交通省『全国の人流オープンデータ』(https://www.geospatial.jp/ckan/dataset/mlit-1km-fromto) です。

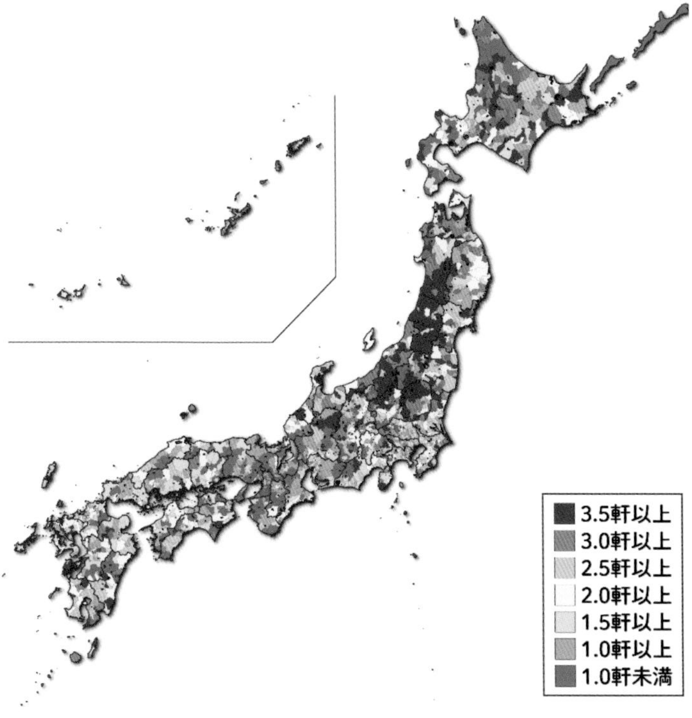


**図2** 昼間人口1万人あたりのラーメン店舗数(市区町村別)

「Yahoo!ローカルサーチAPI」で業種「グルメ>ラーメン」を検索。北陸から東北地方にかけて、日本海側や内陸部を中心に、人口あたりのラーメン店舗数が多い。

「Yahoo! ローカルサーチAPI」の情報を使用しましたが、掲載されていないお店や、最新の情報が反映されていない場合もあります。そのため、個々の市区町村ではなく、地域全体の傾向に注目してください。

図2を見ると、東北地方や新潟県が「赤く」色づいています。これは『家計調査』での支出額と同じ傾向です。県庁所在地と政令指定都市では山形市がトップ(1万人あたり4.3軒)。次いで、富山市、金沢市、青森市、盛岡市、秋田市など、東北、北陸の都市が上位を独占しています。

一方、博多&長浜ラーメンで有名な福岡市は20位、札幌市は25位。さらに40位以下に目を向けると、名古屋市、京都市、横浜市、大阪市、川崎市、さいたま市、神戸市、堺市など、三大都市圏の街が続いています。

首都圏や近畿圏、それに博多や札幌といった、ラーメンで有名な大都市では、繁華街を少し歩いただけでもラーメン屋がたくさん見つかるので、「あれ？」と思われた方も多いのではないでしょうか。これらの都市には確かにラーメン屋の激戦区がありますが、圏域全体として見ると、人口に対して店舗数が少なく、一世帯あたりの支出額もそれほど高くないのです。

## ◎なぜ「山形県」がラーメン王国になったのか？

改めて、近畿から東北あたりをクローズアップして「昼間人口1万人あたりのラーメン店舗数」を見てみます(図3)。新潟県の上越、中越から秋田県の南部にかけて密集したラーメン店を確認できます。喜多方や米沢、酒田など、ラーメンで有名な町の位置関係もおさらいできましたね。

東北地方の中でも「ラーメン王国」と言われる山形県では、県内ほぼすべての市町村が「真っ赤」に。その理由には諸説ありますが、「来客へのおもてなしとしてラーメンの出前を取るようになった結果、蕎麦屋でもラーメンを出すようになった」とか、「冬場の寒さから熱々のラーメンが、夏場の暑さから冷やしラーメンが好んで食べられるようになった」という説が一般的に支持されています※2。

このように、自然発生的にラーメン文化が根付いた山形県では、各地のご当地ラーメンに地場の食材がふんだんに使われ、非常にバラエティに富んでいます。歴史的な経緯から庄内、最上《もがみ》、村山、置賜《おきたま》の4つの地域に分か

山形県のバラエティ豊かなご当地ラーメン

- とりもつラーメン（新庄市）：鶏のもつ煮が特徴。
- 酒田のラーメン（酒田市）：日本海の海の幸を活かした魚介系スープが特徴。
- 冷やしラーメン（山形市）：夏の暑い気候から生まれたご当地ラーメン。
- 赤湯ラーメン（南陽市）：味噌ベースのスープと辛味噌で体が温まる。
- 米沢ラーメン（米沢市）：米沢牛や米沢豚などの地元産の肉を使っている。

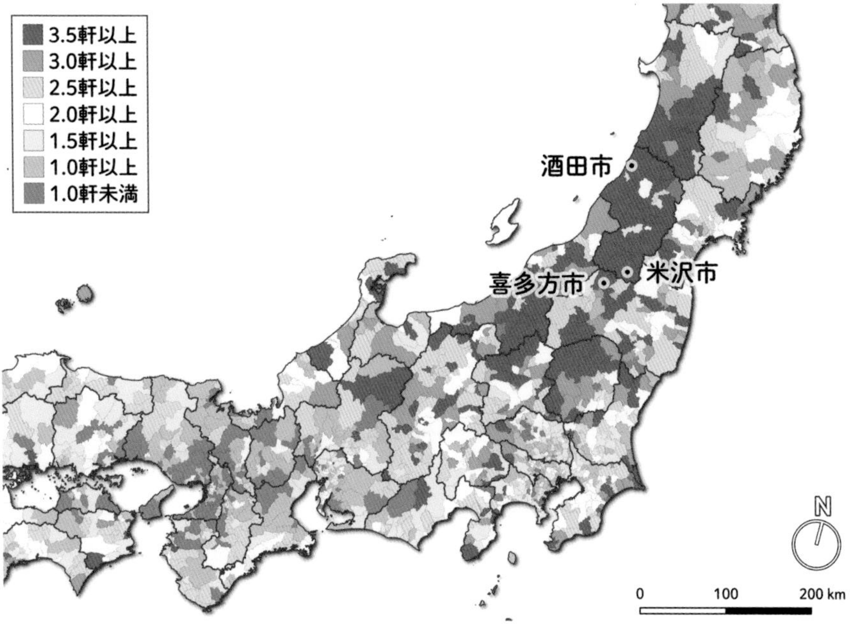


図3　昼間人口1万人あたりのラーメン店舗数（拡大版）
栃木、群馬、新潟の山間部から秋田県南部にかけて、ラーメン屋が非常に多い。

れ、多様な食文化に恵まれた山形県。今回は紙面の都合で割愛しましたが、県内のご当地ラーメンの勢力図を可視化できると、各エリアの食や農業の歴史を垣間見ることができるかもしれません。現地を旅しながらトライされてみてはいかがでしょうか？

※2：『地域再生計画　日本一の麺文化を活用した地域活性化事業』（https://www.chisou.go.jp/tiiki/tiikisaisei/dai67nintei/plan/a0072.pdf）、山形市

## ◎「食文化」を地図から見てみた

図4は「あるジャンル」の飲食店の数（昼間人口1万人あたり店舗数）を可視化したものです。中国地方から近畿地方にかけて「赤い」地域が広がっていますが、一体何のお店でしょうか……？

答えは「お好み焼とたこ焼き」、いわゆる「粉もの」のお店です。お好み焼きは広島風と関西風が有名ですが、豚バラ肉の代わりに豚ひき肉を使ったもの（広島県府中市）、ちくわや牛肉など具材に特徴のある「三津浜焼き」（愛媛県松山市）など、ご当地オリジナルの進化系も見ることができます。

参考：Yahoo! JAPAN『Yahoo! ローカルサーチ API』（https://developer.yahoo.co.jp/webapi/map/openlocalplatform/v1/localsearch.html）

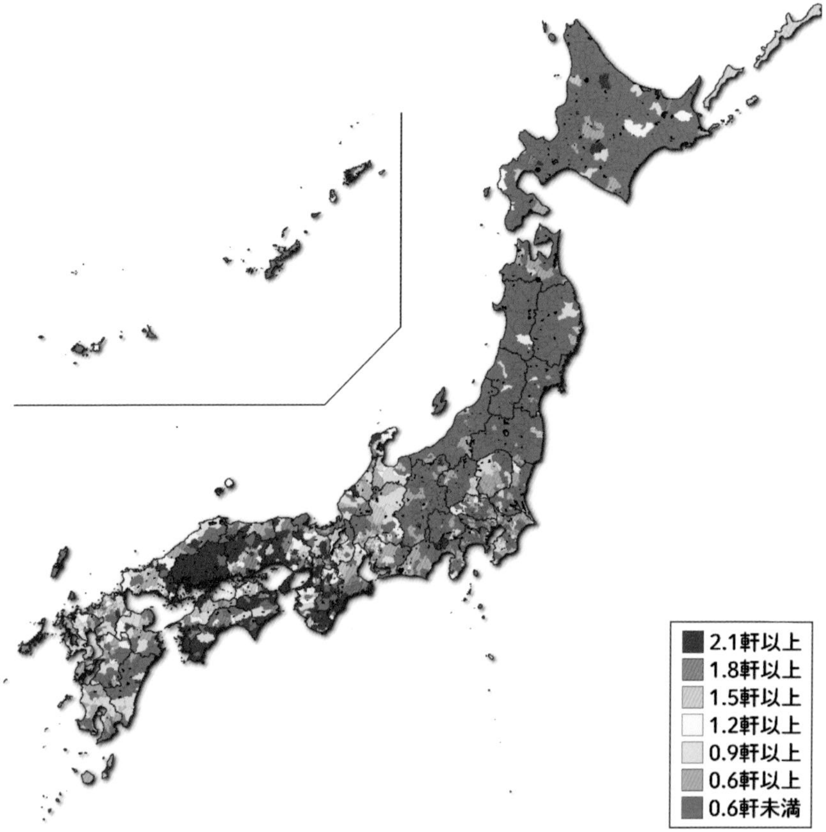


**図4** 昼間人口1万人あたりの「お好み焼、たこ焼き店」の店舗数
粉ものは、瀬戸内や近畿が誇る食文化。

# 1-4 「コンビニ勢力図」から見えてくる意外な「強者」

日本全国、津々浦々に広がるコンビニエンスストア。遠くの街に出かけたときにも「だいたい、そこにある」という安心感が素敵ですが、地域によってセブン-イレブンばかりを見かけたり、またある地域ではご当地コンビニがまとまっていたりと、意外と地域差が大きいと感じます。

この地域差を可視化するために「コンビニ勢力図」を作成してみました（図1）。コンビニ大手6社を対象に、各市区町村を「店舗数が一番多いブランド」で塗り分けたものです。同率1位のブランドが複数ある場合、全国で店舗数が少ないほう（マイナーなほう）の色をつけました。

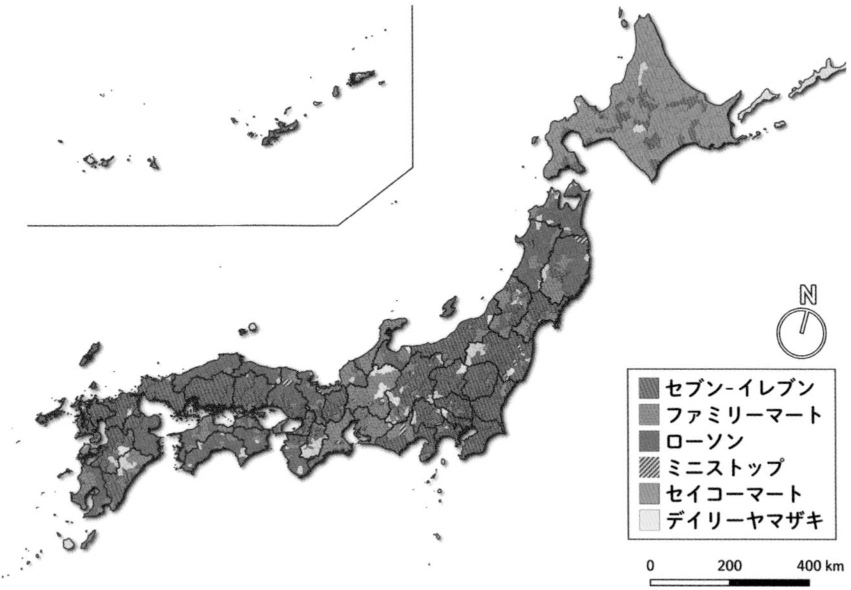


図1　店舗数が一番多いコンビニチェーン（全国）
店舗データを可視化すると、主要3社が得意な地域が一目でわかる。

## ◎現在も続くコンビニ「戦国時代」

全国約5.7万店舗のコンビニチェーンのうち、一番多いのがセブン-イレブン（2.1万店）。業界2位のファミリーマート（1.7万店）に差をつけているものの、全国を“**平定**”できているわけではないことが読み取れます。大まかな傾向としては、関東地方と中国、九州北部ではセブン-イレブンが優位、中部地方ではファミリーマートが優位、東北北部や山陰、四国などではローソンが陣取っています（図2、3）。

このような地域差が生じる理由のひとつに、コンビニチェーンどうしの統廃合の歴史があります。かつて、名古屋などの中部地方にはサークルK（岐阜県の総合スーパー「ユニー」傘下）が広がっていたのですが、2004年にサンクスと合併、さらに2016年にはファミリーマートと経営統合し、2018年までにすべての「サークルKサンクス」がファミリーマートに置き換わりました。

広島で生まれたポプラ（生活彩家、スリーエイトを含む）も、ローソンと

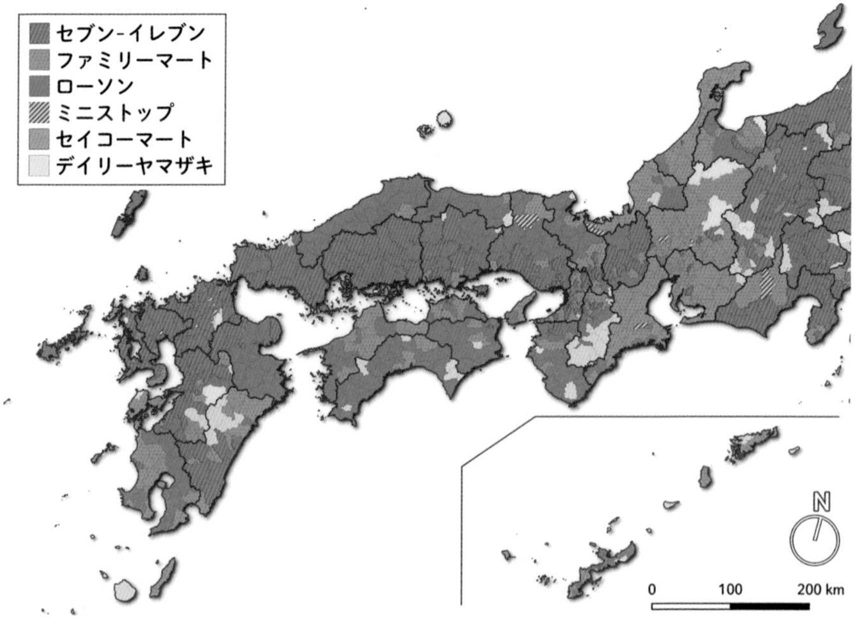


**図2** 店舗数が一番多いコンビニチェーン（西日本）
山陰地方や対馬、五島列島では、ポプラからローソンへの転換が進んでいる。

の共同運営を徐々に進めています。こちらはファミリーマートと異なり、ポプラの店舗運営が一部継承されているのが特徴で、両社の共同ブランド店舗「ローソン・ポプラ」では、ポプラ時代に人気を博したポプ弁（あったかいご飯を後から詰める方式の弁当）が健在です。

## ◎北海道では大手チェーンより強いセイコーマート

北海道には本州と違う色が広がっていますね（図4）。地場のコンビニ、セイコーマートです。セイコーマートは1971年に札幌で開業したコンビニチェーンで、2023年8月末現在、道内に1,090店、本州に96店を構えています。もともと酒の卸売業を展開していた強みを活かして、取引先の酒屋をコンビニに業態転換。さらには弁当などの製造、流通を自社グループ内で行うことで仕入れコストを削減し、札幌から過疎地や離島までをカバーする一大チェーン店に成長していきました。店内厨房で調理する弁当や総菜

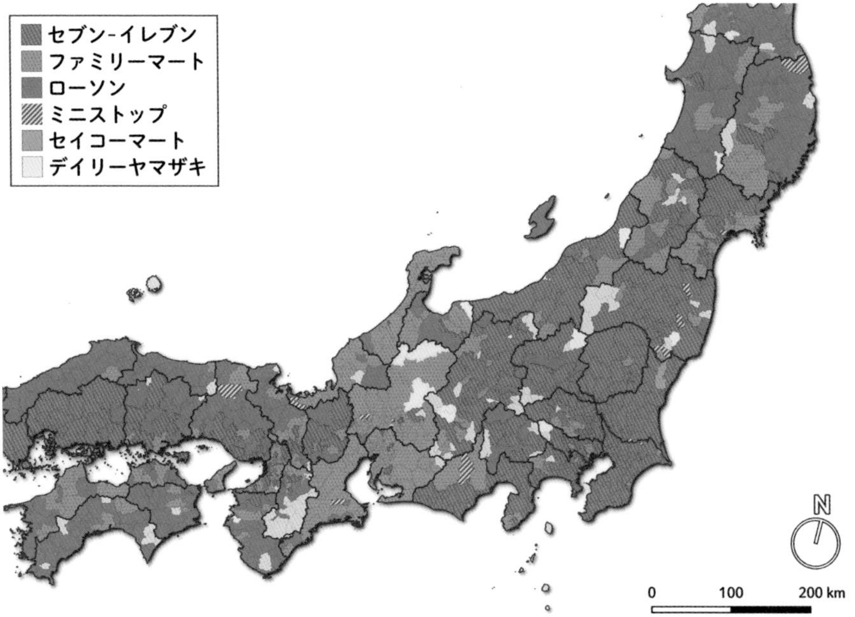


**図3** 店舗数が一番多いコンビニチェーン（東日本）
中部地方ではサークルKがファミリーマートに吸収された。

「ホットシェフ」が人気です。

コンビニの陣取り合戦には「早い者勝ち」の側面が大きいため、セイコーマートの牙城と言える北海道（特に道東、道北）には大手チェーンが長らく参入してきませんでした。2023年8月、稚内市内にローソンが2店舗オープンしましたが、それまでの間、ローソンは約150km南（オホーツク海側）の紋別郡雄武町が最北でした。セブン-イレブンは中川郡美深町（旭川と稚内の中間地点）、さらにファミリーマートは滝川市（札幌から旭川までの道のりを3分の2ほど進んだところ）までしか進出できていません。セイコーマートの守備は堅く、この勢力図は今後もしばらく変わりそうにありません。

激しい競争が続くコンビニ業界。5年後、10年後の「コンビニ勢力図」はどうなるのでしょうか。

参考：コンビニ主要6社のWebサイトより店舗の住所を収集し、市区町村ごとに軒数をカウントした。

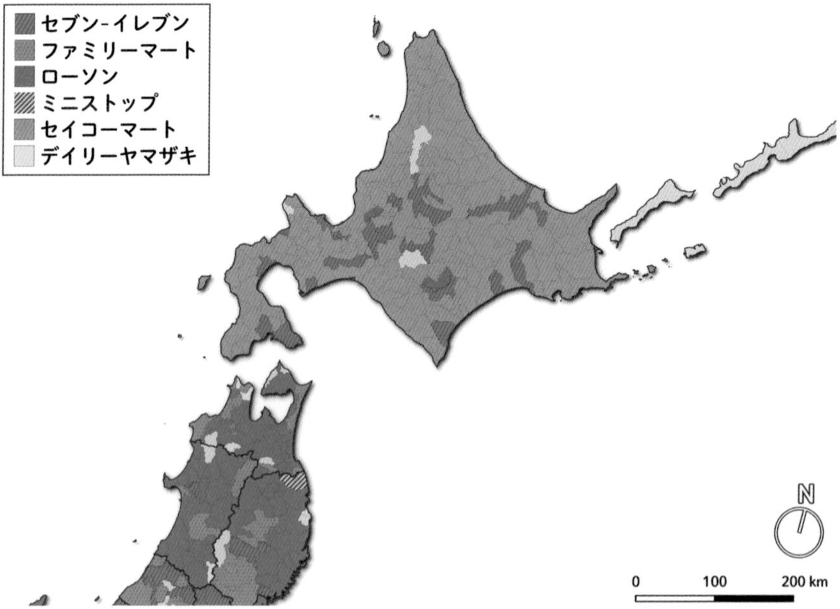


**図4** 店舗数が一番多いコンビニチェーン（東北、北海道）
セイコーマートが北海道民の暮らしを支えている。

# 1-5 コンビニと郵便局の立地差から見える企業の論理

日常生活に欠かせないコンビニと、郵便サービスを提供する郵便局。日本国内ではどちらのほうが多いと思いますか？　その謎を探るべく、2枚の地図を描いてみました。

日本フランチャイズチェーン協会によると、日本全国で大手6社のコンビニは約5万7,000店舗。郵便局は約2万4,000局。それなりに都市化された場所であれば「どこにでもある」施設ですが、その立地を細かく見ていくと、思わぬ発見があります。

図1、2で、全国のコンビニと郵便局を光らせてみました。まず、コンビニは都市部に集中していて、農山漁村や離島にはほとんど見られません。一方で郵便局は都市部だけでなく、山奥や離島の小さな集落にも見ることがで

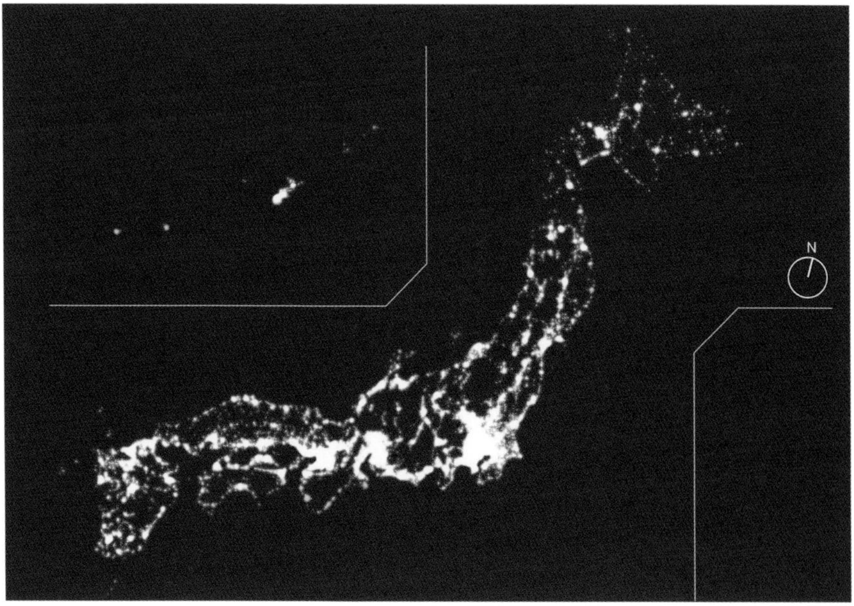


**図1　主要コンビニチェーンの分布**
大手6社のWebサイトを参考にコンビニ店舗の住所録を作成し、地図上に表した。

き、日本国内を広くあまねくカバーしていることがわかります。

なぜこのような違いが生まれるのでしょうか？

その最大の理由は、コンビニと郵便局の存在意義の違いです。コンビニには「便利な暮らしを提供する」という大義こそありますが、多くは営利目的で運営されているので、採算が取れない場所（日販40～60万円、買い上げ客数600～800人を見込めない場所）にはなかなか出店しませんし、出店しても商売が長続きしません。

一方、郵便局は郵政民営化法などの法律によって郵便、銀行窓口、簡易保険といった公共性の高いサービスを「全国において公平に利用できるようにする責務を有する」とされているため、採算が取れない地域であっても、住民がいる限り簡単に撤退することはできません※。また、経営母体の規模を活かして大都市から過疎地に利益を補填することで、赤字の店舗を

※：郵便局の数はおおむね横ばいですが、近年は簡易郵便局（地方公共団体や民間に業務委託する形態）が増えており、サービス内容が徐々に縮小されています。

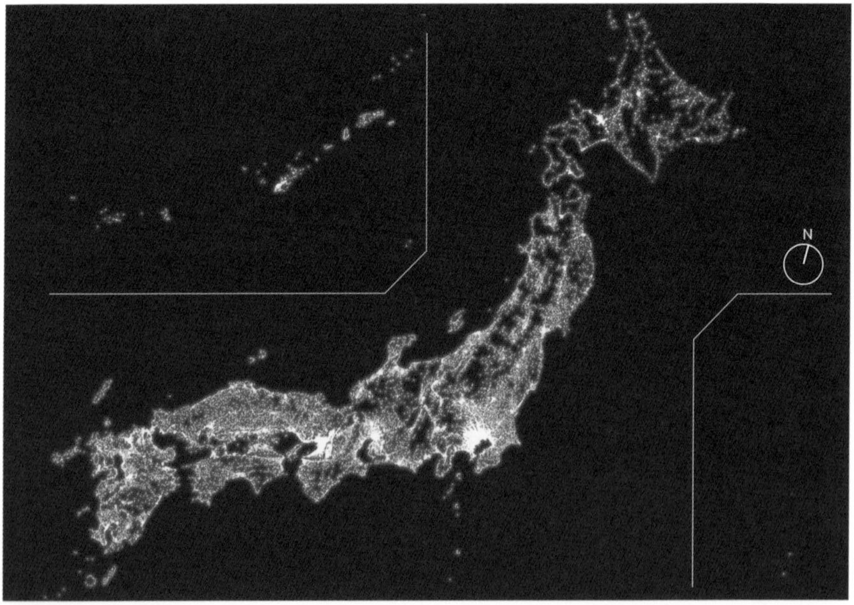


**図2 郵便局の分布**

コンビニと比べると、比較的規模の小さな集落にも設置されている。本州の山間部はもちろん、奄美、南西諸島や小笠原諸島といった離島にも光が灯っている。

支えられるという側面もあります。

### ◎大都市ではコンビニのほうが多い

次に、コンビニと郵便局の立地の違いをクローズアップしてみましょう。

図3、4は東京都目黒区、品川区付近の地図に、コンビニ、郵便局をプロットしたものです。五反田などのオフィス街には、たくさんのコンビニが密集していますが、住宅地では店舗がまばらになります。店舗の密度は昼間の人口密度に概ね比例していて、「昼間人口2,000〜3,000人/$km^2$あたり1店舗」が目安になります。

郵便局のほうは人口密度とあまり比例しておらず、どちらかといえば等間隔に設置される傾向があります。オフィス街、住宅地を問わず500m〜1kmにひとつといったところで、コンビニほどの利便性はありませんが、都市部であればどこに住んでいても「少し歩けばアクセスできる」のが特徴です。

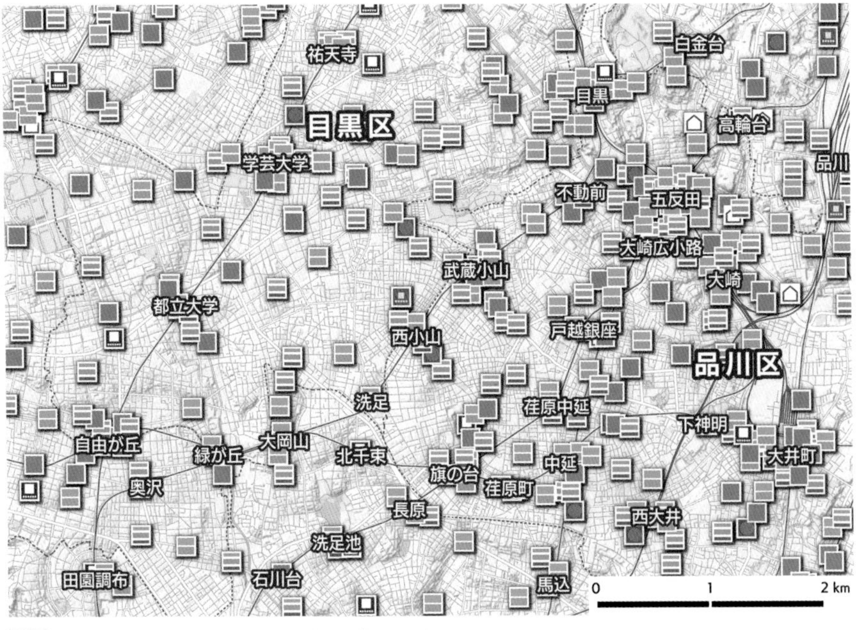


**図3**　東京都目黒区、品川区付近の大手6社コンビニ

コンビニは駅前のオフィス街や繁華街に密集している。

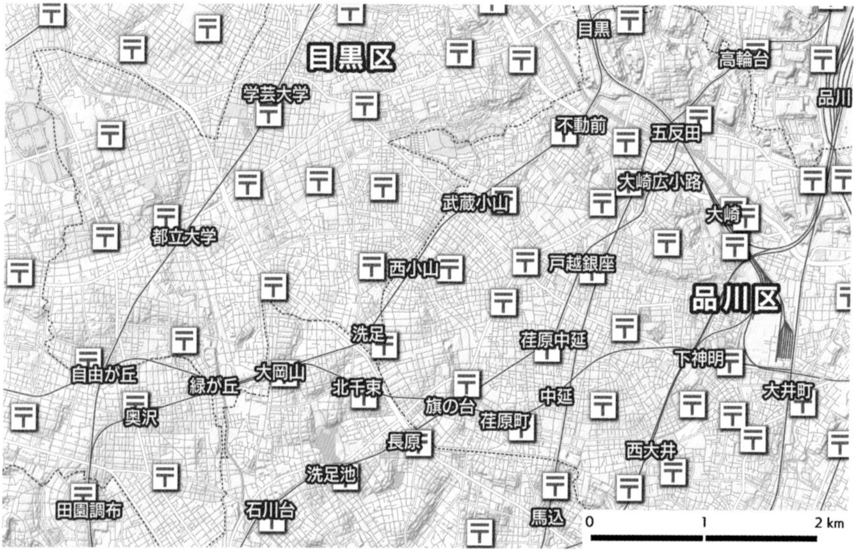


**図4** **東京都目黒区、品川区付近の郵便局**
郵便局は500m ～1km間隔でまんべんなく設置されている。

## ◎離島や農山漁村では郵便局のほうが多い

図5は長崎県の新上五島《しんかみごとう》町を拡大した地図です。新上五島町は五島列島の北東部にある水産業が盛んな島で、5つの島に1万6,000人あまりが住んでいます。コンビニは人口最大の島・中通島《なかどおりじま》に3店舗があるのみですが、郵便局はすべての有人島に合計20局が展開されています。

また、コンビニと郵便局の立地の違いを活かした、先進的な取り組みも始まっています。2022年秋、沖縄県南城《なんじょう》市の知念郵便局では、局内の空きスペースでローソンの商品を販売し、実用化に向けた検証を行いました(図6)。「全国どこにでもある」「簡単には撤退できない」という郵便局の特性を逆手に取った新たなビジネスが生まれようとしています。

参考①：国土交通省『国土数値情報（郵便局データ）』
参考②：総務省『郵政事業のユニバーサルコスト及び将来試算について』（2015年5月）（https://www.soumu.go.jp/main_content/000358378.pdf）
参考③：日本郵便株式会社『日本郵便の経営状況』（2022年10月）（https://www.soumu.go.jp/main_content/000840709.pdf）
参考④：図3、4、5、6の背景に国土地理院『地理院地図Vector（仮称）提供実験』のデータを使用

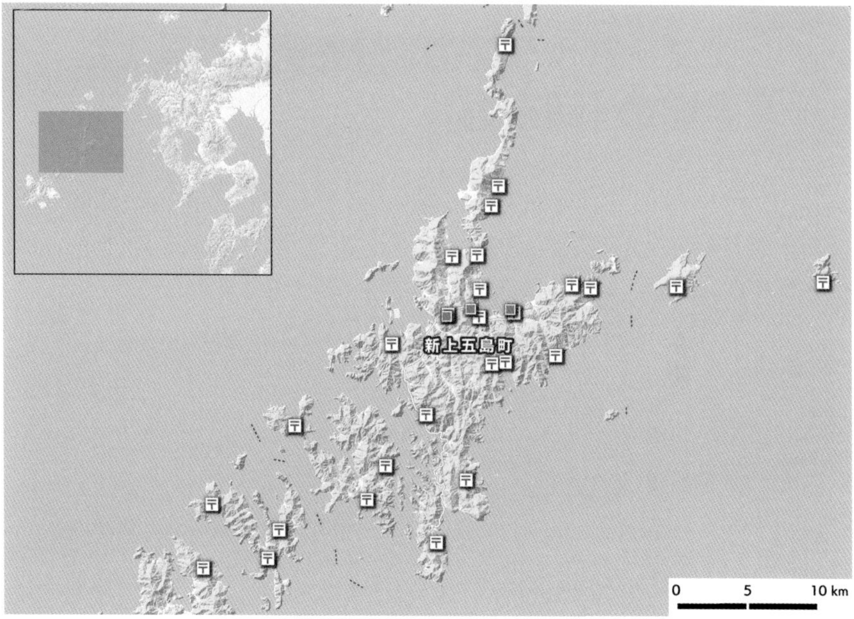


**図5**　長崎県新上五島町の大手コンビニと郵便局
新上五島町民の71%が、郵便局から徒歩や車で2km以内のところに住んでいる。

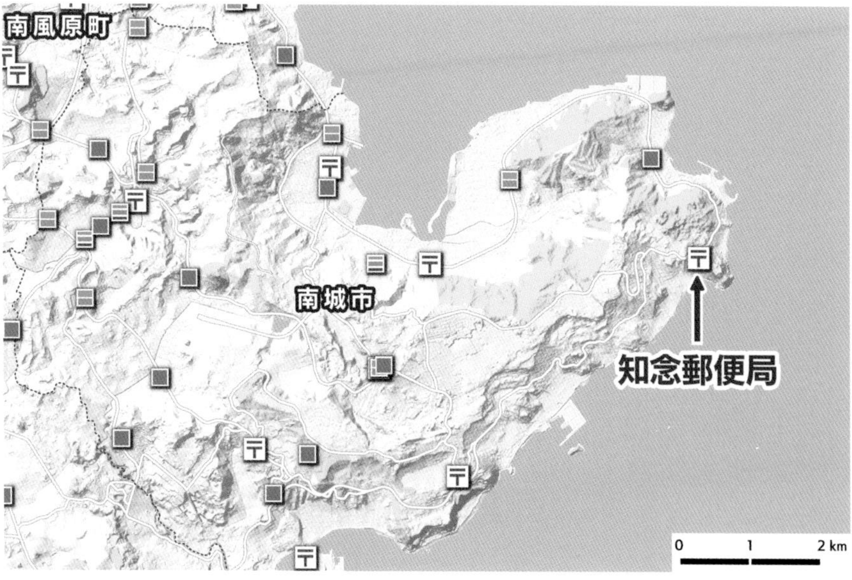


**図6**　沖縄県南城市の大手コンビニと郵便局
知念地区には約4,700人が住んでいるが（2023年）、コンビニや食料品店が少なく「買い物困難地区」とされる。

# 1-6 スターバックスの「分布図」で見えた全国の「都市圏」

「スターバックスまで5km以内の場所」に色をつけてみると、“都市圏”のようなものが浮かび上がってきました（図1）。この地図を題材に、世界一のコーヒーチェーンの立地の特徴を探ってみましょう※1。

※1：スターバックス コーヒー ジャパンの公式Webサイトを参考に住所録を作成し、地図上に可視化。

**図1** スターバックスまで5km以内の場所
100万人を超える“都市圏”は全国で8か所。地元やゆかりの町を探してみたい。

2023年5月現在、スターバックスは日本国内に1,792店舗を展開しています※2。これは全国の市区町村数1,718より多いのですが、実際にはすべての市区町村にまんべんなくスターバックスが出店しているわけではなく、人口の多い都市部に偏る傾向があります。

ここでは、「スターバックスまで車で5km※3以内の場所」を"スタバ都市圏"と定義し、それぞれの"スタバ都市圏"ごとに別々の色で塗り分けています。このような形で「可視化」してみると、スターバックスが密集している「都市的」な地域がどこに広がっているのか、また、その規模や広がりはどうなっているのかを見ることができます。"スタバ都市圏"が途切れているところでは、その理由を考察してみるとおもしろそうです。

## ◎都会的とは言えない場所でも店舗を見かけるが……

まずは三大都市圏を拡大してみましょう（図2、3）。最初に目に入るのが首都圏のスケール感です。東京、横浜、さいたま、千葉を中心に3,000万人以上の人口を抱える「大都市圏」（多くの都市が連なり、機能的にひとつの巨大都市を形成している地域）となっています。

三大都市圏以外の地域には、県庁所在地などを中心に、「人口数十万人から百万人規模の"都市圏"」が存在します。また、県庁所在地から離れたところには「数万人から十万人規模の小さな"スタバ都市圏"」が点在しています。

高速道路のサービスエリアや空港などにも色がついていますが、そのような場所では、車や飛行機で移動する人たちをターゲットに出店しているので、"**スタバ都市圏**"の人口はあまり多くありません。

スターバックスが人口密集地に優先的に出店している背景のひとつが、同社の立地戦略です。同社は1990年代から2000年代にかけての成長期に「corner of Main & Main※4」と呼ばれる立地の考え方を採用し、各都市の中でも「一等地」と言える場所（人通りが多く、視認性が高く、良質なテナントがすでに入っている都会の街角）に集中的に店舗を出すことで、ブラ

※2：スターバックス コーヒー ジャパンの公式Webサイトより。

※3：5kmの代わりに3km、1kmなどでもよかったのですが、車や公共交通機関による日常的な行動範囲を意識して5kmにしてみました。

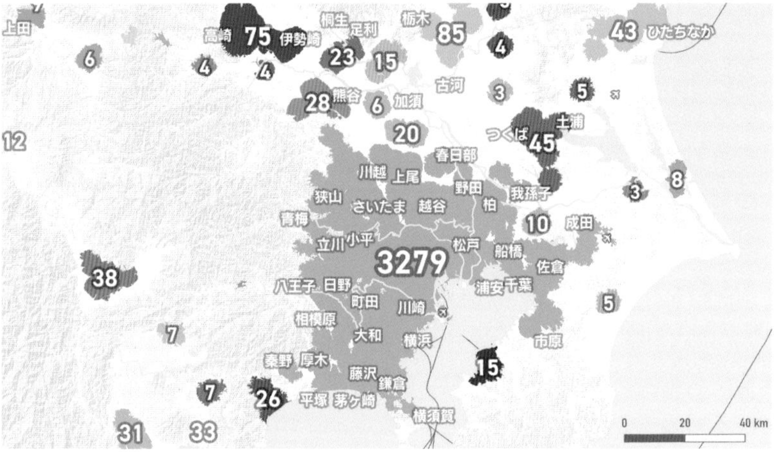


**図2** 首都圏の「スタバ5km圏」
関東平野広しといえども、首都圏と北関東では町の規模や密度が異なることが分かる。

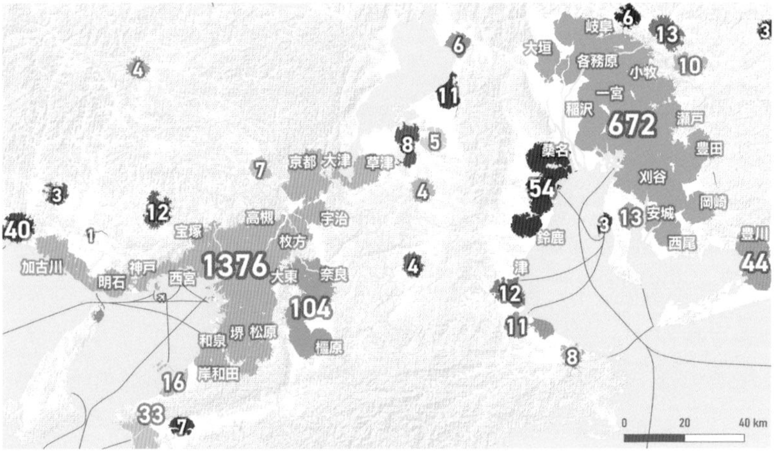


**図3** 近畿圏、中京圏の「スタバ5km圏」
大阪“都市圏”と奈良“都市圏”は生駒山地によって隔てられているが、一番近いところでは約200mまで近接している。

ンドの認知度や集客力を高めています。

近年は、郊外のショッピングモールや幹線道路沿い、また観光地にも進出するようになりましたが、「地域で一番にぎわっている場所」を選んでい

※4：Arthur Rubinfeld and Collins emingway (2005).『Built for Growth - Expanding Your Business』、Addison Wesley、P201.

るという意味では「corner of Main ＆ Main」の理念は健在だと言えます。

## ◎海外でも“スタバ都市圏”を描けるか？

スターバックスは、海外でも「町の一等地」に立地する傾向があるので、日本と同じように“スタバ都市圏”を描くことができます。図4は台湾の様子。“西海岸”と“東海岸”で都市化の度合いが異なることがわかりますね。

参考①：Starbucks Taiwan『門市查詢』(https://www.starbucks.com.tw/stores/storesearch.jspx)

参考②：地域・交通データ研究所（代表・西澤 明氏）『令和2年簡易100mメッシュ人口データ』(https://gtfs-gis.jp/teikyo/)

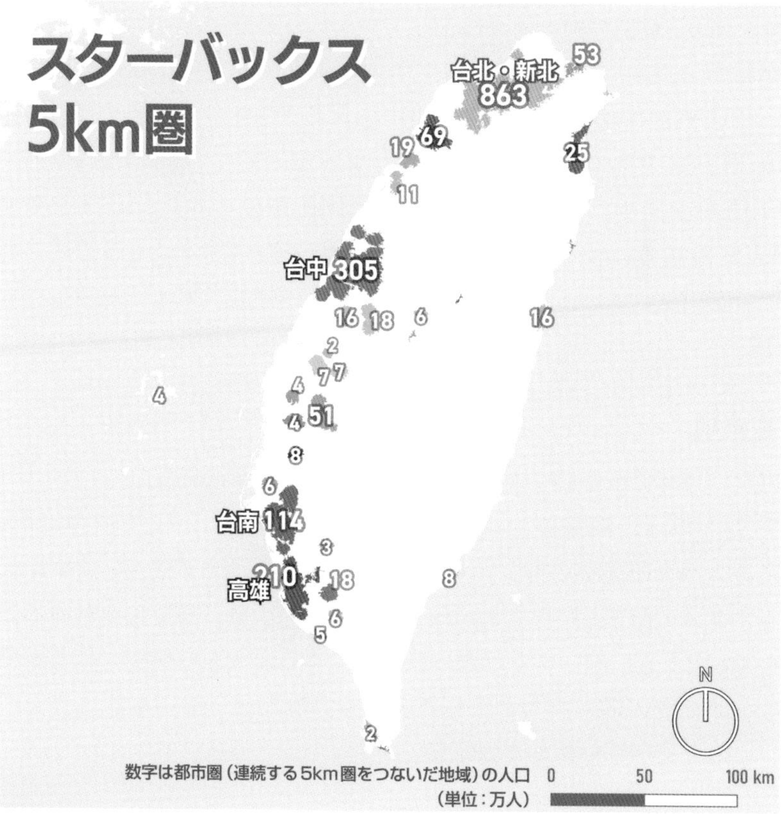


図4 台湾の“スタバ都市圏”

日本の“都市圏”人口と比べてみると町の規模感がわかる。台北“都市圏”は名古屋より大きく、京阪神より小さい。

# 1-7 容積率を可視化すると「街のスケール」がわかる！

日本の主な都市を「指定容積率」で塗り分けると、都市の構造や特徴が見えてきました。

日本の都市部では「都市計画法」などの法律や条例により、土地の利用方法や建築物の規制が細かく定められています。地域内の土地利用（住居、商業、工業など）をなるべく統一したり、建物の大きさ、高さなどの基準を設けたりすることによって、日照や風通し、大気、騒音レベルなどの生活環境を守り、経済活動の生産性も向上できるためです。

建築物の規制のひとつが容積率です。容積率とは「敷地面積に対して、どれだけの延べ床面積の建物を建てられるか」を示す指標です。例えば100m四方（1万平方m）の敷地に、50m四方、8階建て（延べ床面積2万平方m）の建物が建っている場合、容積率は200%となります。これが4階建ての場合、容積率は半分の100%です。指定容積率、すなわち、各地域の都市計画で定められている容積率の最高限度を可視化したのが、本項のマップです。

## ◎東京編

東京で最初に目を引くのは、東京駅丸の内口や新宿駅西口の「濃い紫色」のエリア（図1）。容積率1,000～1,300%が許可されていて※、高さ150mを超えるような超高層ビルが立ち並んでいます。いずれの街も、東京を代表するオフィス街として計画的に整備されており、単に高層化を進めるだけでなく、並木道に沿って歩行者の動線をつくったり（丸の内）、緑道や公園などのオープンスペースを広くとったり（新宿）と、憩いや開放感を高めるための工夫が見られます。

※：地域としての指定容積率は1,300%が上限ですが、ほかのビルの余った容積率を移転することによって、1,700%以上の容積率を実現したビルもあります（特例容積率適用地区）。

薄い紫色のエリアは容積率700〜900%。10〜15階建てのビルに混じって、広い空き地を設けた高層ビルが点在するような街並みです。この紫色のエリアの広がり方から、東京都心と副都心（池袋、渋谷、新宿）のスケールの違いがわかります。

鋭い人は、幹線道路沿いに容積率500〜600%の赤いエリアが伸びているのに気がついたでしょうか。一般的に、住宅地では住環境を守るために、容積率や建物の用途が厳しく制限されていますが、幹線道路に面した帯状のエリアでは都心に準じた緩い規制が適用され、高い建物や住宅以外の建物を建てやすくなっているところがあります。

このような規制緩和は、土地の利用効率を高めることや、大規模な火災が発生したときに隣の地区への延焼を防ぐことが目的で、道路沿いの古い木造住宅を燃えにくく頑丈な建物に建て替えやすくすることによって、幹線道路が持つ「延焼遮断帯」としての効果を高めることを狙いとしています。

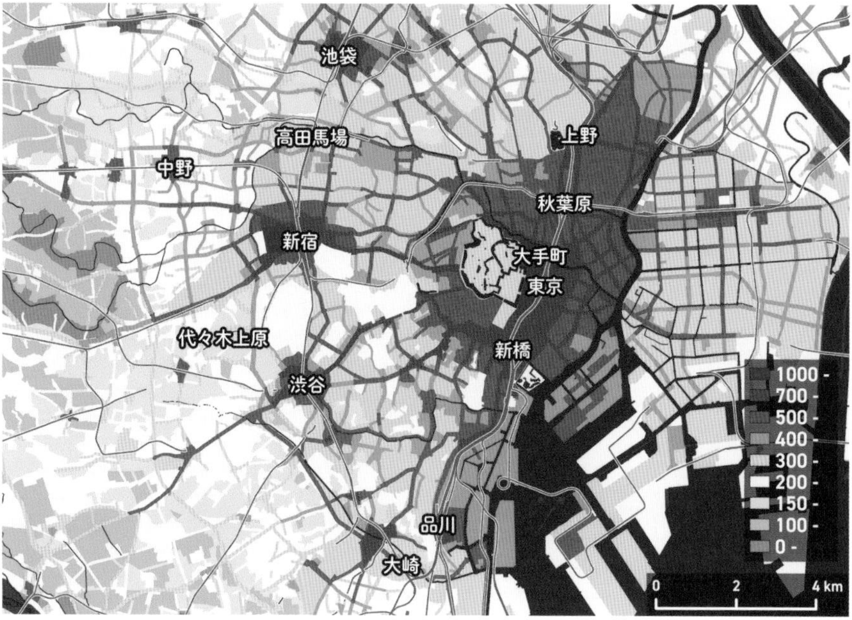


図1　容積率マップ（東京周辺）
都心と副都心のスケールの違いが興味深い。

## ◎京阪神＆名古屋編

大阪では、梅田から難波までを南北に貫く御堂筋に沿って濃い紫のラインが伸びています（図2）。中高層ビルが立ち並ぶ薄い紫のエリアや、雑居ビル、マンションが密集する赤いエリアも約4km四方に広がっていて、国内2位、世界でも有数の大都市ならではのスケール感が伝わってきます。

京都は京都駅や京都タワーが街の“顔”として知られていますが、およそ2km（2駅）北に離れた四条駅、烏丸駅、烏丸御池駅あたりが経済活動の中心です。「田」の字の形をした紫色のエリアには、10階建て程度のオフィスビルやマンションがぎっしりと立ち並び、現代的な都市景観が続いているので、実際に歩いてみると、京都のもう一つの顔（むしろ素顔？）に驚くと思います。神戸では三ノ宮駅の南側にオフィス街が形成されています。名

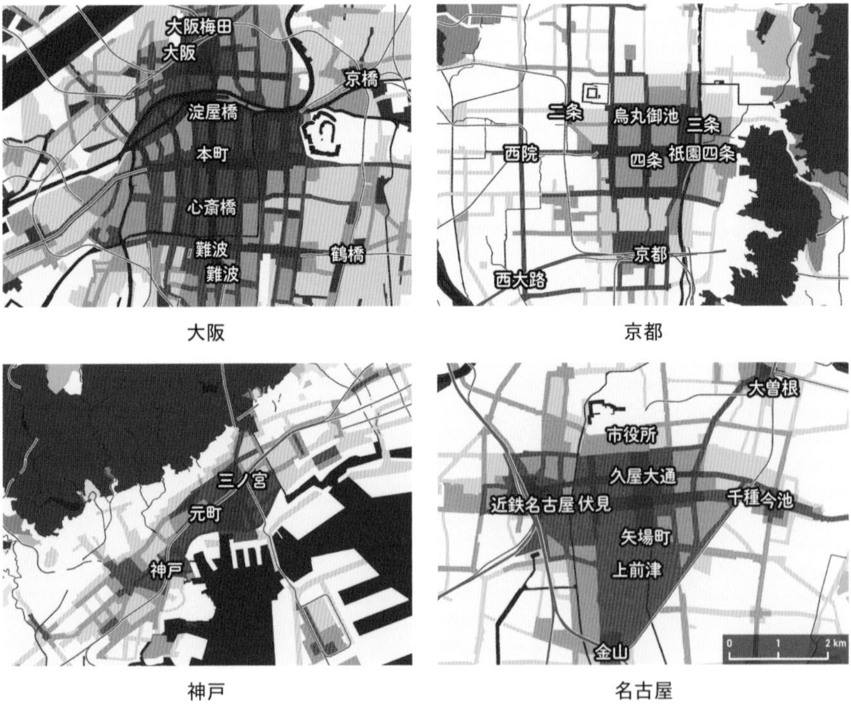


**図2** 容積率マップ（近畿圏、名古屋）
データの都合上、大阪市内は2011年のデータを表示。その他は2019年。

古屋は名駅（名古屋駅）から伏見、栄のあたりが中心市街地となっています。

## ◎ほかの都市も見てみよう

図3には首都圏の主なベッドタウン、図4、5には全国各地の50～150万人クラスの都市をまとめてみました。いずれも同じ縮尺に揃えたので、市街地の広がり方を比べられます。

ここに挙げた14都市の中では、横浜と福岡の規模が頭一つ抜けています。横浜市は300万人以上の人口を抱えながらも東京のベッドタウンとしての性格が強く、人口に比べてオフィス街の広がりは控えめでしたが、近年ではみなとみらい地区の開発が進み、東京の副都心としての貫禄が出てきたと感じます。みなとみらい地区の民間企業で働く人の数は2012年

立川、八王子　　さいたま

横浜　　川崎、千葉

**図3** 容積率マップ（首都圏近郊）
横浜市ではみなとみらい地区の再開発が進み、商業地（横浜駅前）とオフィス街（関内）の間がひとつの市街地としてつながりつつある。

→2021年の9年間で1.85倍に増加し、いまや10万人が働く街となっています（総務省統計局『経済センサス活動調査』より、横浜市西区みなとみらい、高島1丁目のデータを引用）。

福岡市は人口約150万人を擁する九州最大の都市。人口そのものは川崎市とほぼ同じで横浜市の40%にすぎませんが、九州の中心都市だけあって、オフィス街や商業地のにぎわいは横浜に勝るとも劣りません。福岡空港が近いので高層ビルを建てにくいのですが、そのぶん市街地が面的に拡大し、味わい深い多層的な都市に育っていると感じます。

ここまで紹介してきた容積率の地図は、自治体などのWebサイトでも見ることができます。初めての街に行くときは、地図から街並みを想像して、現地で答え合わせをしてみるともっと楽しめるでしょう。

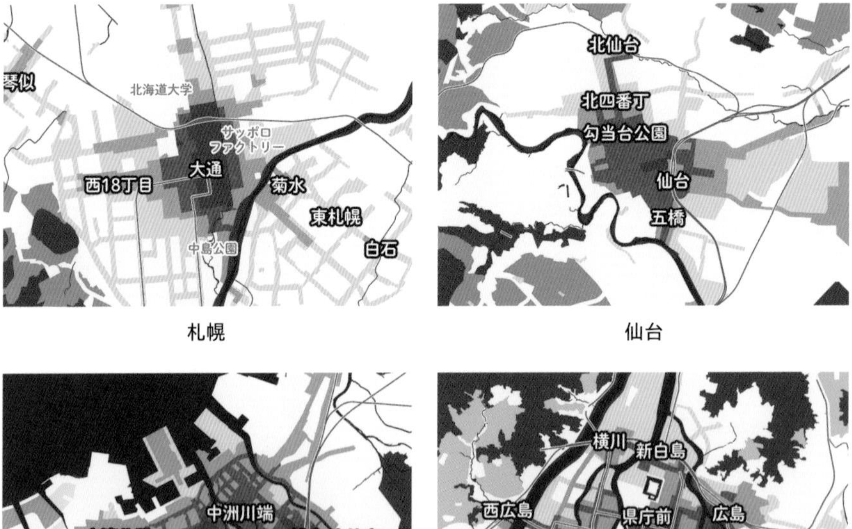


図4 容積率マップ（札幌、仙台、福岡、広島）
4つの都市それぞれが地方の中心として繁栄している。

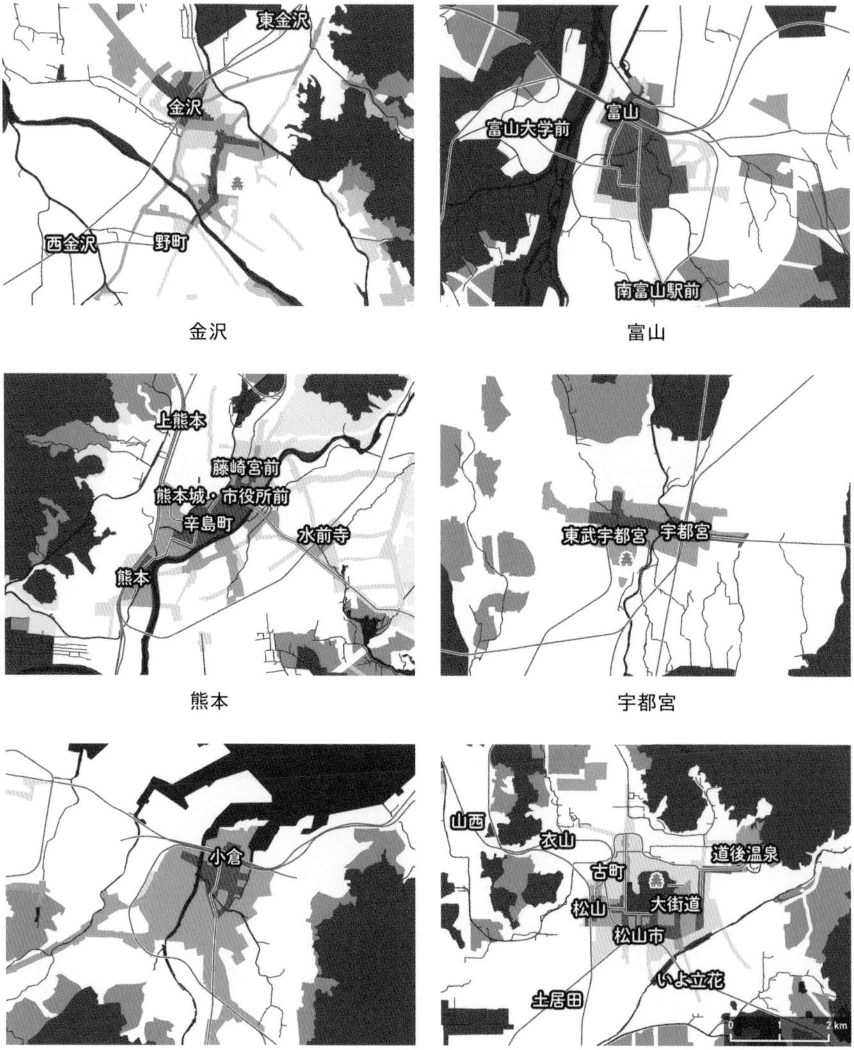


図5　容積率マップ（金沢、富山、熊本、宇都宮、小倉、松山）
100万都市よりもコンパクト。JRの駅と中心市街地との位置関係がよくわかる。

参考①：国土交通省『国土数値情報（用途地域）』（2011年、2019年）
参考②：総務省統計局『経済センサス活動調査』（2012年、2021年）

## 1-8 街の昼の姿、夜の姿が見えると、旅行や出張が楽しくなる！

初めての町に泊まるときに悩むのが宿泊場所。

新幹線の駅前や空港の近くであれば安心感がありますが、マチナカよりもお店が少なく、寂しい思いをすることも。逆に、ホテルが歓楽街のど真ん中にあると「ここまで便利じゃなくてもなぁ……」と感じる場面もあります。

こんなとき、宿泊先の町のつくりが頭に入っていると、旅行や出張の目的に合った宿泊場所を選ぶことができ、町中での過ごし方も充実したものになります。その手段のひとつとして「昼マップ」「夜マップ」なるものを描いてみました。

まず初めに、熊本市を眺めてみましょう（図1）。

### ◎熊本（昼マップ）

図1は熊本の「昼マップ」、つまり昼間の時間帯によく利用される施設を描いた地図です。背景の色分けは指定容積率。一般的に、赤系のエリアほど建物が密集したり、高いビルが建ちやすくなったりします。くわしい説明は**1-7**『容積率を可視化すると「街のスケール」がわかる！』をご参照ください。また、洋品店などの多い地域を青く囲って[※1]、コンビニや飲食、ファストファッションなどのチェーン店[※2]を重ねることで、商業地としてのにぎわいを表現してみました。

JR熊本駅の乗降客数は、県内最多の約2万3,000人（2021年度）。2021年に12階建ての駅ビルができましたが、駅の周辺にはビジネスホテルと熊本

※1：企業の公式ロゴを使用できないため、それっぽいアイコンを自作しました。店舗の位置情報は各社の公式ホームページを参考にしましたが、一部古い情報も含まれています。町の構造を理解するための参考情報としてください。

※2：検索サービス「Yahoo!ローカルサーチ」で「ファッション、アクセサリー」カテゴリを検索し、ヒット数の多かったエリアに色をつけています（2023年8月アクセス）。閉店した施設も含まれているので、案内図としては使用できません。また、検索データの都合でヒットしない施設もあります。

地方合同庁舎（国の出先機関が入る建物）があるぐらいで、昼間の時間帯には人通りもまばらです。

熊本市の中心市街地は、2kmほど離れた「通町、桜町周辺地区」です。このエリアの西半分は官庁街、オフィス街として、東半分は商店街、繁華街として大きく発展してきました。

一般的に靴のチェーン店は、市街地の中でも人通りの多い場所に出店することが多く、「ABCマートの立地を見ると、街の中心地がわかる」とも言われています。熊本では通町、桜町周辺地区に4店舗、熊本駅前に1店舗が出店しています。ちなみに、同じファッション量販店のジーユーやユニクロは、店舗面積の都合で商店街よりも郊外に出店することが多く、2023年10月現在、通町、桜町周辺にはひとつもありません。

## ◎熊本（夜マップ）

図2は、熊本の「夜マップ」です。こちらは居酒屋、ビアホールが多い地域を緑色で、バー、パブ、スナックが多い地域を紫色で囲ったものです。参考にビジネスホテルの位置に印をつけています。

**図1　昼マップ（熊本）**
市街地を南北に貫く「青い帯」は、九州最大級の商店街（上通、下通、新市街）。

**図2　夜マップ（熊本）**
下通、新市街は九州では中洲（福岡市）に次ぐ規模の歓楽街。熊本駅への路面電車は22時半ごろ（2023年10月現在）に終わるので注意したい。

熊本市では、下通アーケードの両側に繁華街が広がり、2021年の調査（経済センサス）によると、約1km四方に約1,000軒の飲食店が集まっています。これは仙台市の繁華街（国分《こくぶん》町、一番町エリア）に匹敵する数字です。

個人的には駅ビルの洗練されたグルメ街も好きですが、もし時間があれば、大衆居酒屋から郷土料理の名店、そしてバーに至るまで、あらゆるグルメを楽しめる「下通エリア」で熊本の夜を楽しみたいところです。

「昼マップ」と「夜マップ」を比べると、指定容積率が高く、コンビニがそこそこ密集しているのに、洋品店も居酒屋も少ないエリアがあります。いわゆるオフィス街です。地方都市に古くからあるオフィス街は交通の便がよく、ほとんどの都市が繁華街まで歩いて行けるので、個人的にはバランスのよい宿泊場所だと筆者は思います。

## ◎仙台

今度は仙台を描いてみます（図3、4）。

仙台では新幹線の駅と中心市街地（中央通り、一番町、広瀬通）が1kmぐらいの距離にあり、大きなアーケードを通じて一体的に発展してきました。

図3　昼マップ（仙台）
仙台駅から一番町、さらに勾当台（こうとうだい）公園駅の近くまでアーケード商店街が続いている。全長約1.6km。

図4　夜マップ（仙台）
国分町は東北最大の歓楽街。仙台駅前ではビジネスパーソン向けの飲み屋が増える。仙台駅よりも東側はマンションと会社事務所が多く、夜は静か。

仙台の夜の街は国分町。東北最大の繁華街として知られています。江戸時代に奥州街道沿いの商業地として拓かれましたが、明治以降に仙台が軍都として整備される流れの中で、遊郭（幕府、政府が指定した成人向けの娯楽地）が開業し、戦前、戦後にかけて歓楽街として発展します。

地図中で緑と紫が重なるエリアには、バーやスナックのほか、大人向けの店も。ネオン街の雰囲気が苦手な人は緑だけのエリア、例えば「国分町通」より東側に行くと、居酒屋、牛タン屋とレストランが点在する普通の（？）繁華街を楽しむことができます。仙台駅に近いエリアでは、ビジネスパーソンや出張者向けの居酒屋が多くなります。

## ◎札幌、福岡

続いて札幌と福岡を見てみましょう（図5～8）。

どちらの町も都市圏人口は200万人以上。この規模の都市になると、買い物や飲食などの需要がひとつの地区に収まらず、複数の中心市街地が共存するようになります。大通（札幌市）と天神（福岡市）は官庁街に隣接する商業エリアとして戦前から発展。すすきの、中洲といった歓楽街とともに都市全体の成長を牽引してきました。札幌駅、博多駅はビジネス色の濃いエリアでしたが、2000～2010年代にかけて駅ビルや駅前商業ビルの再開発が進んだ結果、いまでは都市全体で1位、2位を争うショッピングエリアに変貌しています。

他の都市もいくつか紹介します（図9～16）。国内の主要都市のほか、人口50～100万人クラスの都市を選んでみましたが、ターミナル駅と「まち」の位置関係が見えてきたのではないでしょうか。町のつくりと人の集まる場所を理解できると、宿探しがはかどりますし、旅先での街歩きも楽しくなってきます。

参考①：Yahoo! JAPAN『Yahoo! ローカルサーチAPI』（https://developer.yahoo.co.jp/webapi/map/openlocalplatform/v1/localsearch.html）

参考②：各図の背景に国土地理院『地理院地図Vector（仮称）提供実験』のデータを使用

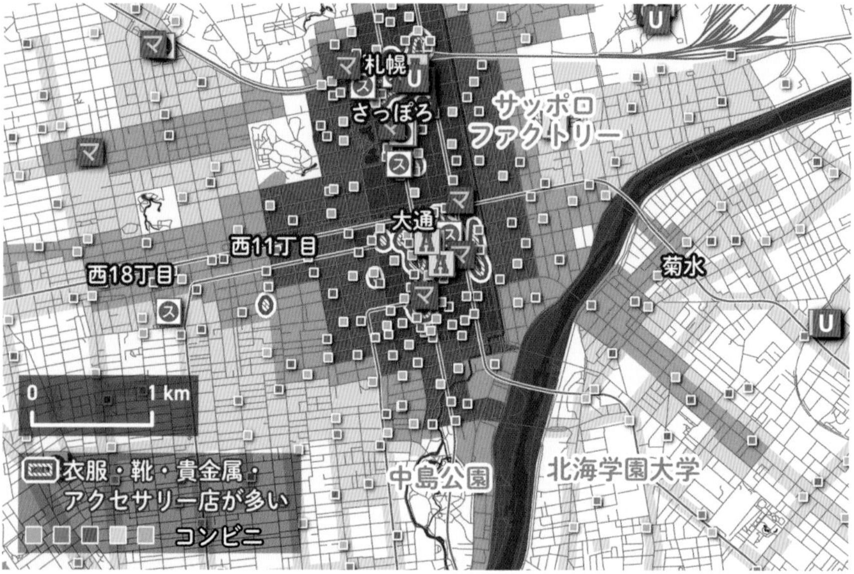


図5 昼マップ（札幌）

大通駅の南側に全長900mのアーケード街「狸小路商店街」があり、地元住民から観光客までにぎわっている。大通、すすきのは、かつて札幌最大の「まち」だったが、2003年、札幌駅に大丸ができてから勢力図が変わりつつある。

図6 夜マップ（札幌）

夜はすすきのエリアがにぎわう。すすきのから歩いて帰れる範囲にビジネスホテルが広がっているあたりに出張族の夜の行動が見える。

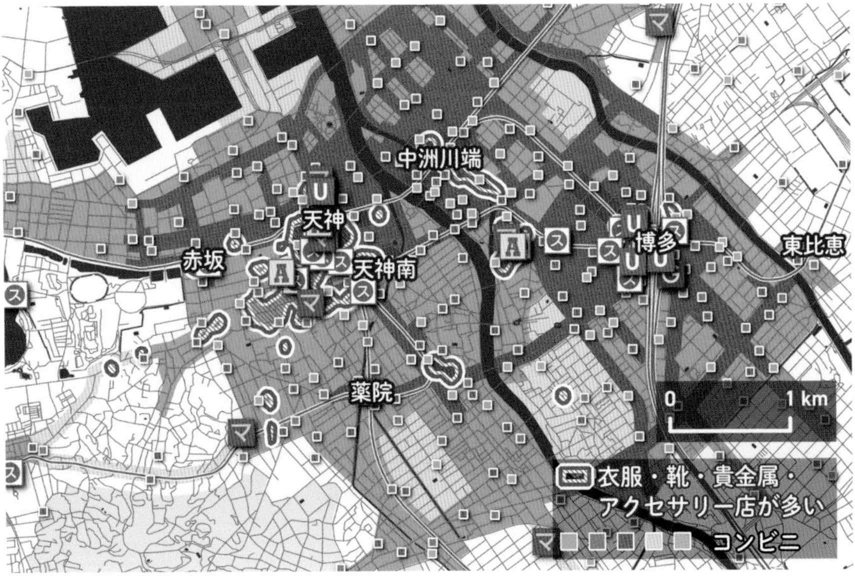


図7　昼マップ（福岡）

天神駅の南西側に広がる青や緑のエリアは中央区の大名（だいみょう）。昼間はファッション好きの若者、夜は酒好きが集まる。レトロな建物が多く、街歩きが楽しい。

図8　夜マップ（福岡）

同じ紫色のエリアでも、中洲と大名では雰囲気が変わってくる。旅行の目的や一緒に行く相手に合わせて夜の居場所を考えたい。

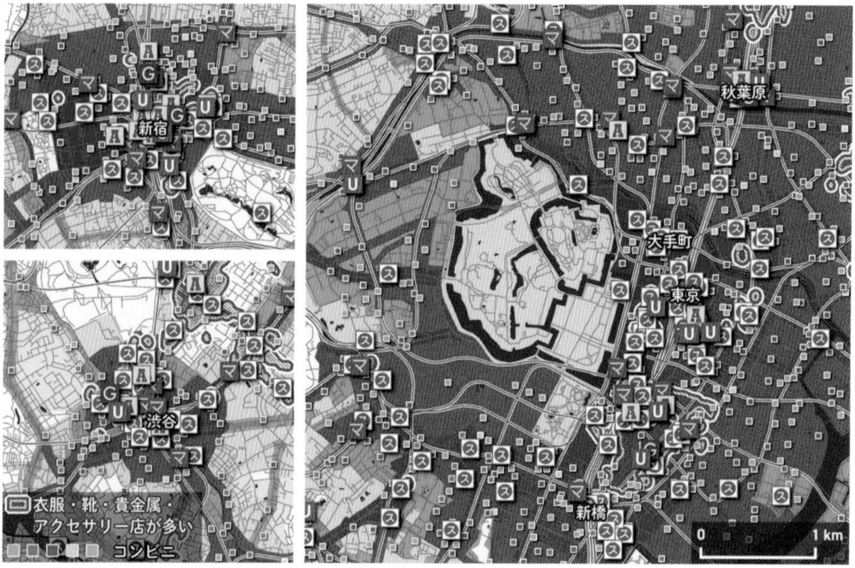


**図9** 昼マップ（東京）

大阪のなんば、心斎橋に匹敵するような大きな娯楽地、消費地がいくつもあるのが東京の特徴。それぞれの街ごとに客層や雰囲気が異なる。

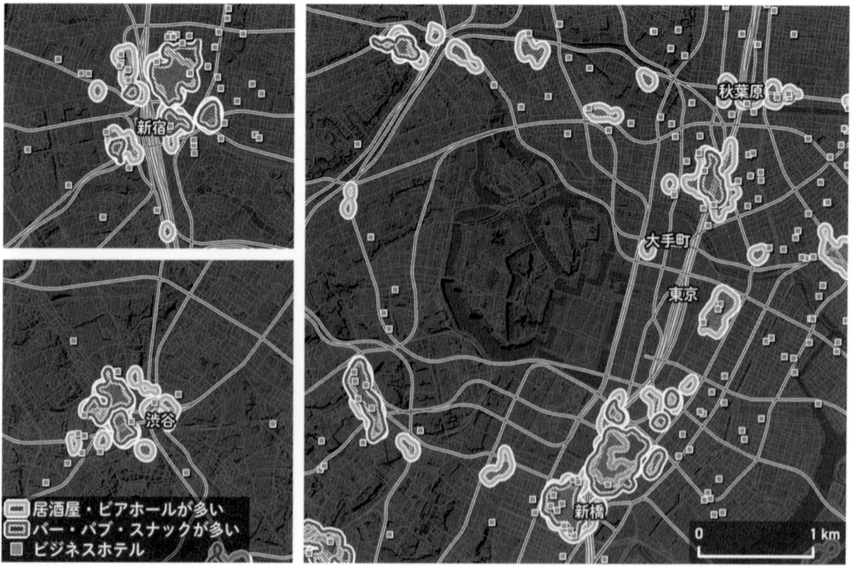


**図10** 夜マップ（東京）

主要なオフィス街に隣接する形で、飲み屋街やナイトスポットが発達している。地図にはないが、池袋、錦糸町、川崎、横浜も夜遅くまでにぎわっている。

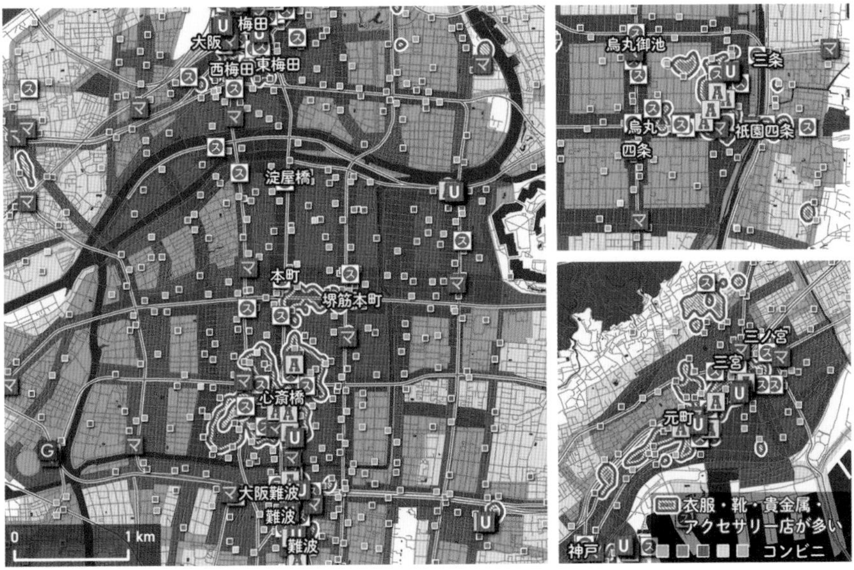


**図11**　昼マップ（大阪、京都、神戸）

繁華街としてはキタ（梅田）とミナミ（なんば、心斎橋）が代表的。本町と堺筋本町の間には、繊維とファッションとグルメの街「船場センタービル」がある。

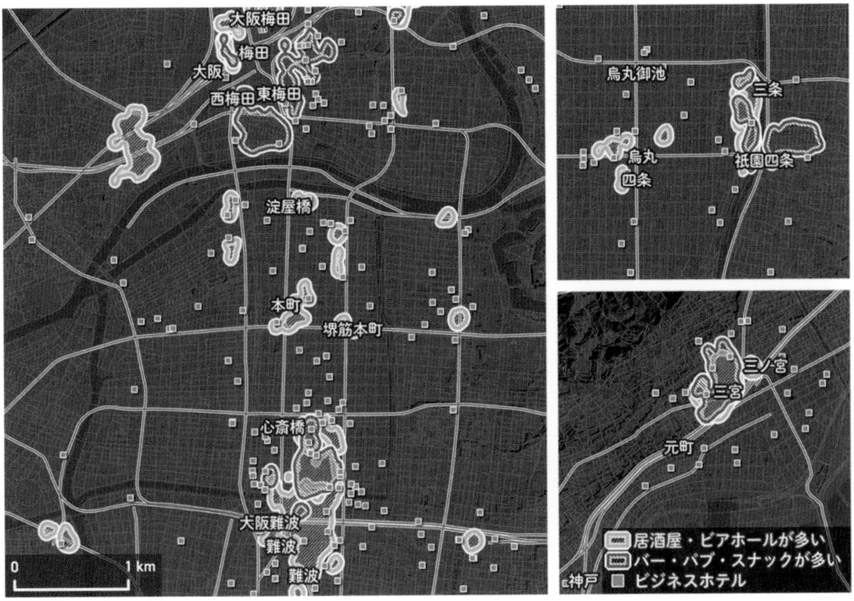


**図12**　夜マップ（大阪、京都、神戸）

なんばエリア。北新地（梅田の南側）と東心斎橋、宗右衛門町（なんばと心斎橋の東側）は大人の雰囲気。

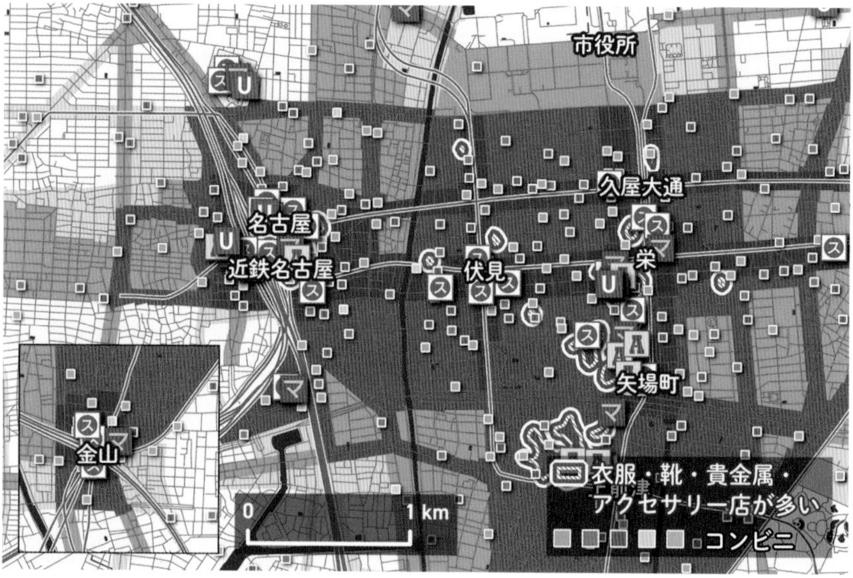


図13 昼マップ(名古屋)

名古屋駅と栄エリアの2つの都心がある。栄から矢場町にかけてデパートやブランド店が集中している。

図14 夜マップ(名古屋)

栄の北西側には東海地方最大の歓楽街「錦3丁目(きんさん)」があり、客引きが多い。広小路通(伏見と栄を通る地下鉄東山線)より南側には、大衆居酒屋と入りやすいバーがたくさん。

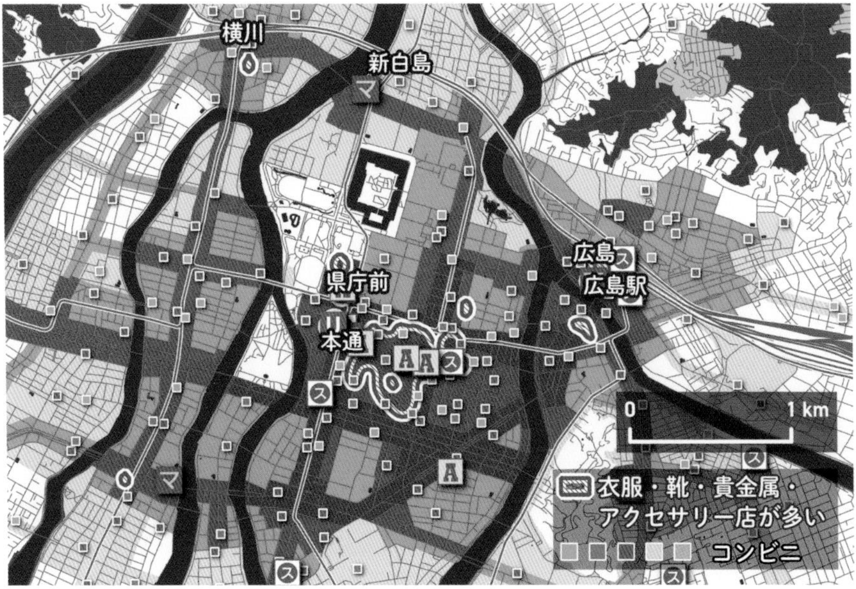


昼マップ（広島）

夜マップ（広島）

図15　広島

広島の中心市街地は新幹線の駅から2kmほど離れている。

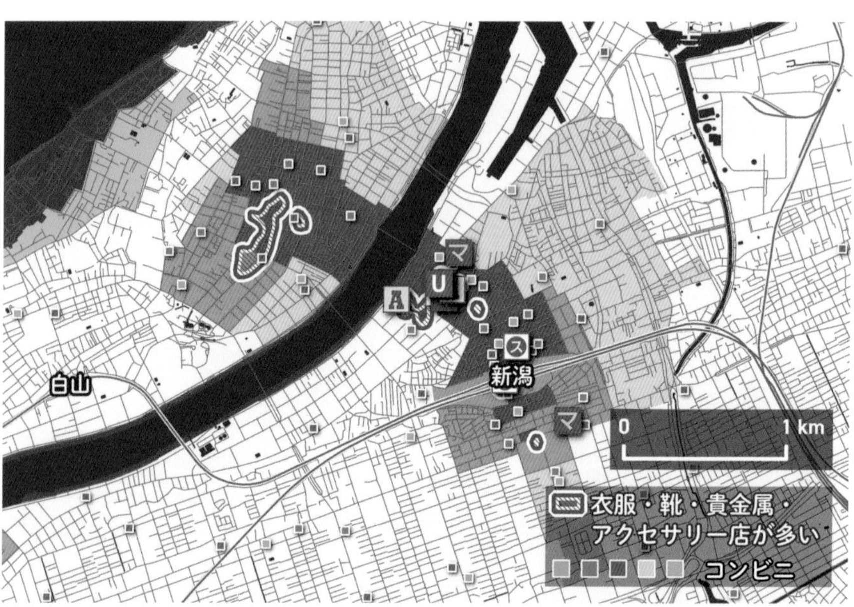


昼マップ（新潟）

夜マップ（新潟）

図16　新潟
かつて信濃川の西岸（古町）には大型商業施設が林立していたが、今では東岸（新潟駅前や万代）に重心が移っている。

第2章

# お金と住まいを可視化！

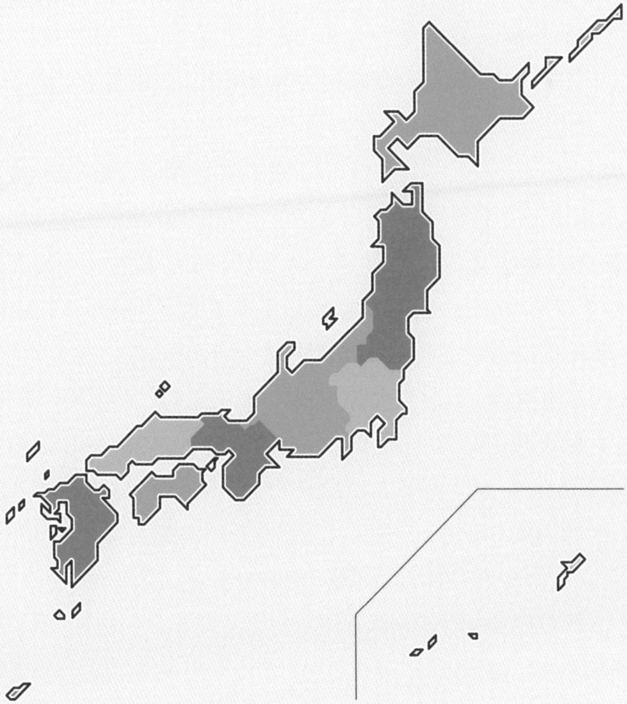

# 2-1 「駅別マンション価格」を可視化したら住みたい街が見えた！

首都圏、特に東京23区では不動産価格の高騰が止まらず、2022年には都心6区（千代田区、中央区、港区、新宿区、文京区、渋谷区）の中古マンション平均価格が1億円の大台に乗ってしまいました。「東京オリンピック後は、不動産価格が大暴落する」と予言した住宅評論家もいましたが、蓋を開けてみれば、2020年から2023年の3年で20％も高騰してしまう始末。オリンピック後まで住宅購入を待っていた人には残念な市況ですが、「駅を変えれば、町を変えれば何とかなるのでは？」という希望をかなえるべく、中古マンションの価格を可視化してみました（図1）。

本項ではファミリーサイズ（50m²以上）で比較的新しく（2002～2021年築）、駅からあまり離れていないもの（徒歩15分以下）を対象に、2022年4月から2023年3月までの取引価格を「70m²相当」に換算し、駅ごとの中央値を求めました。

都内で一番高いのが千代田区と港区。各駅の相場は1億円をゆうに超え、六本木駅、六本木一丁目駅の相場はなんと1億9,000万～2億円です。「ヒルズ族」で有名な六本木ヒルズレジデンスをはじめ、著名人や富裕層が住まう「雲の上のタワーマンション」が密集しています。

都心から離れるにつれて価格がなだらかに下がっていきますが、全体的に都心から見て南西側（おおむね東急線や小田急線、京王線、中央線沿線）では価格の下がり方がゆるく、6,000～8,000万円台の駅がしばらく続きます。タワーマンションが立ち並ぶ武蔵小杉は7,600万円、文教都市として落ち着いた住宅地が広がる浦和、国立も6,000万円を超えています。

「マンション価格6,000万円」と聞いてもピンとこないかもしれません。仲介手数料などの諸費用（約500万円）を現金で払い、物件価格6,000万円をすべて住宅ローン（35年、年利0.75％）で借りた場合、月々の支払額は16万円。そこに管理費、修繕積立金、固定資産税を加えると、だいたい19～22万円（年額230～260万円）の負担になります。

子どもの有無やライフスタイルにもよりますが、年収1,000万円（手取り700万円台前半）では月々の資金繰りに余裕がなく、1,200～1,400万円（手取り800～900万円台）あれば現実味が増してくるようなイメージでしょうか。

SNSには「マンションクラスター（略称：マンクラ）」と呼ばれる人たちがいて、大好きなマンションや街について日々語り合ったり、suumoなどの不動産情報サイトで気に入った物件をシェアしたりしているのですが、そんな彼らがお勧めする物件の中で、特に注目を集めているのが4,000万円台のお部屋です。

首都圏1都3県在住のファミリーの中でも中央値に近い「年収800万円世帯」が購入でき、取引件数も多い“ボリュームゾーン”といえる価格帯です。

地図を見ると、不動産価格が上がり切った昨今でも、東京の北側から東

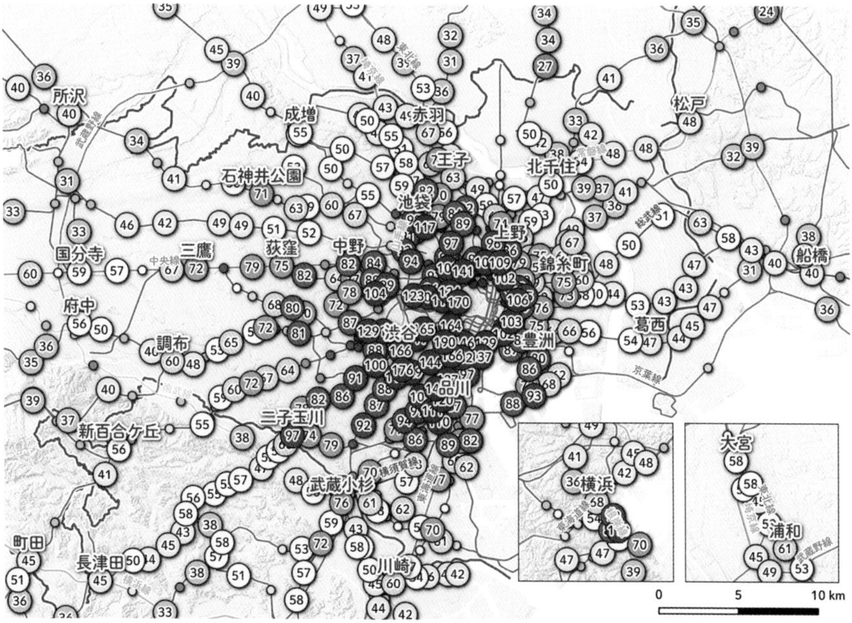


**図1　中古マンションの駅別70m²換算価格（首都圏）　2002～2021年築（単位：100万円）**

レインズマーケットインフォメーションで公開されている成約価格のうち、2022年4月～2023年3月に成約した物件の価格を集計した。同サイトでは面積は5m²、価格は100万円単位で丸められているため、70m²相当に換算する際に多少の誤差が生じている。

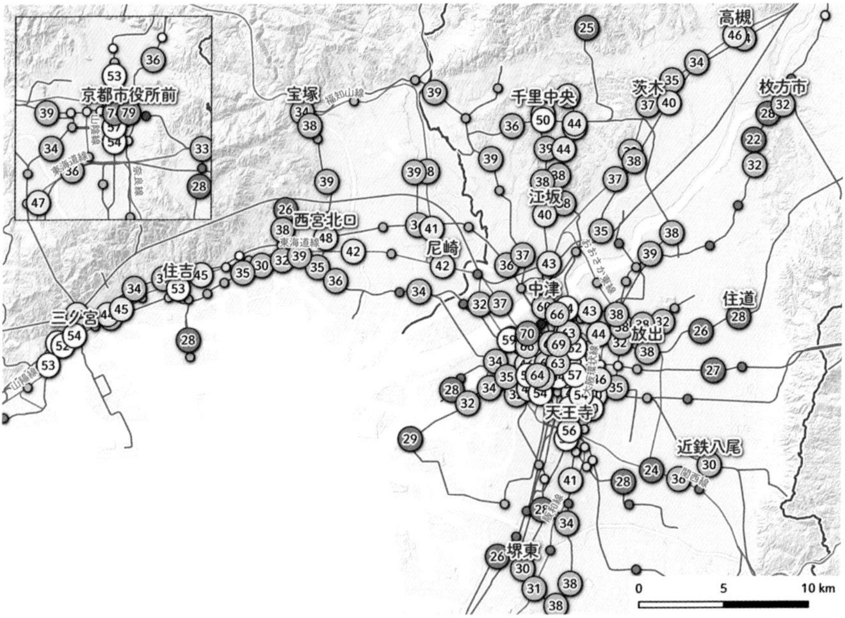


図2　中古マンションの駅別70m²換算価格（近畿圏）　2002〜2021年築(単位：100万円)

千里中央には大型マンションとショッピングセンターが建ち並ぶ。港北ニュータウンや多摩ニュータウンと街並みや住民層が似ている。

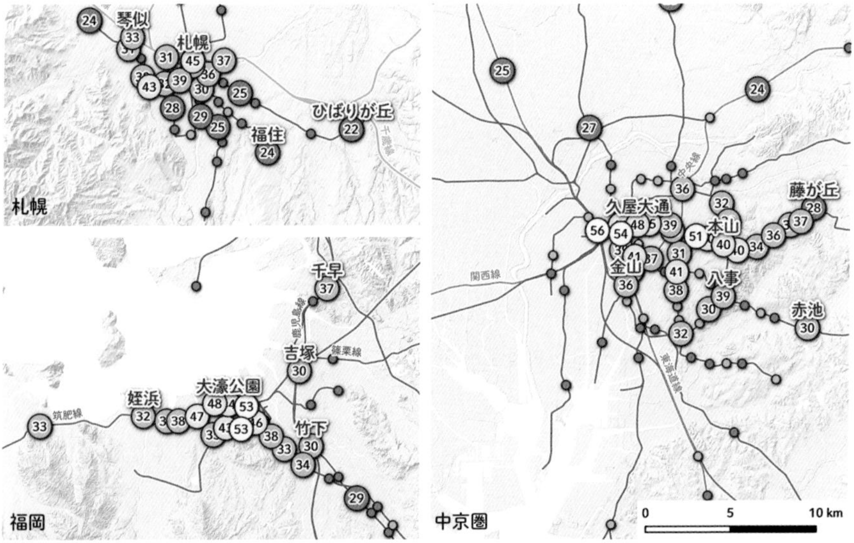


図3　中古マンションの駅別70m²換算価格（札幌、福岡、中京圏）　2002〜2021年築(単位：100万円)

150〜250万人クラスの都市では3,000万円を切る物件も多い。地下鉄沿線を除けば、戸建てのほうが多い。

側にあたる荒川、江戸川を渡った先であれば、都心15km圏（30～45分圏）に夢のマイホームを買えることがわかります。副都心（池袋、新宿、渋谷）へのアクセスや沿線の知名度はやや劣るものの、ショッピングモールやホームセンター、大きな公園などがそろっているので、郊外型の暮らしがハマる方であれば、都心周辺よりも居住満足度は高いかもしれません。

筆者の知人に「それぞれの荒川を越えろ」をスローガンにしている不動産屋さんがいますが、「合理的に考えて埼玉」な理由が地図にも表れているような気がします。

他の都市圏ではどうでしょうか（図2、3）。

大阪ではJR環状線の内側や神戸、京都の中心部に6,000万円を超えるエリアもありますが、全体的には3,000万円台で買える駅が多くなっています。この地域では年収700万円（手取り530～560万円）がファミリー世帯の中央値ですが、世帯年収が700万円あれば3,500万円（支払月額13～15万円、年額150～180万円）ぐらいの家に手が届きます。

名古屋、札幌、福岡では、大阪周辺よりも20％ほど安くなっています。都心に近い高級住宅地では5,000万円を超えるものの、都心までドアツードア30分を切るようなところにも2,000万円台の駅があり、東京と比べると目に優しく見えます。首都圏と地方都市圏では給与水準や物価水準が異なるため、マンションの値段だけを見て住みやすさを論じることはできませんが、「その地方で標準的な稼ぎの家庭が都心まで30分以内のところに家を買える」と考えると、地方の大都市での暮らしが魅力的なものに見えてきます。どこからともなく、「いつまで東京で疲弊するの？」という声が聞こえてくる気がします。

参考：不動産流通機構『レインズ マーケットインフォメーション』（http://www.contract.reins.or.jp/search/displayAreaConditionBLogic.do、2023年5月1日閲覧）

# 2-2 マンション価格の可視化で「割安物件」が見えてくる！

前項では、駅ごとのマンション価格（中央値）を見てきましたが、同じ駅でも「築年数」「立地」「建物スペック」を妥協すれば値段が下がります。

## ◎築年数が10年古くなると15〜20％安く買える

3つの項目の中では特に築年数による違いが大きく、首都圏で同じような立地、規模のマンションを比べた場合、10年古くなるごとに15〜20％ずつ値下がりし、おおむね30〜40年で半額になります。

例えば、埼玉県さいたま市のJR浦和駅では新築マンションが70m$^2$あたり7,000〜8,000万円、築10年が6,000万円という相場です。これが築20年なら5,000万円、築30年なら4,000万円まで下がります（図1）。2000年代前半よりも前に建てられたマンションでは内装や水回りの古さが目立ってきますが、適宜リフォームを入れることで新築に近い住み心地を手に入れることができるので、どうしても駅や路線、広さなどをあきらめられない場合には、「築古＋リフォーム」を検討してみてもよいでしょう※。

図2、3、4に、主な都市圏の築20〜40年前後のマンション価格をまとめてみました。少しは目に優しくなったでしょうか。

## ◎立地と築年数を妥協すれば安く買える

マンションの価格は立地によっても変わります。駅やスーパー、商店街などへの行きやすさ、部屋からの眺望や街路、街区の雰囲気などです。中でも駅からの徒歩時間による影響が大きく、先ほど挙げた浦和駅の場合、駅徒歩5分と15分では相場が30％も変わってきます（図5）。また、築年数

※：リフォームに適した物件と、そうでない物件があるので要注意。1990年代以前の建物では遮音性や断熱性などの基本性能が低く、内装を整えても生活音や結露に悩まされることがあります。床下の構造上、キッチンなどの水回りの場所を変えられないことも少なくありません。筆者が次にリフォームするとしたら、マンションの基本性能が向上した2002〜2003年以降の物件を選びます。

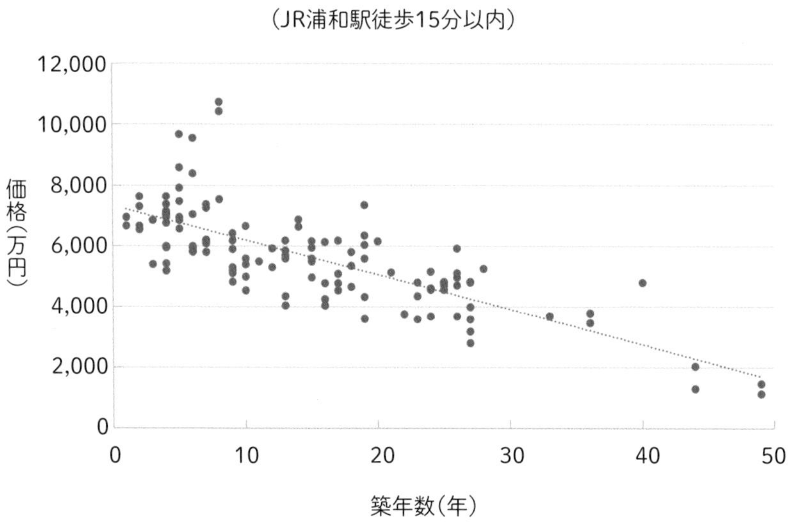


**図1 中古マンションの築年数と70$m^2$換算価格の関係（JR浦和駅）**
一般的に、中古マンションの価格は、築1年の違いで2%安くなると言われている。計算上は築0年と築35年で約2倍の差がつくことになる。

も立地もあきらめられない場合は、建物のグレードを妥協することで予算を下げられます。同じような築年数、立地であっても、建物の種類（タワーマンションか板状マンションか）によって価格が変わってきますし、外装（外壁の仕上げ材）、内装（室内扉などの建具やフローリング）、設備（キッチン、風呂、トイレなど）、共用部（ラウンジ、スポーツジム、テレワークスペースなど）の違いが積み重なって、50％以上の価格差がつくこともあります。

将来的に家を売却することを考えると、「安く買って安く売る」よりも「高く買って高く売る」ほうがお得な場合もあるのですが、資産性（将来どれぐらいの売却益が見込めるか）にとらわれるあまり、狭くて高い家を買って日々の生活に不満が出てしまっては本末転倒です。地域別・年代別のマンション相場をしっかり勉強した上で、「好きになれそうな街」で「身の丈に合った予算内の家」を「相場通りに買う」よう心がけたいところです。

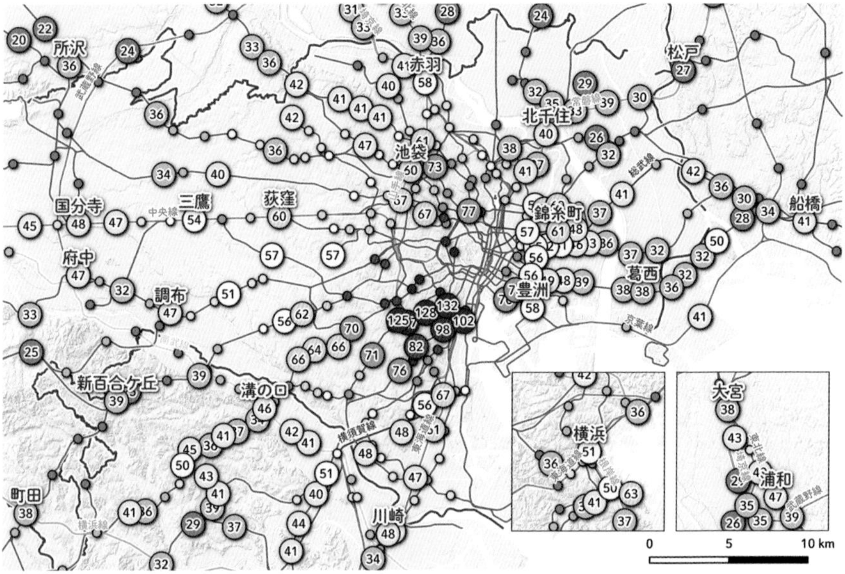


**図2** 中古マンションの駅別70$m^2$換算価格（首都圏）　1982〜2001年築（単位：100万円）

築20年以下のマンションと比べて20〜30%安いが、大規模なリフォームが必要な物件もある。

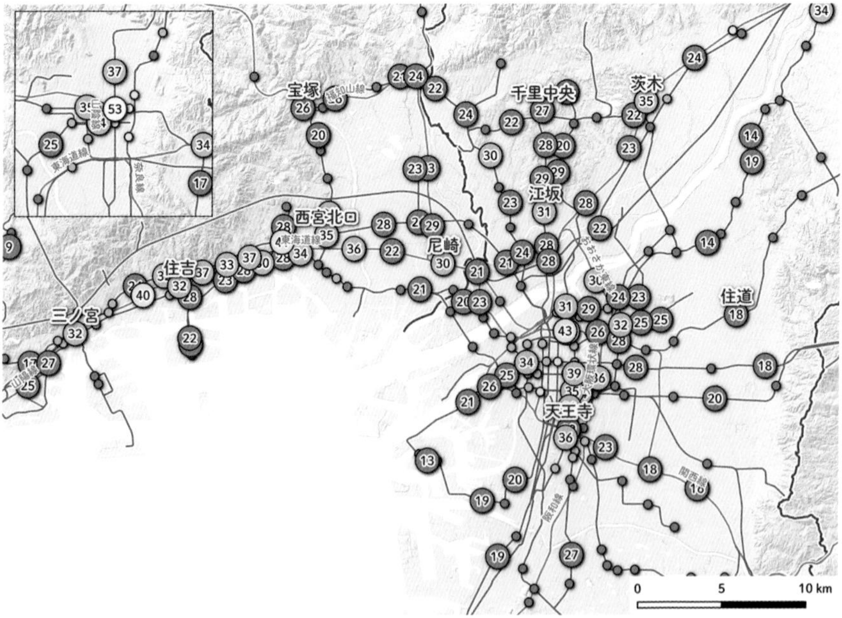


**図3** 中古マンションの駅別70$m^2$換算価格（近畿圏）　1982〜2001年築（単位：100万円）

駅別のデータでは京都市役所前が一番高い。取引件数が少ない駅では価格表示を省略した。

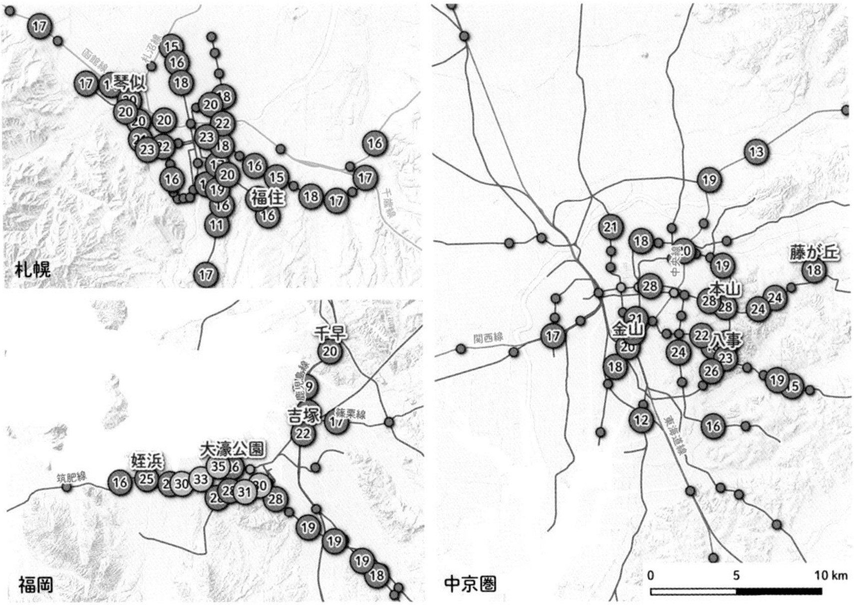


**図4** 中古マンションの駅別70m$^2$換算価格（札幌、福岡、中京圏）　1982～2001年築（単位：100万円）

150～250万人クラスの都市では3,000万円を切る物件も多い。地下鉄沿線を除けば戸建てのほうが多い。

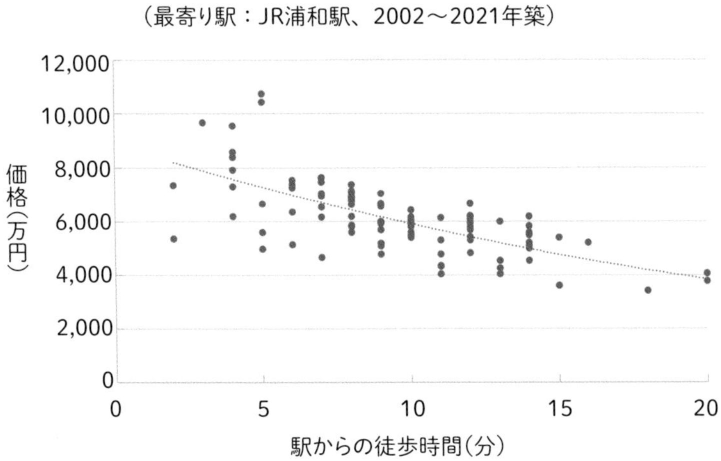


**図5** 中古マンション駅からの徒歩時間と70m$^2$換算価格の関係（JR浦和駅）

参考：不動産流通機構『レインズ マーケットインフォメーション』（http://www.contract.reins.or.jp/search/displayAreaConditionBLogic.do、2023年5月1日閲覧）

# 2-3 「年収700万円」ファミリーが住む街の特徴は？

厚生労働省が毎年行っている「国民生活基礎調査」によると、2021年、児童（18歳未満の未婚の者）のいる家庭の平均世帯年収は785万円。中央値は710万円で、およそ24％の世帯が1,000万円を超えています。地域や家族構成によるので一概には言えませんが、全国的には30代で650万円、40代で800万円ぐらい稼いでいれば「上から数えたほうが早い」と言えるでしょう。

地域による違いはどうでしょうか。総務省統計局の「住宅・土地統計調査」では、都道府県や市区町村別の収入分布※が公表されています（図1）。この調査（2018年）の結果を用いて、「子どものいる核家族」のうち、世帯

※：「住宅・土地統計調査」では、18歳以上の子がいる家庭（例えば、高齢夫婦と無職の成人）もカウントされるため、「国民生活基礎調査」よりも年収の平均値や中央値が低く出る傾向があります。その代わりに、親、子、孫の3世代が同居する家庭を除外できるため、一般的な「核家族」の暮らし向きがわかります。

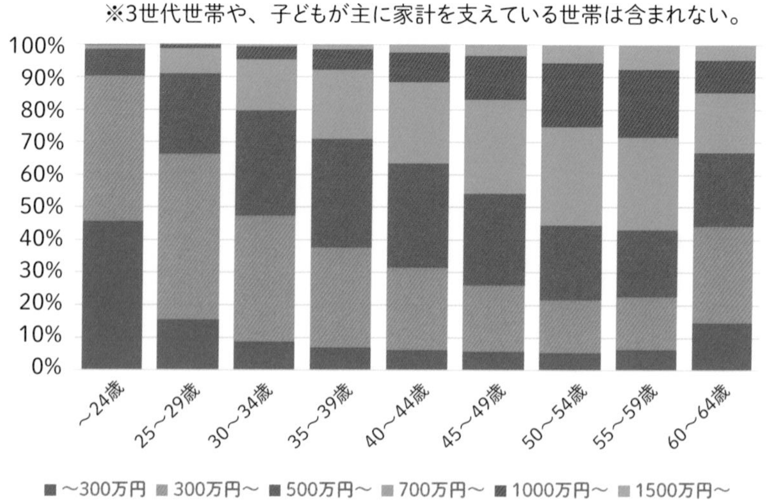


**図1** 子どものいる核家族の世帯年収分布（総務省統計局「住宅・土地統計調査（2018年）」）

一般的なビジネスパーソン家庭にとっては、40～50代で700万円がひとつの到達点。

年収700万円以上の割合を都道府県別に表してみました（図2）。

東京都（49％）を筆頭に、三大都市圏ではおおむね35〜45％。全国平均の35％より高い地域を暖色系、低い地域を寒色系に塗り分けていますが、どんなことが読み取れるでしょうか。

大都市圏を拡大すると、同じ都道府県の中にも「地域格差」が見られます（図3）。東京都心に隣接し、文教地区として知られる文京区では、約65％の家庭が「700万円以上」。その他、23区西部から川崎、横浜の内陸部にかけて60％前後のエリアが広がります。一方、東京都足立区や川崎市川崎区では40％を下回っています。比較的規模の小さな住宅、商店、工場が混在し、東京近郊の中でも多様な街並みが見られる地域です。

都心から離れたところにも「赤い」都市があります。東京都心から北東に50km、茨城県のつくば市は、1960年代から筑波研究学園都市として開発され、筑波大学や国立研究開発法人などの高度な教育、研究機関が集

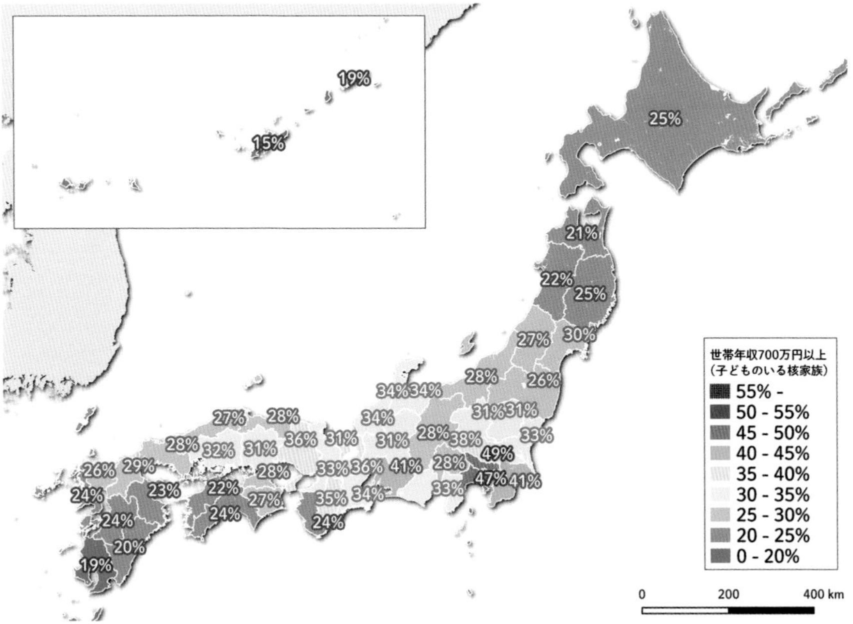


**図2　世帯年収700万円以上の割合（都道府県別）**
三大都市圏では700万円を超える家庭が珍しくない。東北北部や九州南部では400〜500万円台の家庭が多い。

まっています。

長野県軽井沢町も「赤い」ですね。軽井沢は明治時代から夏の避暑地として知られ、多くの文化人や財界人が別荘を構えてきました。1997年に新幹線が開通してからは都心で働く人の移住も増えていて、2020年現在、町内に住む勤め人の4%にあたる327人が東京都内で働いています。業種としては情報通信業(IT、マスコミ)、卸売業(商社など)、小売業が多くなっています。

近畿圏も眺めてみましょう(図4)。真っ先に目に入るのが、兵庫県の東部に広がる赤いエリア。神戸市東灘区から芦屋、西宮、宝塚にかけての地域は大正時代以降、大阪の商工業者や文化人が別荘や邸宅を構える高級住宅地として発展してきました。

京都府精華町も赤いですね。1980年代に作られた「けいはんな学研都市

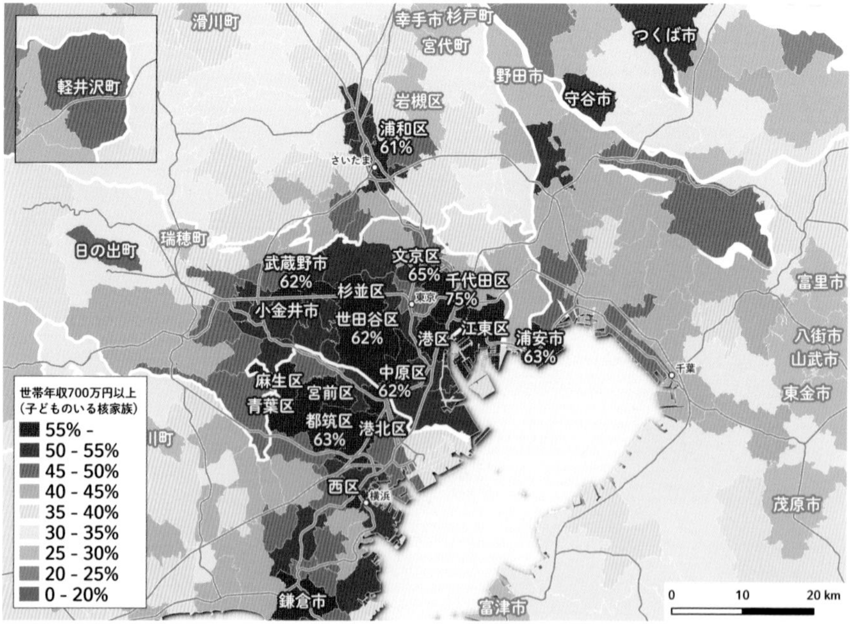


**図3** 世帯年収700万円以上の割合(市区町村別・首都圏)

さいたま市浦和区や川崎市、横浜市の北部には、地元と東京を毎日往復する「埼玉都民」「神奈川都民」が多く住んでいる。人口1万5,000人未満の町村は集計対象外のためグレーで塗られている。

（正式名称：関西文化学術研究都市）」の一角に、大学や通信系の研究所があり、そこで働く人たちのための住宅地が整備されています。

大阪府では全体的に青色が目立ちます。大阪は明治以降、繊維産業（製造、卸売）や金属、機械工業を中心に発展してきましたが、1970年代からはグローバル化（工場の地方、海外移転）や東京一極集中（本社の東京移転）の流れに逆らえず、経済が浮き沈みを繰り返しています。古く入り組んだ街並みは大規模な再開発が難しく、東京の湾岸エリア（港区、中央区、江東区など）のような「職場に近くて暮らしやすいベッドタウン」に生まれ変わるには、まだまだ時間がかかりそうです。

中京圏も見てみましょう（図5）。名古屋市に近いエリア（旧尾張国）には名古屋市中心部への通勤者が多く住んでいます。一方、愛知県の東部（旧

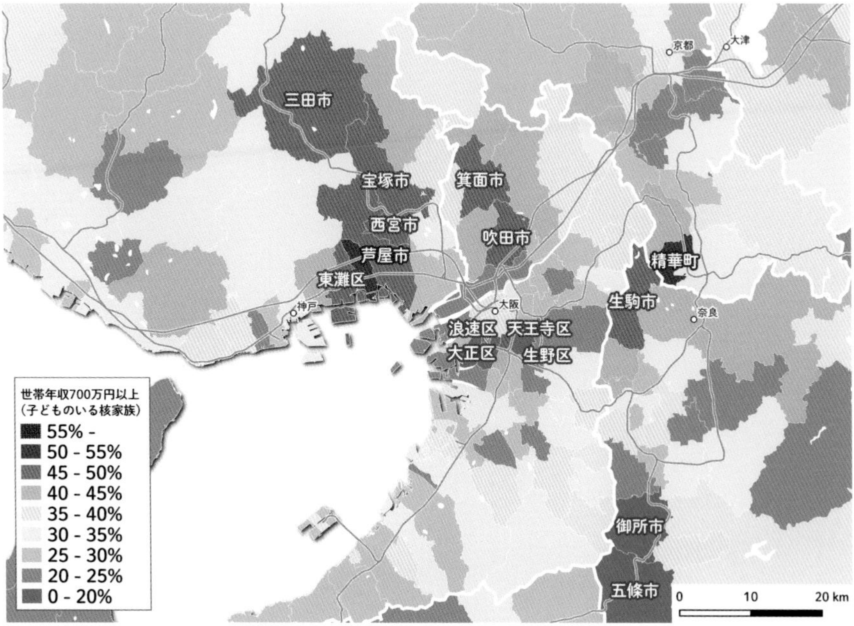


図4　世帯年収700万円以上の割合（市区町村別・近畿圏）
山沿いの新興住宅地が赤くなっている。豊中市、吹田市の千里ニュータウンは横浜の港北ニュータウンに似た雰囲気。

三河国)、豊田市、知立市、安城市、刈谷市などは自動車産業が盛んな工業都市で、名古屋のベッドタウンというよりは「トヨタ経済圏」としての性格が色濃い地域です。

ちなみに、本田技研工業(ホンダ)の拠点がある栃木県芳賀町や、マツダのおひざ元・広島県府中町&広島市南区でも700~1,000万円の中流家庭が多くなっています。1960~80年代には自動車や機械工業が外貨を稼ぎ、地元や周辺産業を潤しながら日本全体を成長させていましたが、地図を通して当時の日本の縮図を見ているようです。

参考:総務省統計局『平成30年住宅·土地統計調査 住宅及び世帯に関する基本集計』

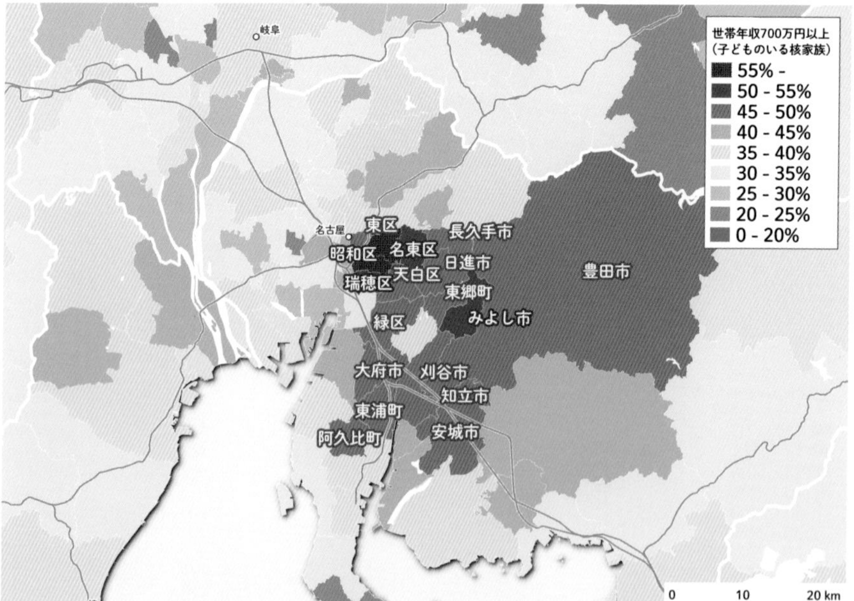


**図5 世帯年収700万円以上の割合(市区町村別・中京圏)**
名古屋市東部では大企業の本社、支社勤務者が、旧三河国(愛知県東部)では自動車関係のビジネスパーソンが数多く暮らしている。

# 2-4 「年収1,500万円」ファミリーが住む街の特徴は？

年収マップ、まだまだ続きます。今度は「子どものいる核家族」のうち、世帯年収1,500万円以上の割合を地図化してみました（図1）。「世帯年収1,500万円」というと、稼ぎ頭が1人の場合、社員数1,000人以上の大企業の部長で届くかどうか。共働きであれば、夫婦ともに大企業の30代・係長クラスなら何とか……というところですが、いずれにしてもハードルの高い数字です。全国平均は3.2％（30人学級で1人）。1位の東京都でも7.5％（30人学級に2～3人）なので、宝くじの7等（300円）よりも低い出現確率です。

三大都市圏を拡大すると、「1,500万円ファミリー」は「700万円ファミリー」よりも狭い範囲にぎゅっと凝縮していることがわかります（図2～4）。

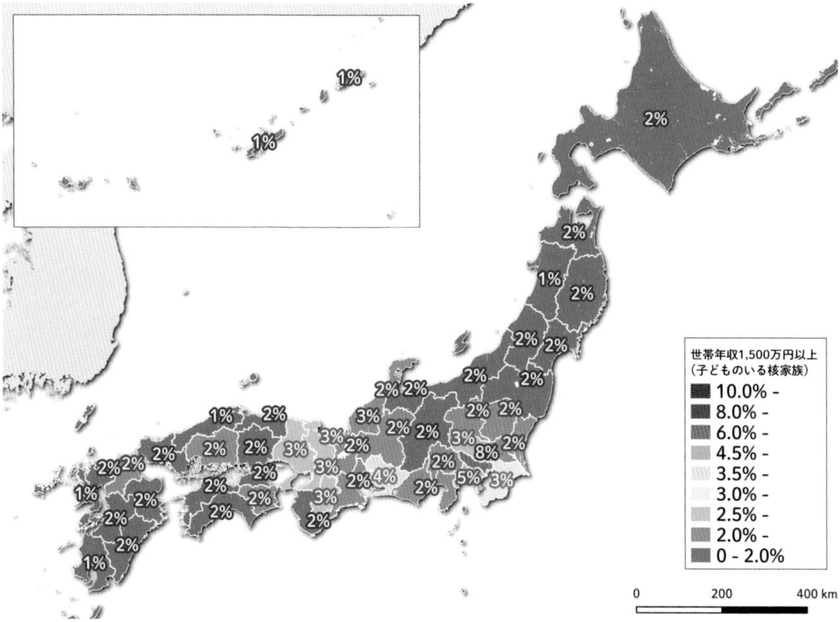


**図1** 世帯年収1,500万円以上の割合（都道府県別）
年収1,500万円以上のファミリーの46％が東京、神奈川、愛知の1都2県に集まっている。

大は小を兼ねるというように、高収入の世帯が地価の安い郊外に住むことも珍しくありませんが、全体的な傾向としては都心にアクセスしやすく、教育環境が良好とされる地域で、職住のバランスが取れた暮らしをする世帯が多いようです。

東京都では千代田区（約35％）が飛び抜けて高く、文京区（約21％）、中央区、渋谷区（約19％）、目黒区（約18％）……と続きます。23区外で有数の繁華街、吉祥寺を抱え、大学や公園に恵まれた武蔵野市は全国9位（約13％）です。首都圏以外に目を向けると、長野県軽井沢町、兵庫県芦屋市、名古屋市内の4区が10％を超えています。

なお、700万円ファミリーが多く見られた愛知県の三河地域（トヨタ経済圏）では1,500万円ファミリーの割合が3～4％で、平均より少し多いぐらい。製造業の町は一握りの「事務系総合職」よりも調達、開発、製造、販

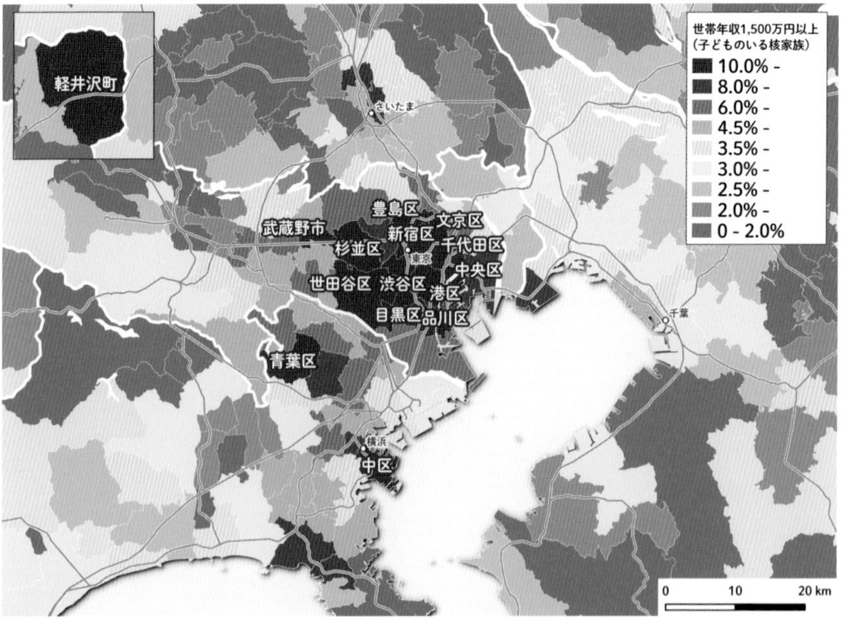


**図2** 世帯年収1,500万円以上の割合（市区町村別・首都圏）

千代田区では子育て世帯の35％が年収1,500万円以上。都心周辺の各区や武蔵野市、横浜市青葉区、中区でも、10～20％の世帯が1,500万円以上稼いでいる。

売、アフターサービスの各工程を担うたくさんの人々によって支えられていて、飛び抜けた富裕層というよりは、中間層が分厚くなっています。

今回使用した「住宅・土地統計調査」では、全国の市区と、人口1.5万人以上の町村が調査対象になっています。これらの町村で「1,500万円ファミリー」が都内平均の7.5%を超えているのは、長野県軽井沢町（約11%）、北海道別海町《べつかいちょう》（約8%）、愛知県豊山町《とよやまちょう》（約8%）の3つです。

長野県軽井沢町は、前項でも紹介した別荘地。北海道別海町は、生乳生産量日本一の酪農王国＆豊富な海産物資源の町です。北海道には農業、漁業で栄えている町がほかにもあり、今回の調査対象外（人口1.5万人未満）ですが、安平町《あびらちょう》（酪農）、猿払村《さるふつむら》（ホタテ漁）、士幌町《しほろちょう》（農業＆酪農）なども高所得者の多い町として知られています。愛知県豊山町は名古屋市の郊外にあり、名古屋方面に通勤する30代のファミリーが多く住んでいるほか、県

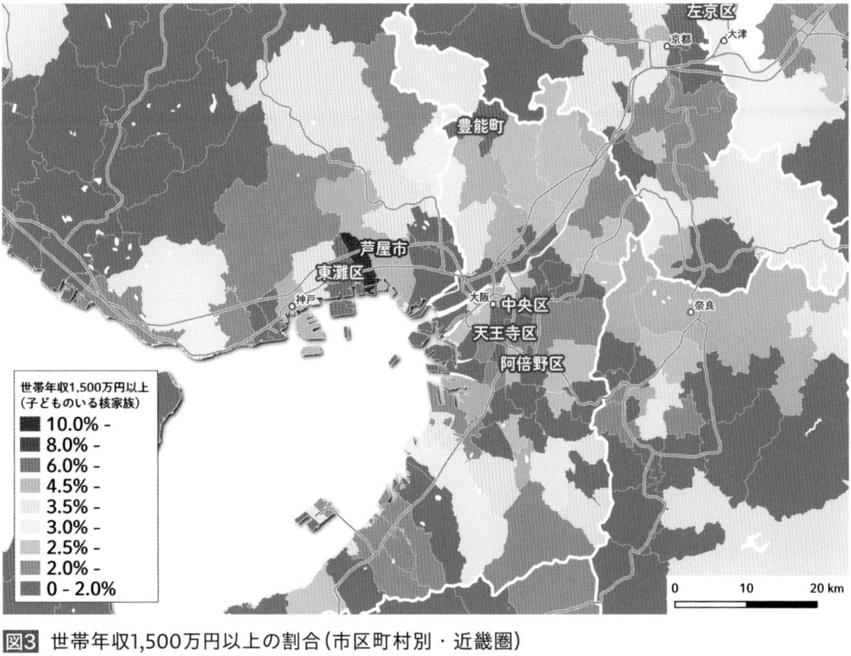


図3　世帯年収1,500万円以上の割合（市区町村別・近畿圏）
兵庫県芦屋市には、全国でも有名な高級住宅地「六麓荘町」がある。大阪市では上町台地の上に邸宅街が連なっている。

営名古屋空港（別名：小牧空港）のおひざ元として、航空、宇宙関係の研究開発拠点があります。

筆者個人としては、大都市から離れた小さな町村に色がついていると好奇心をくすぐられます。その町ごとに個性的な産業があり、そのまわりにさまざまな仕事があって、一つの経済圏を形づくっています。新聞や雑誌がときどき発表する「市区町村別・年収ランキング」も大変興味深いものですが、もう一歩踏み込んで、地方でお金持ちの多い町や村がどのようにしてお金を稼いでいるのか、その仕組みを紐解いてみるのも一興です。

参考：総務省統計局『平成30年住宅・土地統計調査 住宅及び世帯に関する基本集計』

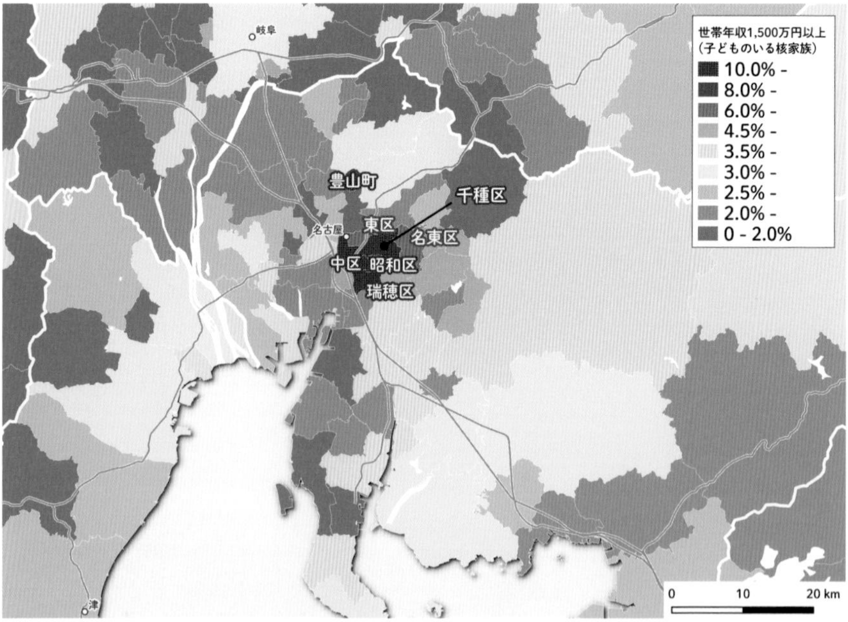


**図4 世帯年収1,500万円以上の割合（市区町村別・中京圏）**
名古屋市千種区、東区、中区では首都圏から転勤してきた人が多い。昭和区と瑞穂区にまたがる八事丘陵は昭和初期から続く屋敷街。

# 2-5 テレワークの普及で「地方移住」が進んでいるって本当？

新型コロナウイルスが感染拡大した2020年以降、外出規制をきっかけに導入されたテレワーク。どこでも仕事ができるというメリットから、地方や郊外への移住に関心が高まり、軽井沢（長野県）や三島（静岡県）、小田原（神奈川県）でテレワークと新幹線通勤を両立するファミリーや、農村に移住した若者などがメディアで紹介されました。平日には広い自宅でのびのびと働き、休日には近所で大自然や豊かな食生活を楽しむ……そんな暮らしをうらやましいと感じたのは筆者だけではないでしょう。

その後3年あまりが経過し、地方への移住は定着したのでしょうか。大都市への一極集中は緩和されたのでしょうか。データで迫ります。

## ◎コロナ禍で東京一極集中は「東京圏一極集中」に

日本の人口は2008年をピークに減り始め、2010年代には毎年10～20万人、2020年以降には毎年50～60万人ずつ減少しています[※1]。2021年までは沖縄県でかろうじて「出生数が死亡数より多い状態」でしたが、2022年には死亡数のほうが上回ってしまいました。

その一方、地域ごとのくわしい人口を見ると、他の地域からの転入によって人口が増えている地域もあります。人口学の世界では、転入者のほうが転出者より多い状態のことを転入超過または社会増、逆に転出者のほうが多い状態のことを転出超過または社会減と呼ぶのですが、これらの人

※1：2020年以降、日本の人口が急減している理由は大きく3つあります。

① 戦後に生まれたベビーブーム世代（団塊の世代）が70代を迎えたことにより、毎年の死亡数が急速に増えていること。

② 婚姻率、出生率が大幅に低下した影響で、20～30代の女性が年々減っていること。

③ 新型コロナウイルス感染症をはじめとする社会や家族に関する価値観の変化によって結婚、出産する若者が減り、出生率が低下していること。

これらのうち、③の出生率は政策で変えられる可能性があるので、政府や地方自治体の少子化対策に強い関心が集まっています。

口の綱引きをくわしく見ていくことで、「どの地域にどの年代の人が集まっているのか」を読み解くことができます。

図1、2は、新型コロナウイルス感染症の流行前（2017〜2020年）と流行後（2020〜2023年）に「社会増」となった県と「社会減」となった県を塗り分けた地図です。赤い県では転入してきた人のほうが多く、青い県では転出していった人のほうが多くなっています。首都圏と大阪府、福岡県ではコロナ禍の前後を問わず「社会増」となっていて、大都市圏への一極集中が、なお続いていることが読み取れます。

首都圏を拡大してみましょう（図3、4）。2つの地図を比べてみると、新型コロナウイルスの感染拡大が始まった2020年を境に、東京23区の社会増の勢いが弱くなったことと、郊外では相変わらず社会増が続いていることがわかると思います。

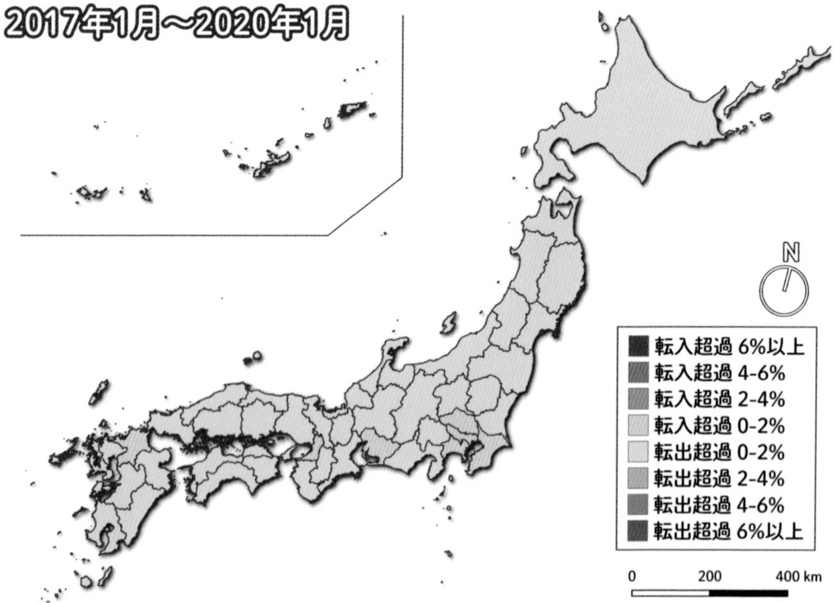


**図1** 2017年1月→2020年1月の社会増減（全国）
転入超過は福岡県、大阪府、愛知県、神奈川県、東京都、埼玉県、千葉県の7つ。

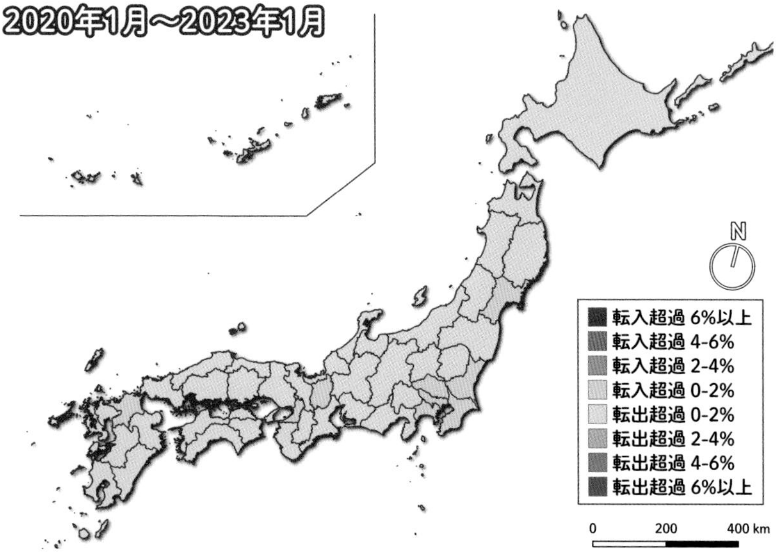


**図2** 2020年1月→2023年1月の社会増減（全国）
新たに宮城県、茨城県、滋賀県が転入超過となった。一方、愛知県は転出超過に。

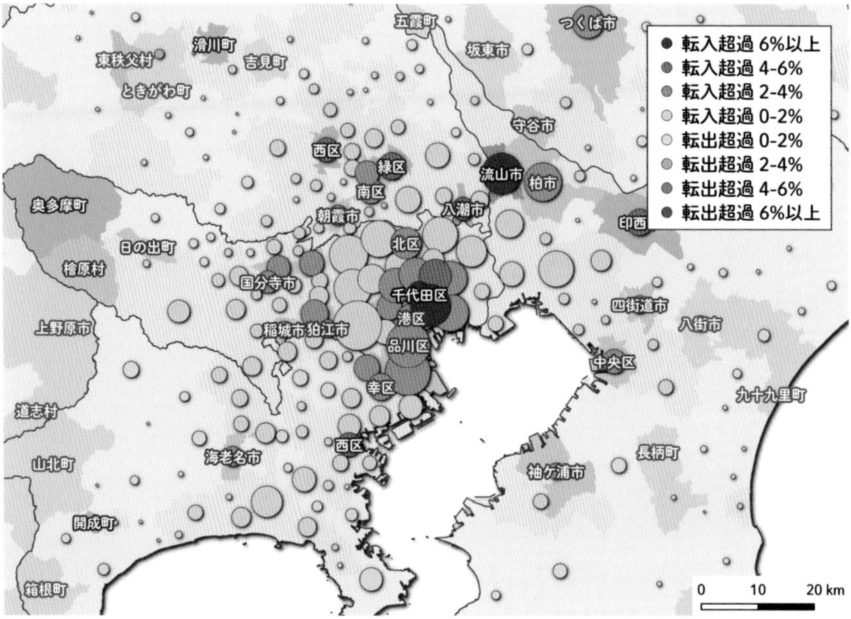


**図3** 2017年1月→2020年1月の社会増減（首都圏）
円の色は「人口に対する転入、転出超過の割合」を、円の大きさは「転入、転出超過の実数」を表す。

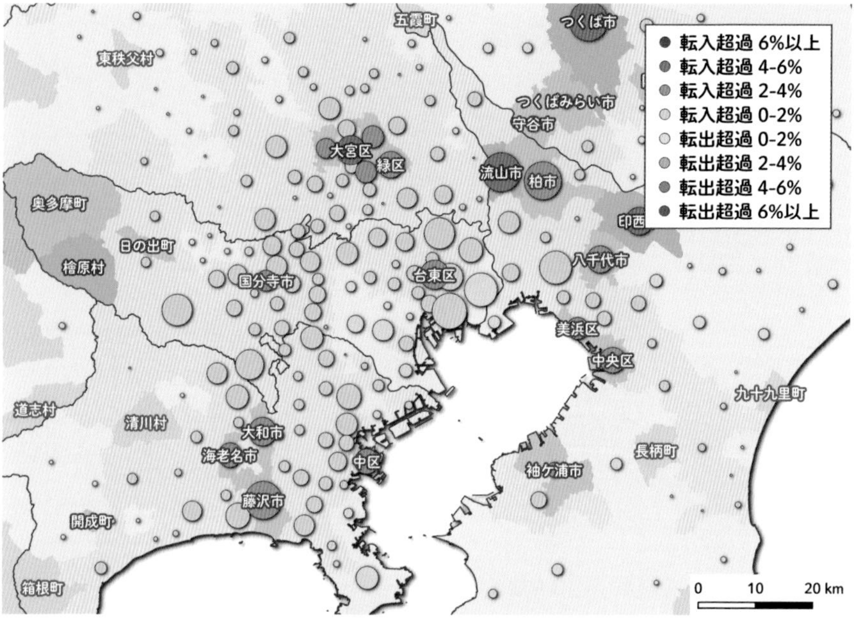


**図4** 2020年1月→2023年1月の社会増減（首都圏）
東京23区の転入増加の勢いが弱くなり、世田谷区などでは転出超過に転じた。

## ◎都会に集まる若者たち

今度は先ほどの地図を年齢別に分解してみましょう。

まずは20～24歳から（図5～9）。20代前半といえば、多くの若者が人生の転機を迎える年ごろです。全体的な傾向として、地方から大都市圏へ、また郊外から都心周辺へ若者が集まっていく様子が読み取れます。三大都市圏以外で20～24歳の転入者が多かったのは福岡市博多区、中央区、東区、仙台市宮城野区、札幌市中央区、豊平区など。三大都市圏かそれ以外かを問わず、都心のオフィス街に近く、繁華街にもアクセスしやすいところが好まれているようです。

紙面の関係で図表は割愛しますが、20代前半はコロナ前の3年間（2017年1月～2020年1月）でもほとんど同じような傾向でした。20代前半では仕事や学業のために転居する人が大多数ですから、地方と大都市での就職

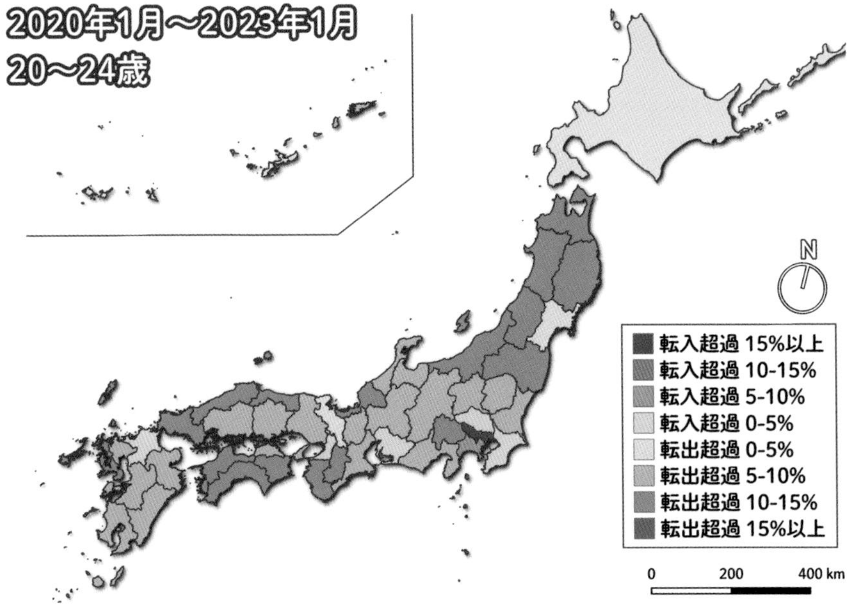


図5　20〜24歳、2020年1月→2023年1月の社会増減（全国）
三大都市圏に若者が集まっていくのが全体的な傾向。

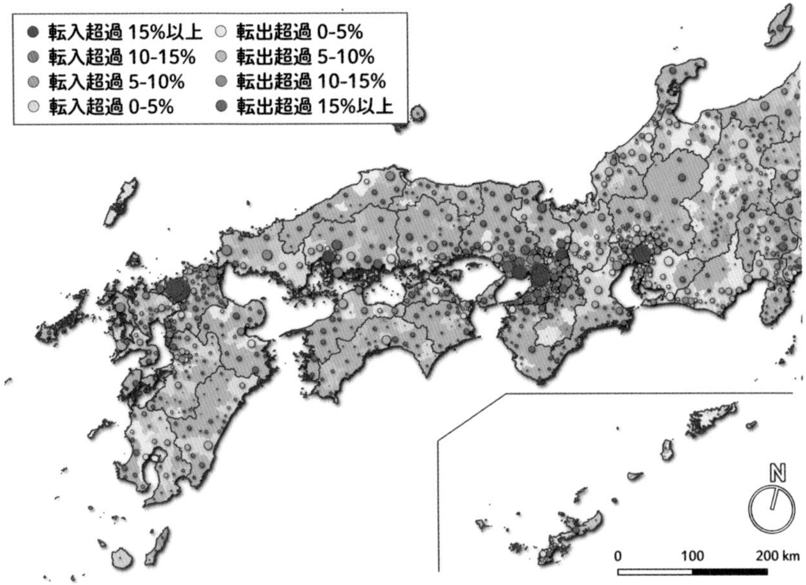


図6　20〜24歳、2020年1月→2023年1月の社会増減（西日本）
七大都市（札幌、仙台、東京、名古屋、大阪、広島、福岡）の中心部では転入者のほうが多い。

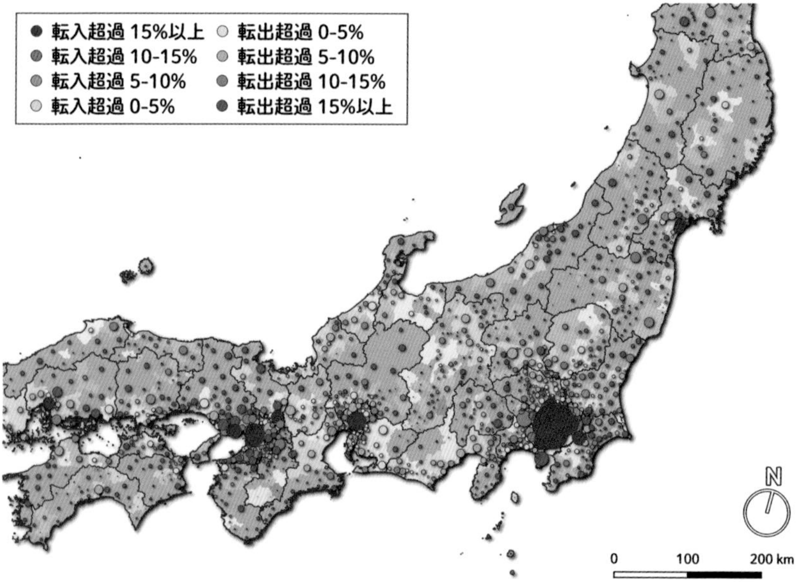


図7 20～24歳、2020年1月→2023年1月の社会増減（中部～東北南部）
政令指定都市でも新潟市や岡山市では転出者のほうが多い。

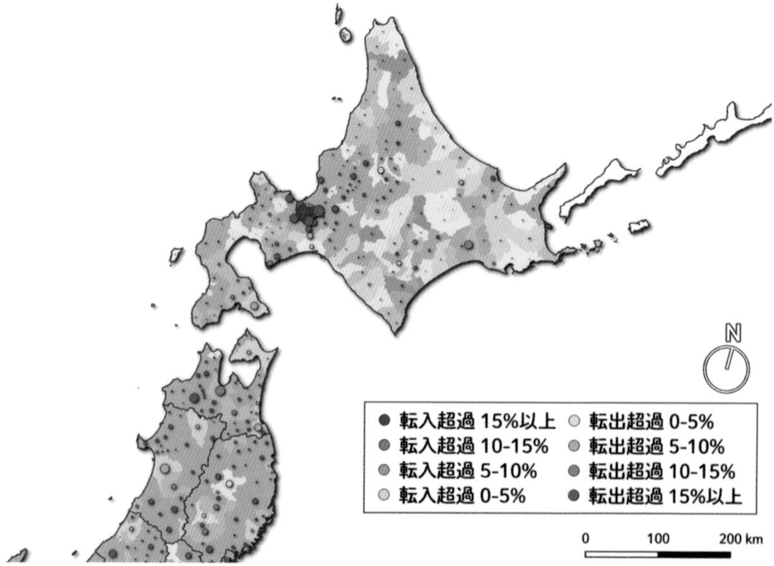


図8 20～24歳、2020年1月→2023年1月の社会増減（東北北部～北海道）
札幌市の中心部に若者が集まっている。

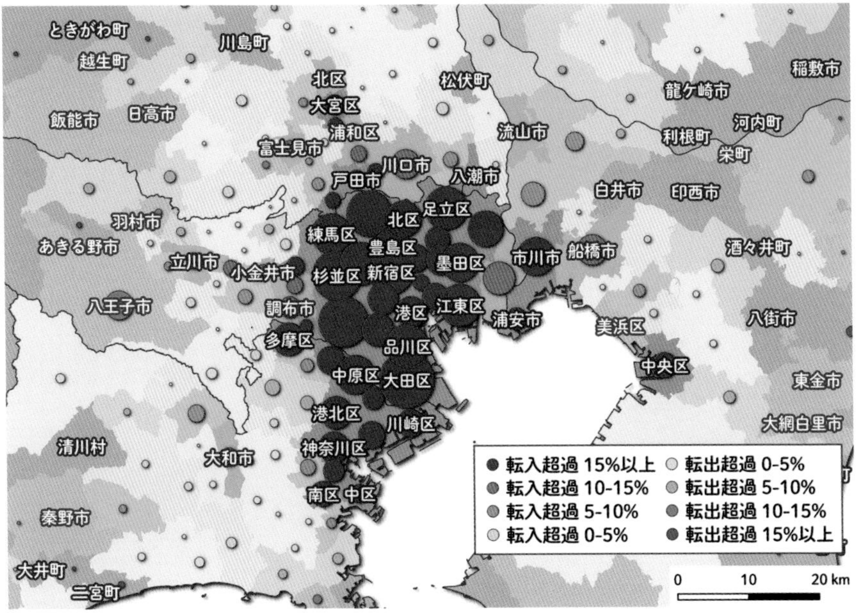


**図9** 20〜24歳、2020年1月→2023年1月の社会増減（首都圏）

コロナ禍の前後を問わず、東京に若い人が流れていく傾向が強い。

格差、つまり選べる仕事の幅や待遇の違いが埋まらない限り、都市部に人が流れていく傾向は変わらないのではないかと思われます。

## ◎郊外に散らばる30代

同じ要領で30〜39歳の地図を描いてみました（図10〜13）。全体として首都圏への一極集中が続いているものの、2020年以降、都心から郊外への人口流出が強まっています。

20代後半から30代にかけては結婚や出産などのライフイベントを迎える人も多く、これまで住んだ家が手狭になったり、実家、義実家との付き合いが生まれたりと、いろいろな理由で住み替える人がいる年代です。2010年代には工場や倉庫跡地の再開発と低金利、住宅ローン減税などの効果が重なって都心回帰がブームになり、港区、中央区、江東区などの湾岸エリアを中心に30代の社会増（転入超過）が続いていたのですが、コロナ

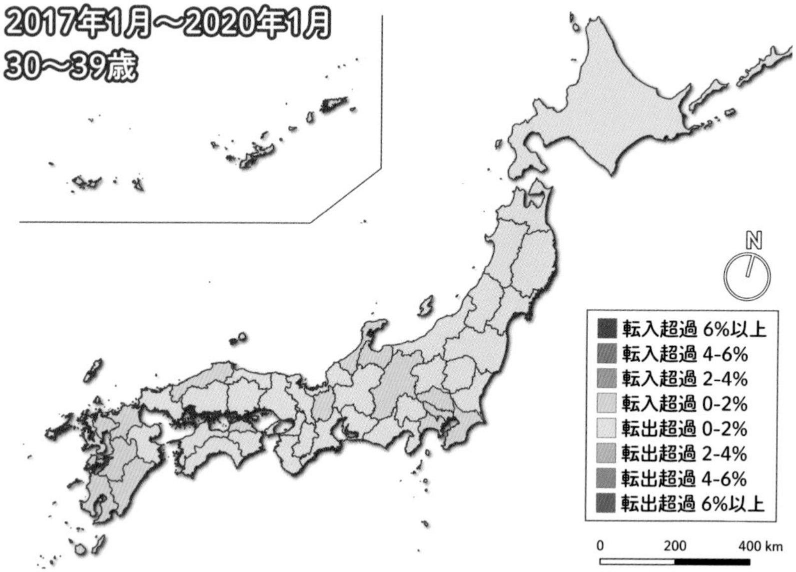


図10 30～39歳、2017年1月→2020年1月の社会増減（全国）
全国の主要な都市圏で転入者のほうが多かった。

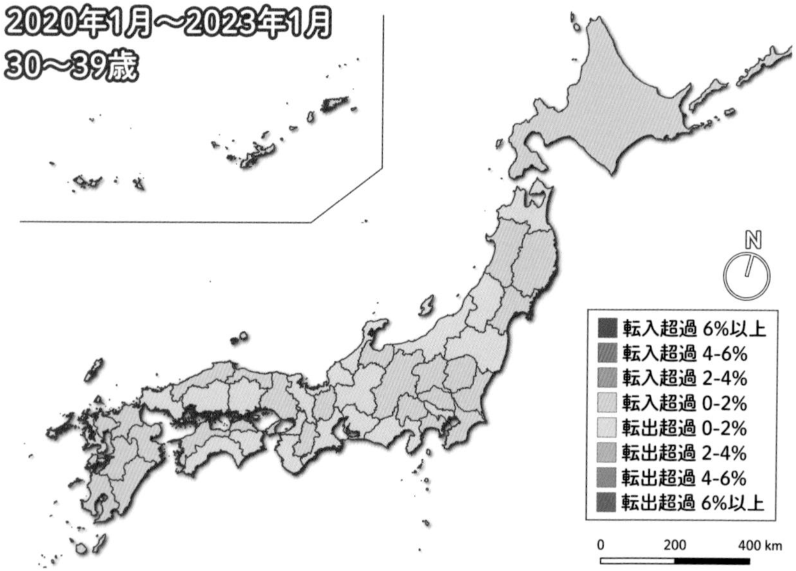


図11 30～39歳、2020年1月→2023年1月の社会増減（全国）
東京都では地方圏からの人口流入にブレーキがかかり、逆に郊外への人口流出が加速した。

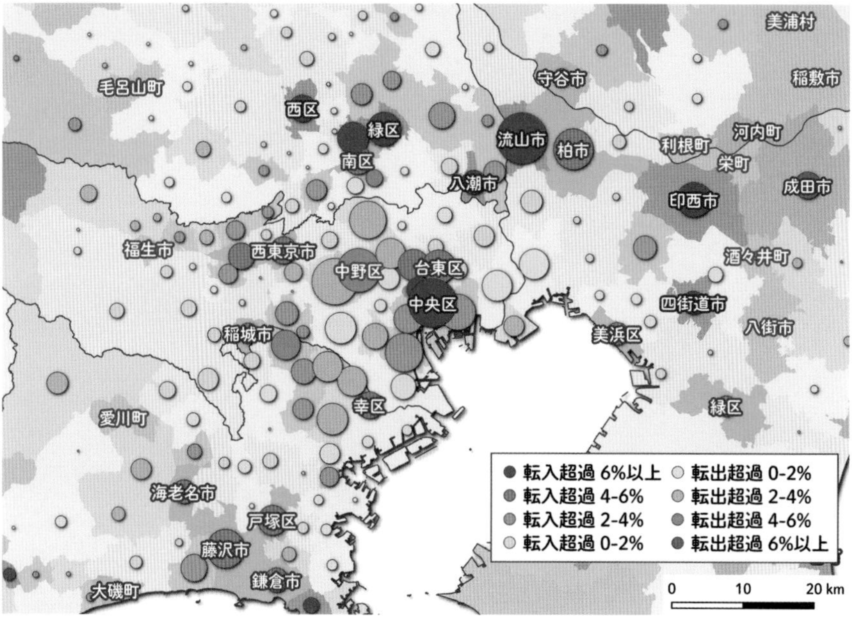


**図12** 30～39歳、2017年1月→2020年1月の社会増減（首都圏）
当時は都心回帰がブームだった。

禍で不動産の需要と供給のバランスが崩れ、不動産価格が爆発的に上昇した結果、郊外志向が一気に強まる結果となりました。

## ◎東京23区からの30代・転出先ランキング

ところで、都心から離れていく30代はいったいどこへ向かっているのでしょうか。この疑問を解くために、東京23区から各市町村への転出者数ランキング（30～39歳）をまとめてみました（図14）。色がついているのは、23区からの転出者が特に増えている地域です（2018～2019年比でおおむね＋10％以上が目安）。これらの都市には、

① 通勤利便性（都心まで1時間前後）

② 生活利便性（駅直結型の大きな商業施設がある）

③ 住環境（落ち着いたベッドタウン）

といった共通点があるので、生活の質を求めるファミリー層に人気が出るの

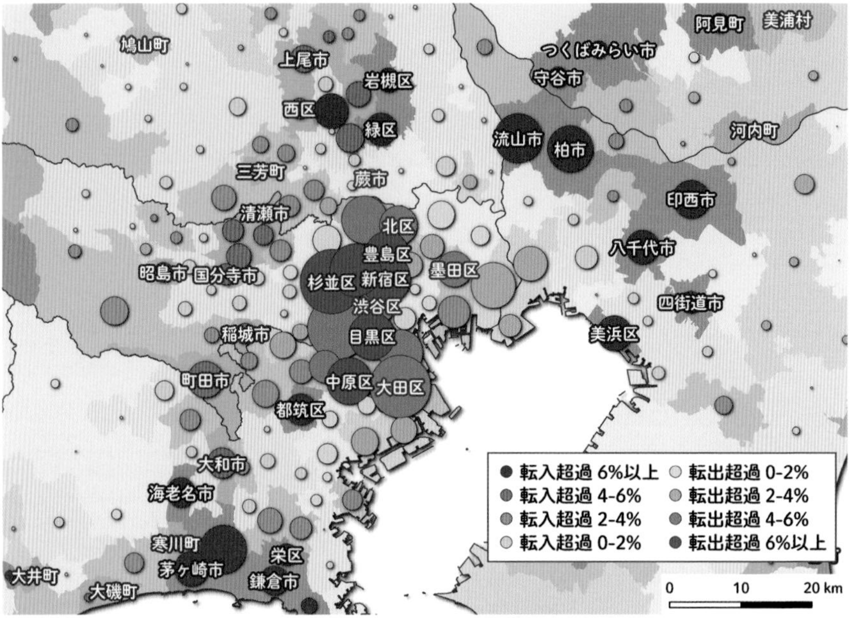


図13 30～39歳、2020年1月→2023年1月の社会増減（首都圏）
一転して郊外志向が一気に強まっている

もうなずけます。このエリアの中古マンションの取引データ（REINS Market Information）を見ると、2022年後半～2023年前半には60～85$m^2$、築30年未満の物件がよく売れているようで、2,800～4,800万円ぐらいがボリュームゾーンになっています。東京都心5区の相場の3分の1ぐらいです。

小田原、三島、軽井沢といった遠方の町でも、移住者が1.3～2倍に増加しています※2。23区全体の転出者数からすれば目立ちにくい数字ですが、受け入れる側の自治体にとっては相当なインパクトがあったのではないでしょうか。

近年、NTTグループや富士通などの大企業が在宅勤務を前提とした新たな人事制度を導入しています。その取り組みは感染症対策にとどまらず、定期代を廃止する代わりに全国どこでも住めるようにしたり、全国各

※2：長野県軽井沢町では、私立の小中一貫校「風越学園」の開校による影響も大きいと思われます。

地にサテライトオフィス（自宅とオフィス以外の働く場所）を整備したり、コアタイム（必ず働かなければならない時間帯）を廃止したり……と、働き方そのものを改革しようとしています。

現場で行う仕事や、対面のほうが成果を上げやすい仕事もたくさんあるので、何でもかんでもテレワークにすべきだとは思いませんが、リモートと対面を柔軟に使い分けていくような働き方がもっと当たり前になると、いつか首都圏への一極集中にブレーキがかかる日が来るかもしれません。

参考：総務省統計局『住民基本台帳人口移動報告』（2017～2022年）

| 2019年 | | 2020年 | | 2021年 | | 2022年 | |
|---|---|---|---|---|---|---|---|
| 横浜市 | 7,007 | 横浜市 | 7,733 | 横浜市 | 8,815 | 横浜市 | 8,100 |
| 川崎市 | 6,741 | 川崎市 | 6,535 | 川崎市 | 6,929 | 川崎市 | 6,349 |
| さいたま市 | 3,259 | さいたま市 | 3,519 | さいたま市 | 4,009 | さいたま市 | 3,918 |
| 川口市 | 2,198 | 川口市 | 2,413 | 川口市 | 2,701 | 川口市 | 2,263 |
| 大阪市 | 2,170 | 市川市 | 2,162 | 市川市 | 2,381 | 市川市 | 2,083 |
| 市川市 | 2,166 | 大阪市 | 2,078 | 大阪市 | 2,011 | 大阪市 | 2,071 |
| 名古屋市 | 1,731 | 名古屋市 | 1,704 | 千葉市 | 1,917 | 船橋市 | 1,872 |
| 福岡市 | 1,562 | 船橋市 | 1,683 | 名古屋市 | 1,705 | 名古屋市 | 1,612 |
| 松戸市 | 1,529 | 松戸市 | 1,566 | 船橋市 | 1,703 | 福岡市 | 1,554 |
| 船橋市 | 1,523 | 福岡市 | 1,520 | 福岡市 | 1,658 | 松戸市 | 1,520 |
| 調布市 | 1,422 | 千葉市 | 1,444 | 調布市 | 1,565 | 千葉市 | 1,509 |
| 千葉市 | 1,374 | 三鷹市 | 1,408 | 松戸市 | 1,557 | 調布市 | 1,451 |
| 西東京市 | 1,289 | 調布市 | 1,344 | 柏市 | 1,362 | 柏市 | 1,310 |
| 札幌市 | 1,222 | 西東京市 | 1,332 | 三鷹市 | 1,323 | 札幌市 | 1,290 |
| 三鷹市 | 1,125 | 柏市 | 1,223 | 武蔵野市 | 1,261 | 武蔵野市 | 1,079 |
| 柏市 | 1,111 | 札幌市 | 1,222 | 札幌市 | 1,250 | 西東京市 | 1,074 |
| 武蔵野市 | 1,008 | 武蔵野市 | 1,176 | 西東京市 | 1,136 | 流山市 | 1,033 |
| 草加市 | 937 | 藤沢市 | 941 | 藤沢市 | 1,124 | 三鷹市 | 1,015 |
| 仙台市 | 898 | 流山市 | 904 | 流山市 | 1,120 | 所沢市 | 994 |
| 流山市 | 872 | 仙台市 | 900 | 草加市 | 1,044 | 藤沢市 | 978 |
| 藤沢市 | 632 | | | 所沢市 | 889 | | |
| 小田原市 | 131 | 小田原市 | 196 | 小田原市 | 250 | 小田原市 | 215 |
| 三島市 | 75 | 三島市 | 76 | 三島市 | 75 | 三島市 | 98 |
| 軽井沢町 | 62 | 軽井沢町 | 97 | 軽井沢町 | 96 | 軽井沢町 | 106 |
| 合計 | 87,365 | 合計 | 92,792 | 合計 | 99,443 | 合計 | 93,384 |

図14　東京23区からの転出先（30～39歳）
小田原、三島、軽井沢でも、移住者が1.3～2倍に増加。

第3章

# 交通を可視化！

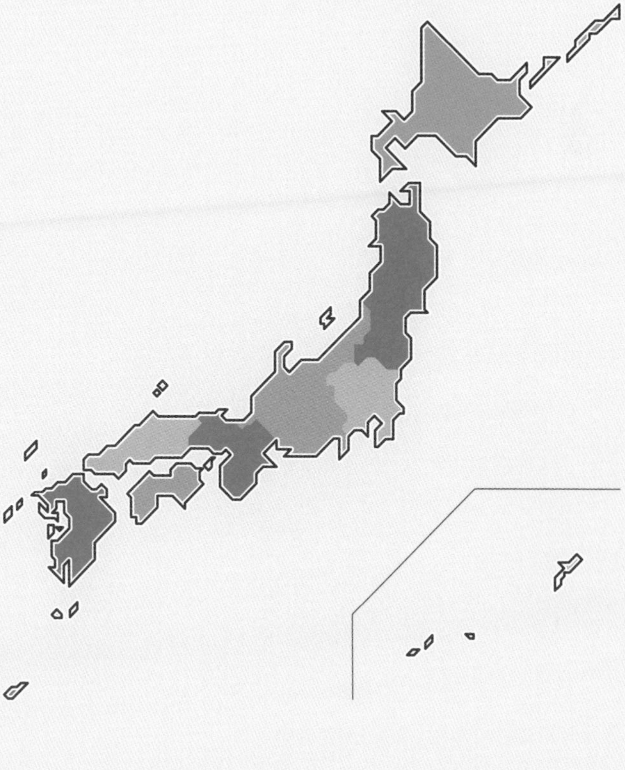

## 3-1 不動産広告には載っていない「改札から改札」までの所要時間

駅のホームなどで「○○駅へ直通△△分！」というような不動産広告を見ると、いまここで電車を待っている時間は何なんだろう……と、ちょっと複雑な気持ちになります。

不動産広告には「電車に乗ってから降りるまでの時間」が記載されていますが、実際には「改札からホームへの移動時間」「電車の待ち時間」「降りてからの移動時間」がかかるので、どうしても不動産広告上の所要時間とは合わなくなるのです。

そこで今回は、交通系ICカード（Suica、PASMO、ICOCAなど）の利用履歴を使って、改札から改札までの「リアルな」所要時間マップをつくってみました。

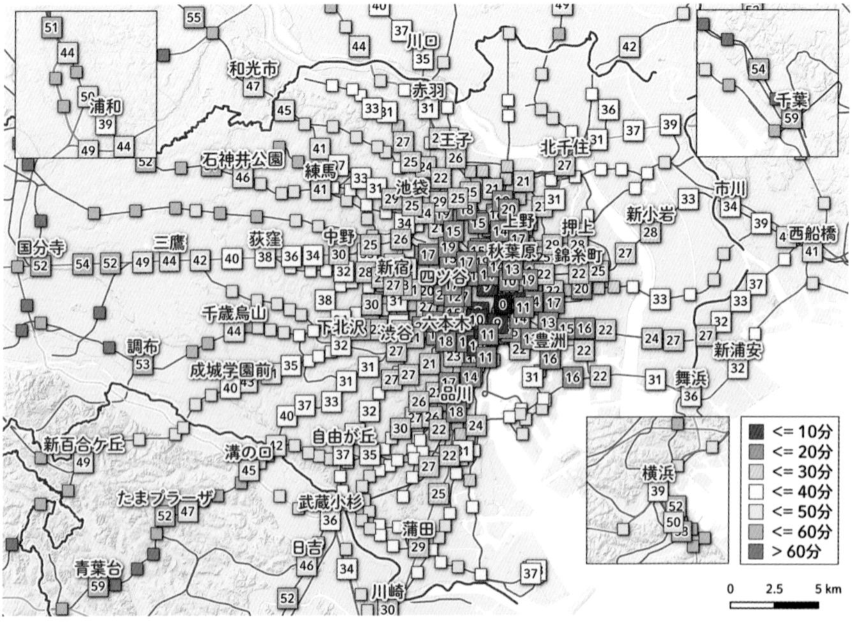


**図1** 東京駅、大手町駅までの「改札→改札」所要時間
地図中の数字は所要時間（分）。東京駅から池袋、新宿、渋谷まで25〜27分。

## ◎新浦安駅より舞浜駅のほうが所要時間は長いワケ

まずは、東京駅、大手町駅までの所要時間を見てみましょう（図1）。この地図では東京駅と大手町、いずれか近い駅までの「改札→改札の所要時間」の中央値※を表しています。2021年12月某日（平日）10～15時台に改札に入った人で絞り込んでいます。池袋駅、新宿駅、渋谷駅から東京駅までは25～27分です。この数字を覚えておくと、都内の移動が便利です。

注目したいのが、「東京ディズニーリゾート」の最寄り駅である舞浜駅。東京駅まで36分となっていますが、ひとつ先の新浦安駅（32分）より4分も長くなっています。どちらも快速が停まる駅なのに、なぜでしょうか？

その理由として考えられるのが利用者の行動の違いです。

東京ディズニーリゾートからの帰り道、東京駅でお土産を買ったり、友達と話し込んだり、あるいは次の予定に向けて、荷物や身だしなみを整えている人もいるかもしれません。理屈の上ではもっと短い時間で行けるはずですが、ひとりひとりのちょっとした寄り道が数字となって表れている……そう考えると、無機質なデータが少し、かわいらしく思えてきます。

次に、新宿までの所要時間を見てみます（図2）。新宿駅のほか、隣接する西武新宿駅、新宿西口駅、新宿三丁目駅で降りる人も集計対象としています。

池袋駅、渋谷駅からは14～15分です。中央線、京王線、小田急線はスピードが比較的速く、21～22km離れた国分寺駅、府中駅、新百合ヶ丘駅からは33分でたどり着くことができます。一方、東京の東側からは、距離が短い割に時間がかかっていることがわかります。

2010年代以降、分譲マンションなどの不動産市場では武蔵小杉駅（川崎市中原区）と浦和駅（さいたま市浦和区）が注目されています（図3、4）。武蔵小杉は2010年に横須賀線、湘南新宿ラインの駅ができて、都心への所要時間が10分以上短縮。浦和駅にも2012年に湘南新宿ラインが停まるようになりました。地図を見ると、どちらの駅も東京、新宿まで30分台で行けます

※：中央値とは、データを小さい順に並べたときに真ん中にくる値のことです。たとえば5人の利用者が品川駅から東京駅まで移動して、所要時間がそれぞれ13分、14分、15分、16分、92分だった場合（最後の人はエキナカにいたのでしょうか）、平均は150 ÷ 5 = 30分、中央値は15分となります。中央値のほうが実感に近いですよね。

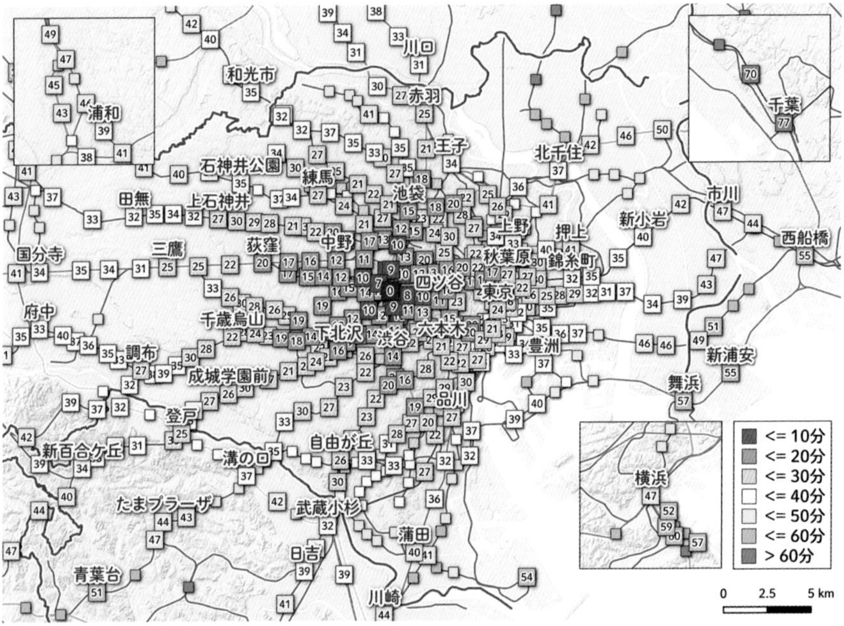


**図2** 新宿駅、西武新宿駅、新宿西口駅、新宿三丁目駅までの「改札→改札」所要時間
数字はあくまで中央値。特急や快速急行などがすぐに来れば5～10分早く着くことも。

し、都内の主要なオフィス街が40～50分圏内に収まります。生活面でも駅前の商業施設でだいたいのものがそろいますし、横浜や川崎、大宮、さいたま新都心などにも気軽に行けますから、人気が出るのもうなずけます。

大阪や名古屋の様子も見てみましょう（図5、6）。近畿圏ではJRと私鉄が並行しているところが多く、スピードや運転本数などのサービスレベルを上げることで競争力を高めてきました。大阪駅までの所要時間は三ノ宮駅（約31km）33分、京都駅（約43km）41分。首都圏の快速列車と比べると、距離あたりの移動時間が10～20％短くなっています。

中京圏でも名鉄とJRが高速運転を行っています。岐阜駅（約30km）と名古屋市営地下鉄・藤が丘駅（約14km）で所要時間がほぼ同じです。

参考①：国土交通省『第13回大都市交通センサス』（2021年）（https://www.mlit.go.jp/sogoseisaku/transport/sosei_transport_tk_000007.html）
参考②：図1～6の背景に国土地理院『地理院地図Vector（仮称）提供実験』のデータを使用

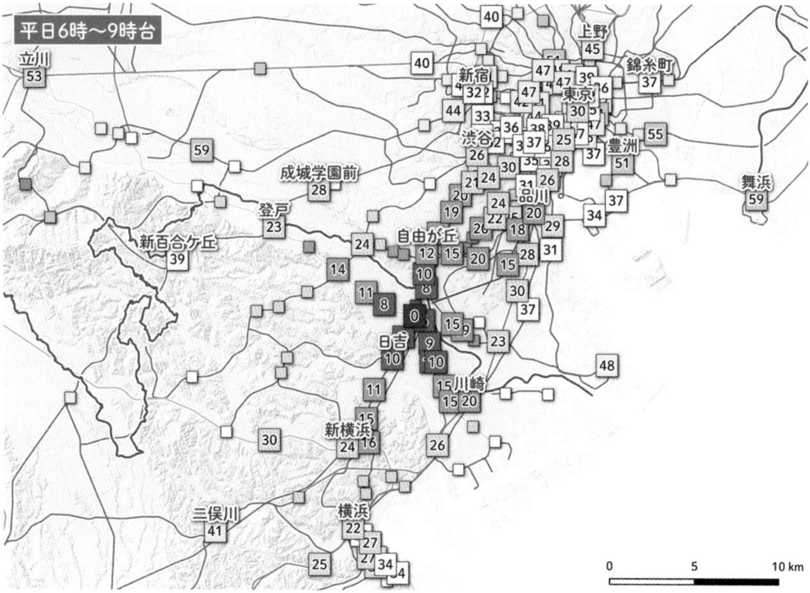


図3 武蔵小杉駅から主な駅への「改札→改札」所要時間（平日朝6～9時台）

横須賀線、湘南新宿ラインの停車によって、都心までの所要時間が10分以上短縮した。

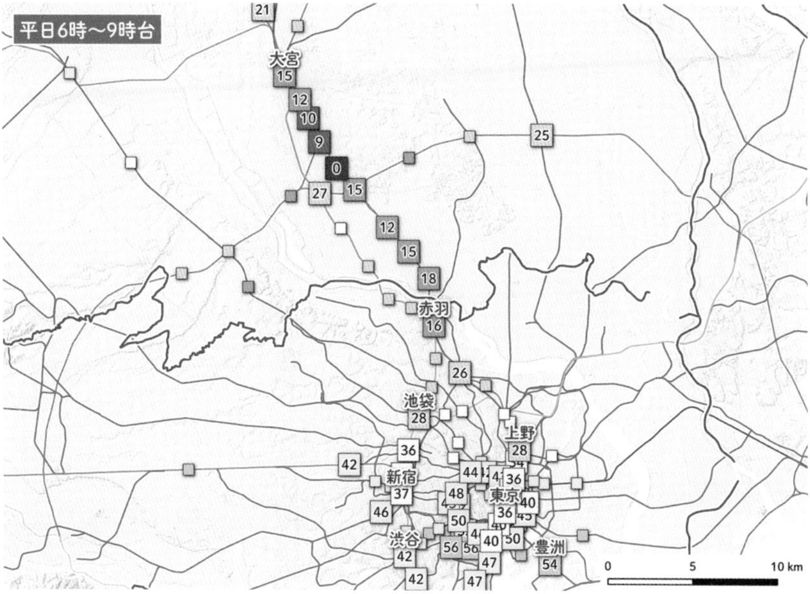


図4 浦和駅から主な駅への「改札→改札」所要時間（平日朝6～9時台）

武蔵浦和まで27分となっているが、乗り継ぎが良ければ15分ぐらい。

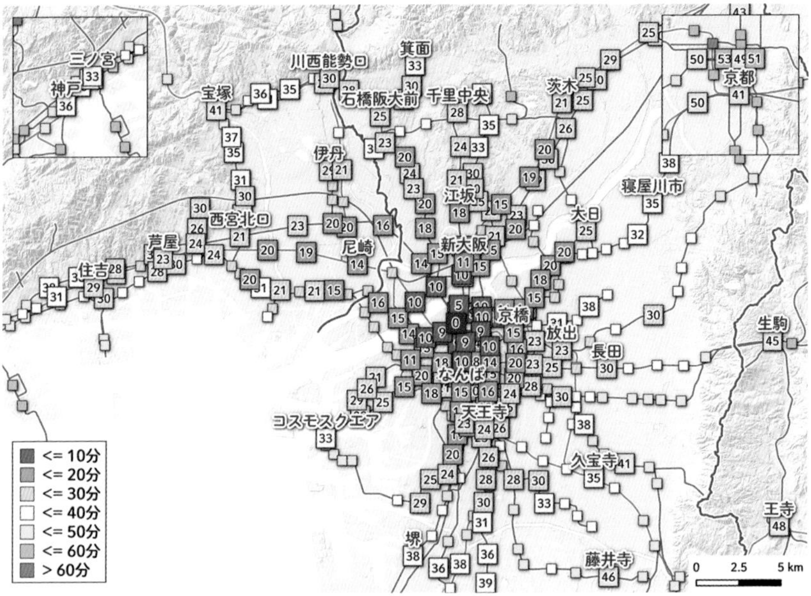


**図5** 大阪駅、梅田駅までの「改札→改札」所要時間

JR東海道線や阪急京都線、神戸線の速さが際立っている。

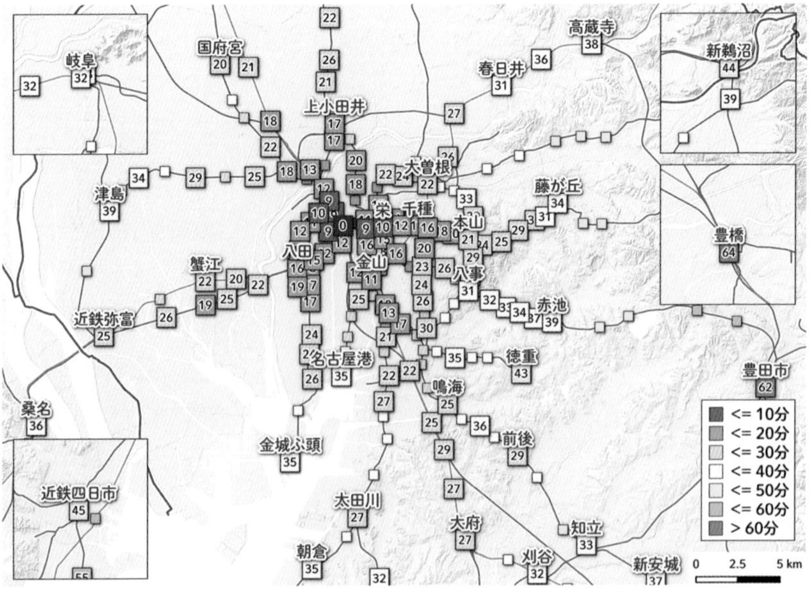


**図6** 名古屋駅までの「改札→改札」所要時間

交通系IC利用者の少ない駅では統計データのばらつきが大きいため、分数を非表示としている。

Column ②
# 不動産広告の「電車所要時間」は短すぎる？

かつて、不動産広告の「電車所要時間」は「待ち時間、乗り換え時間を含まない日中平常時の乗車時間」を指していました。途中で乗り換えても、移動時間や待ち時間は一切カウントされないため、「初台駅→東京駅15分」「三ノ輪駅→東京駅9分」など、現実とはかけ離れた数字が当たり前に使われていました（今回まとめた地図では、初台駅30分、三ノ輪駅27分でした）。

こうした状況を改善するため、2022年9月に業界団体の自主規制ルール「不動産の表示に関する公正競争規約・同施行規則」が改正され、乗り換え時間も含まれるように変更。さらに、「時間がかかりやすい朝の通勤時の所要時間を明記」するように義務付けられました（図1）。

また、物件から駅や商業施設までの所要時間の表記も改善されています。従来は「エントランス」からの時間でよかったのですが、改正後は最も近い棟と最も遠い棟の「出入口」からの時間を書くようになりました。

とはいえ、新しい不動産広告にも欠点があります。「駅まで○○分」と「東京駅まで○○分」を足し算しても、正しい所要時間がわからないのです。

① 駅徒歩時間は駅の出入口までの時間であり、出入口に入ってから電車に乗るまでの時間が含まれていない。

② 目的地の駅で電車を降りてから、駅を出るまでの時間が含まれていない。

地下鉄の駅では、出入口から改札まで10分近く歩くこともあるので、ご注意を。

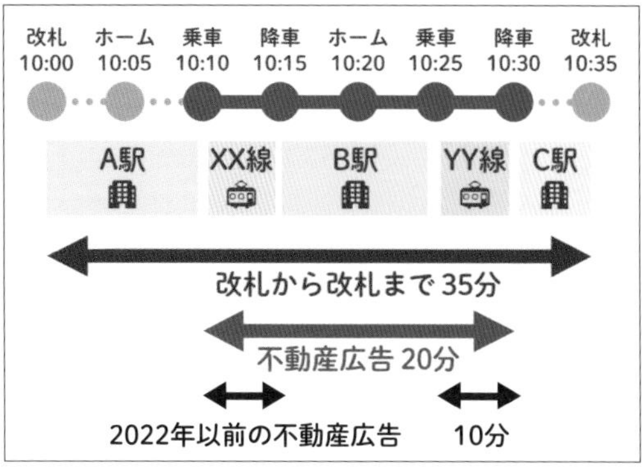


図1 電車所要時間の改正
「乗り換え時間」「時間がかかりやすい朝の通勤時の所要時間」を明記するように義務付けられた

# 3-2 アフターコロナ時代、人の流れはどう変わった？

2020年からの新型コロナウイルス感染拡大によって、日本の大都市は大きな変化を迎えました。在宅勤務や休校、オンライン授業などでオフィス街に通勤、通学する人は激減し、さまざまな行動の自粛によって、デパートやショッピングモール、繁華街や歓楽街の人出も少なくなりました。

その後、2022年ごろから自粛ムードは徐々に緩和され、街は活気を取り戻しつつあるようにも見えますが、人々の行動に関するビッグデータを紐解いてみると、人の戻り方は一様ではなく、「人が戻った街」「戻らない街」に分かれているという事実が明らかになりました。

## ◎オフィス街の人出はどこまで戻ってきた？

図1は、2019年1月～2023年5月の平日の14時台、東京、名古屋、大阪の主なターミナル駅周辺（約1km四方）にいた人の数を表したグラフです。駅だけでなく駅ビル、地下街、道路、オフィスなどにいる人も対象となっています[※1]。これを見ると、2019年までは5～6万人で推移していたところ、2020年4月の緊急事態宣言によって約2万人まで減少し、その後は徐々に回復してきたことがわかります。人手が波打つように変化しているのは、政府の「緊急事態宣言」や「まん延防止等重点措置」、マスメディアを通じた警戒呼びかけなどによって、人出が大きく変化してきたためです。

2023年現在、ターミナル駅周辺の人出は感染症拡大前の60～80％まで戻ってきましたが（図2）、その増え方はゆるやかで、今後も完全に戻ることはないと考えられています。大企業やIT、事務系の職種を中心に、在宅

※1：内閣府などが提供するビッグデータの可視化サイト『RESAS』より、「流動人口メッシュ」を引用しました。ゼンリンの『混雑統計®データ』が元となっていて、約550万人の携帯電話の位置情報を統計処理し、最小250m四方の月別、時間別の平均滞在者数を推計したデータが公開されています。

勤務やハイブリッド勤務（出社と在宅を組み合わせた働き方）が続いていることや、リモート会議の普及によって平日昼間の鉄道利用者が減少したことなどが原因です。

こうした動きを「コスト削減のチャンス」ととらえた企業が、出社日や出社人数の減少に合わせてオフィスを縮小、解約する動きもあり、都心5区（千代田区、中央区、港区、新宿区、渋谷区）の新築オフィスビルの空室率も約1％（2019年）→6.4％（2023年8月）に上昇しています。

## ◎アフターコロナ、外で飲まなくなった？

夜の街の様子も一変しました。図3、4は全国の主要な歓楽街の滞在者数（平日20時台）を表したグラフです。いずれも2020年4月～5月を底に少しずつ回復しているものの、感染拡大前の約60～70％で頭打ちとなっています。19時台など早めの時間帯は80％近くまで戻ってきているのですが、コロナ禍の前と比べると夜遅くまで飲み歩く人が少なくなったよ

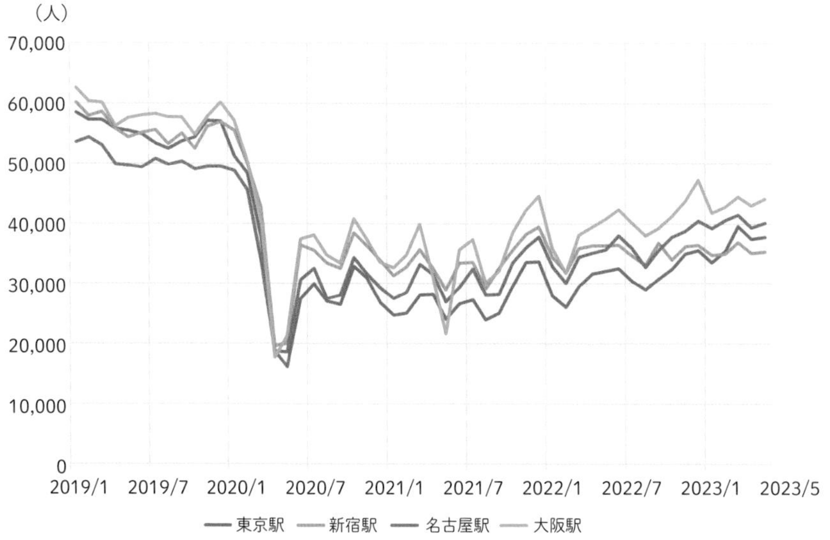


図1 ターミナル駅周辺約1km四方の滞在者数（平日14時）
2020年4月には、5～6万人から約2万人まで落ち込んだ。

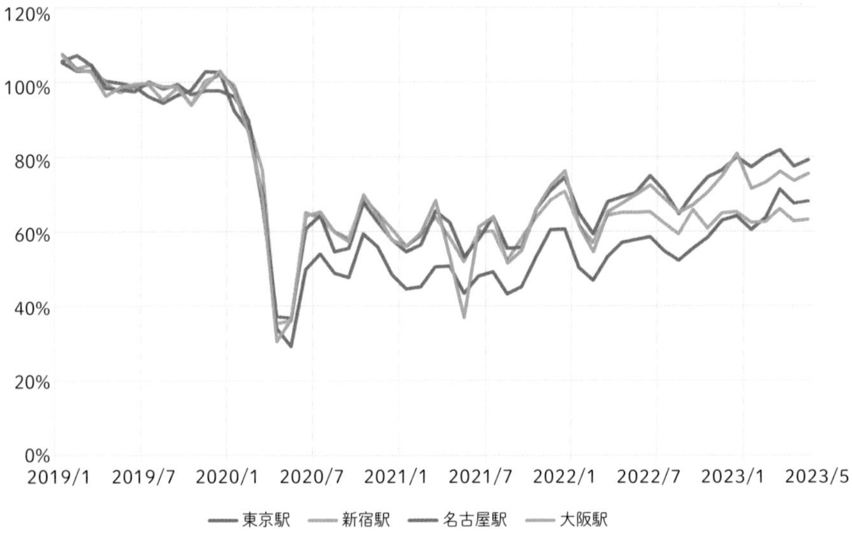


図2 ターミナル駅周辺約1km四方の滞在者数（平日14時）
2019年平均との比較（%）。人出はコロナ禍前の60～80%まで戻ってきた。

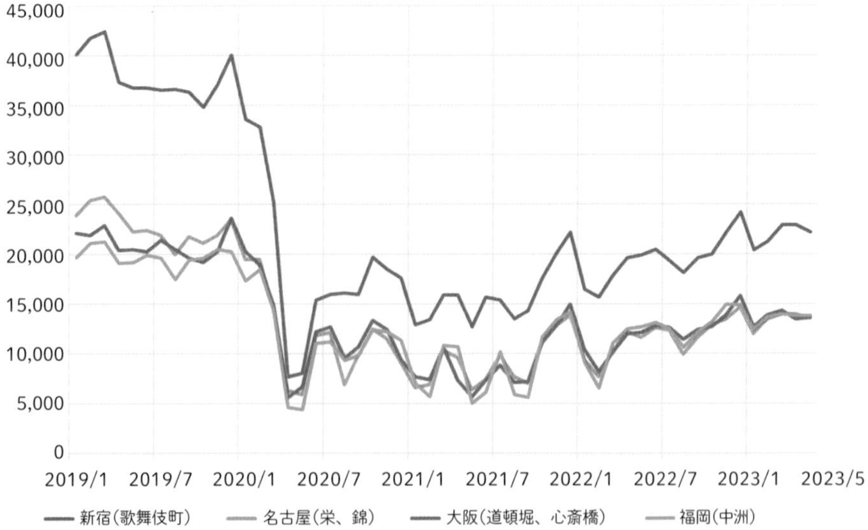


図3 歓楽街約1km四方の滞在者数（平日20時）
2020年4～5月に人出が急減。緊急事態宣言やまん延防止等重点措置の影響を受けながらも、徐々に回復してきている。

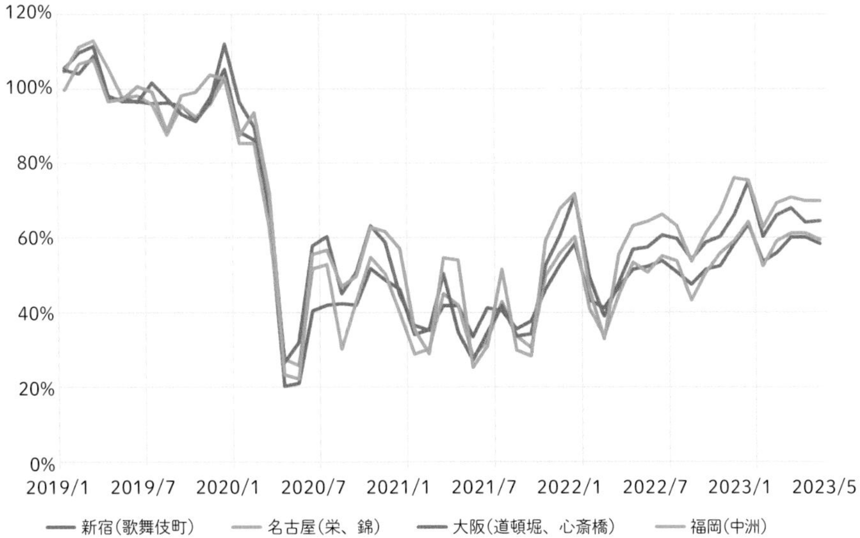


**図4　歓楽街約1km四方の滞在者数（平日20時）**
2019年平均との比較（%）。感染拡大前の約60～70%で頭打ちとなっている。

うで、新宿のど真ん中でも22時～23時に閉店するお店が増えたと感じます。

大都市圏の鉄道会社やバス会社も終電、終バスを前倒ししたり、夜間の本数を減らしたりするところが増えていて、社会全体で店じまいが早まっています。

## ◎データで見る、東京ディズニーリゾートとユニバーサルスタジオジャパンの違い

テーマパークではどうでしょうか。図5、6で、東京ディズニーリゾート（TDR）とユニバーサルスタジオジャパン（USJ）の周辺の滞在者数（休日14時台）を見てみましょう。

TDRは2020年2月末～6月末、USJは2020年2月末～6月と2021年4月末～6月に臨時休園を実施しました。営業再開後は徐々に客足が戻ってきましたが、どうもTDRのほうでは戻り方が遅いようです。どうしてこう

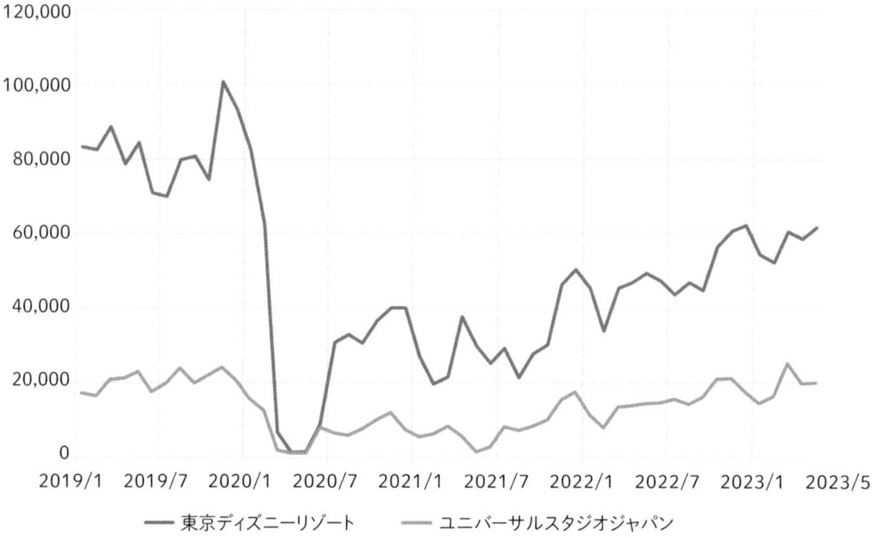


図5 テーマパーク周辺の滞在者数(休日14時)
営業再開後にはチケットの販売数を徐々に増やしている。

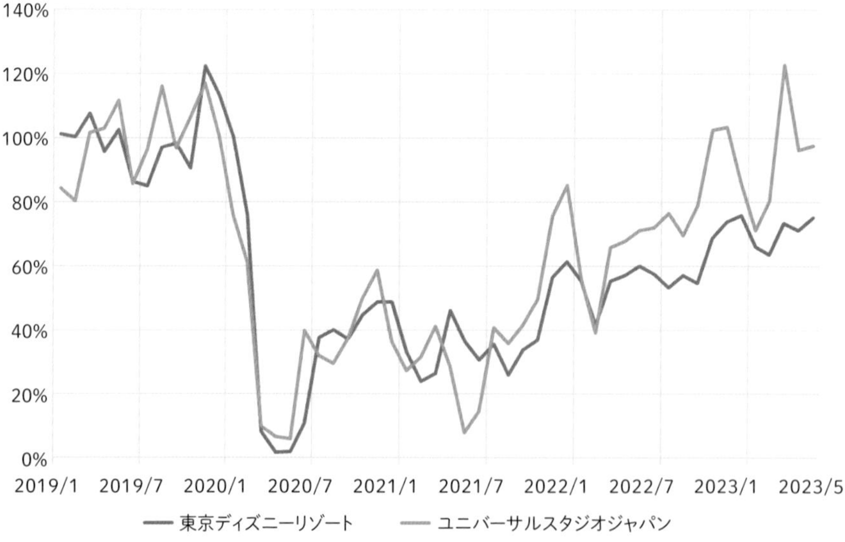


図6 テーマパーク周辺の滞在者数(休日14時)
ユニバーサルスタジオジャパンでは2022年秋には人出がおおむね戻っている。

なったのか……その理由を読み解くヒントが、TDRを運営する株式会社オリエンタルランドの『2024中期経営計画』にあります。

### ①1日あたりの入園者数上限を下げる

TDRではこれまで、より多くの入園者を迎えられるようにアトラクションの増設などに力を入れてきましたが、コロナ禍での気づきを踏まえ、新型コロナウイルス感染症への対策としての制限にかかわらず、1日の入園者数の上限を、新型コロナウイルス感染症の流行前より下げることにしました。

### ②1日あたりの入園者数を平準化させる

単に入場制限を厳しくするだけでは、来園希望がかなわないお客さんが出てくるので、2021年3月から変動価格制を導入し、曜日や時期によって2,000～3,000円の価格差をつけることで、混雑の平準化を目指すことにしました。

朝日新聞（2022年7月11日）は、オリエンタルランドの吉田謙次社長の声を次のように報じています。

> 吉田氏は、コロナ禍で入園者数を制限したことで体験価値は上がったと指摘する。「待ち時間も少ないので好きなアトラクションに乗れる。商品の購入を楽しんだり、レストランでゆっくり食事したりできる。キャストの効率的な配置もできた。（コロナ禍という）特殊な状況ではあったが、こういう変化が出るんだと実感した」と話す。

出典：東京ディズニーリゾート、入園者抑える戦略へ「体験価値上がった」（2022年7月11日、朝日新聞）

「テーマパークは思い出を作りに行く場所だから、混まないことや待たないことが付加価値だ」という考え方には共感が持てます。

一方、テーマパーク業界の西の「横綱」、USJでも、2022年10月から変動価格制を導入していますが、入園者数の制限はすでに撤廃しています（イベント開催時には入場制限を実施する場合がある）。「ちょっと空いてて快適」を目指すのか、「混んでるけど刺激的で楽しい」を目指すのか……東西のテーマパークの性格の違いが読み取れるデータとなりました。

## ◎街から消えた人たちはどこにいるのか？

読者の皆さんであれば、答えは容易に想像できるでしょう。平日は在宅勤務、休日は出控えによって自宅やその周辺にとどまる人が増えています。ただ、データを見ると人の増え方は一様ではなく、在宅勤務の定着率が地域によって異なることがわかってきました。

図7では、「平日の昼間（14時台）、自宅と同じ市区町村内にいる30代男性」がコロナ禍の前後でどの程度増減したのかをまとめてみました。2019年11月と2022年11月のデータを比べたもので、赤と青の色合いは自宅と同じ市区町村にいる人の「増加率、減少率」を、円の大きさは「増加数、減少数」を表しています。

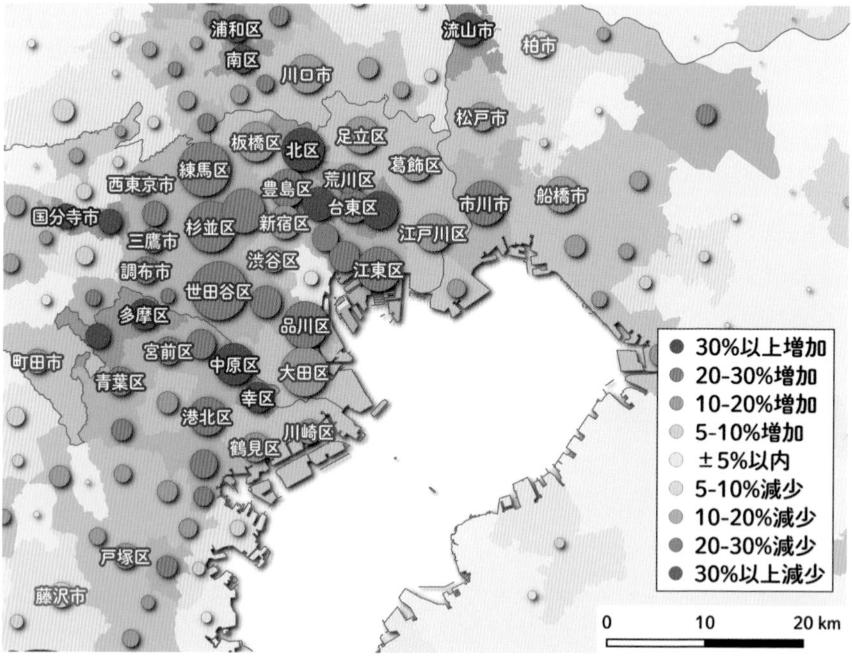


**図7** 自宅と同じ市区町村内にいる30代男性（平日の14時台）
JR南武線や中央線、さいたま市内の京浜東北線の沿線には、2019年と比べて30%以上も増えている市区がある

こうして見ると、東京都心から10〜30kmぐらいのエリアで地元にとどまる人が増えていることがわかります。特にJR南武線や中央線、さいたま市内の京浜東北線の沿線には、2019年と比べて30%以上も増えている市区があります。これらの地域には市外、区外で働くホワイトカラーのビジネスパーソンが多く住んでいるのですが、コロナ禍で通勤日数が減った結果、自宅や近所のコワーキングスペースで働く人が急増したのです。

こうした動きを機敏にとらえたのが飲食店です。東京都内では2019年から2020年にかけてキッチンカー（自動車で食品を提供するお店）の登録数が12%も増加（3,381軒→3,794軒）。その後、さまざまな行動制限が緩和されて巣ごもり需要が落ち着いたことで、ブームは下火となりましたが、いまでもタワーマンションなどテレワーカーの多いところではキッチンカーの姿が見られます。

新型コロナウイルスの感染拡大から3年あまり。社会は元の姿に戻りつつあるようにも見えますが、人々の働き方や余暇の過ごし方は“地図に残る形”で変化しています。

参考①：三鬼商事『オフィスマーケット』（https://www.miki-shoji.co.jp/rent/report）
参考②：内閣府『RESAS（流動人口メッシュ）』（https://resas.go.jp/tourism-mesh/）
※元データはゼンリンデータコム株式会社『混雑統計®』。NTTドコモが提供する地図などのアプリケーションの利用者を統計的に加工したもの。
参考③：図7では内閣府『RESAS（From-to分析（滞在人口）』のデータを引用。（https://resas.go.jp/toursm-stay/）
※元データは株式会社NTTドコモ、株式会社ドコモ・インサイトマーケティング『モバイル空間統計®』。NTTドコモの基地局の利用状況を統計的に加工したもの。

# 3-3 ビッグデータで人々の「お出かけ先」を可視化！

三大都市圏（東京、名古屋、大阪）の人たちは、普段どのあたりに出かけているのでしょうか？　交通系ICカード（Suica、PASMO、ICOCA、PiTaPaなど）のビッグデータで探ってみました。

このデータは国土交通省が5年に一度行っている大規模調査「大都市交通センサス」の一環で、2021年12月某日（平日）、「どこからどこまで、何人が移動したか」をまとめたものです。

まずは首都圏です（図1）。今回は東京周辺の8つのエリア（①有楽町、銀座、日本橋、②池袋、③新宿、新宿三丁目、④渋谷、⑤大宮、⑥立川、⑦千葉、⑧横浜）のうち、「どこに行く人が一番多いのか」で塗り分けています。買い物などのプライベートな移動に着目するために、「定期券以外」「10時～15時59分に改札に入った人」に絞り込みました※1 ※2。

東急線方面の人は渋谷、中央線方面の人は新宿……など、都心からの方角によって目的地が変わってきます。映画『翔んで埼玉』で埼玉県人の夢の街として描かれた池袋の影響範囲はどうでしょうか。また、東京23区の東側に目を向けると、総武線や都営新宿線にオレンジ色（新宿志向）の駅が並んでいます。銀座、日本橋をスルーして新宿に向かうあたりに「新宿の求心力」が見えますね。

※1：目的地には以下の駅が含まれます。東京駅や上野駅も入れたかったのですが、地図がごちゃごちゃするので見送りました。

「有楽町、銀座、日本橋」
銀座エリア（銀座、銀座一丁目、東銀座）
京橋エリア（京橋、宝町）
日本橋エリア（日本橋、三越前）

「新宿、新宿三丁目」
新宿、新宿西口、西武新宿、新宿三丁目

「立川」
立川、立川北、立川南

※2：改札を出てから30分以内に乗り換えた場合、その先の駅に向かったものとみなしました。

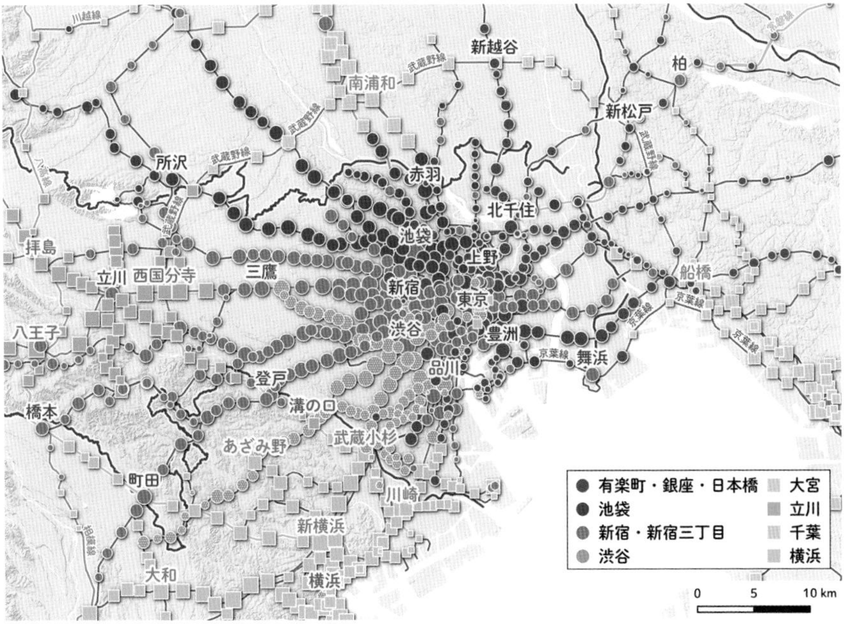


**図1** 首都圏の人は平日日中、どこに出かけている？

郊外では横浜、立川、大宮、千葉といった商業エリアが存在感を示しています。立川市は人口約18万人の小ぶりな都市ですが、東京都下（東京都内で23区以外の地域）で最大級のオフィス街＆買い物エリアとして、平日、休日を問わずにぎわっています。

## ◎近畿圏ではデータの読み方に要注意？

近畿圏ではどうでしょうか（図2）。大阪の中心部（大阪駅、梅田駅からなんば駅にかけての地域）を境に、北側の人はキタ（大阪、梅田）、南側の人はミナミ（なんば、心斎橋）や天王寺、大阪阿倍野橋などに出かけていることがわかります。

京都と大阪、大阪と三ノ宮の境界線もなかなか興味深いですね。

なお、近畿圏ではデータの見方に注意が必要です。大阪では独自の割引サービスが発達しているので、数字に表れない「ICカード以外」の利用者が少なくありません。たとえば「自宅から天王寺駅までICカード（JR）、天

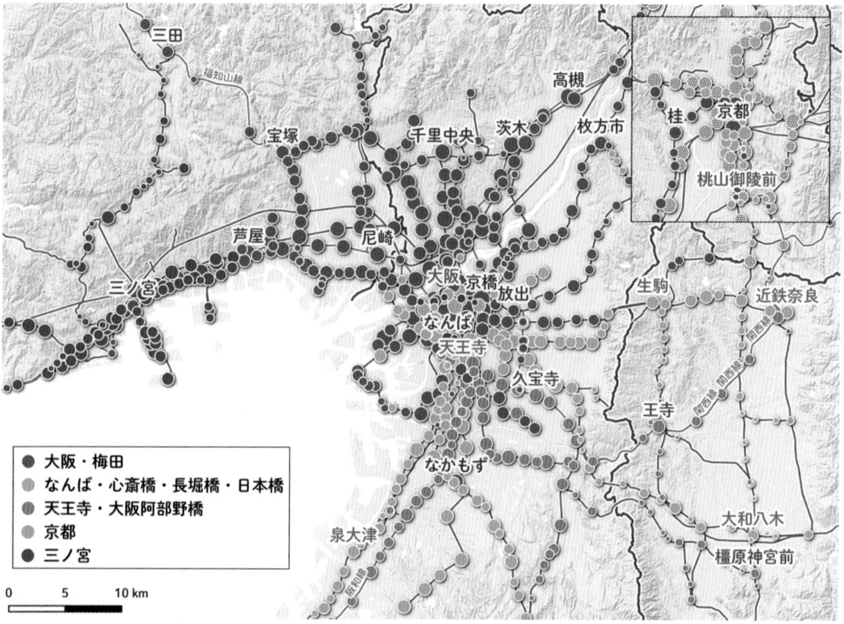


図2 近畿圏では梅田が人気

王寺駅から心斎橋駅まで回数カード（地下鉄）」で移動した人はデータ上、目的地の手前の乗換駅（天王寺）で降りたことになっています。

## ◎中京圏では名駅と栄の勢力争いに注目

今度は中京圏を見てみましょう（図3、4）。名古屋には名駅エリア（名古屋駅）、栄エリアという2つの顔があり、お互いが競うように発展してきました。名駅は新幹線や鉄道各線が乗り入れる一大ターミナル、栄は百貨店やブランド店が立ち並ぶ昔からの商業地。2つのエリアの間に丸の内、伏見のオフィス街が広がっています※3。ちょうど博多と天神、札幌と大通、すすきのの関係性に近いですね。

名古屋にゆかりのある読者の皆さん、名駅と栄のどちらに行くことが多いでしょうか？

※3：「名古屋」：名古屋、近鉄名古屋、名鉄名古屋
「栄、伏見など」：栄エリア（久屋大通、栄、矢場町）、伏見エリア（丸の内、伏見）

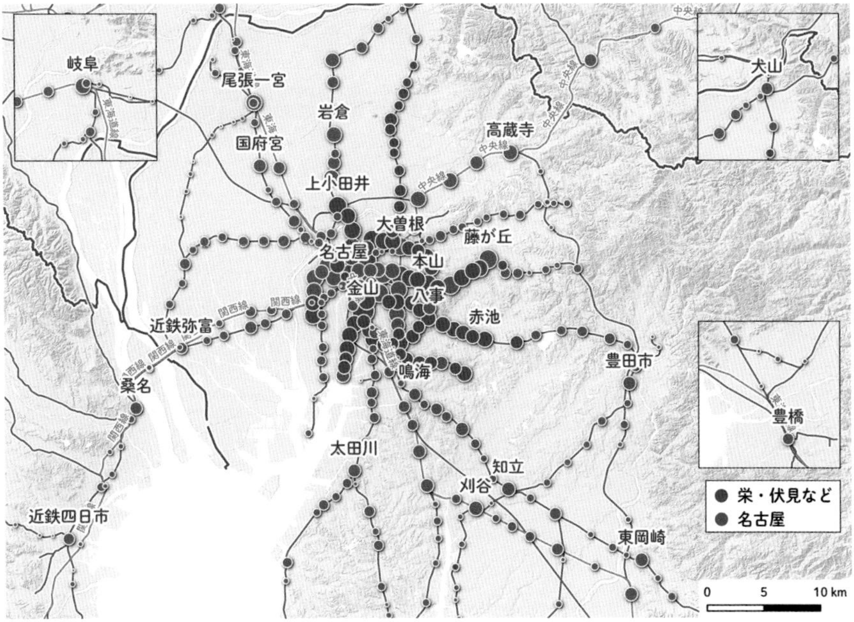


図3　中京圏では名駅 vs. 栄の競争が続いている

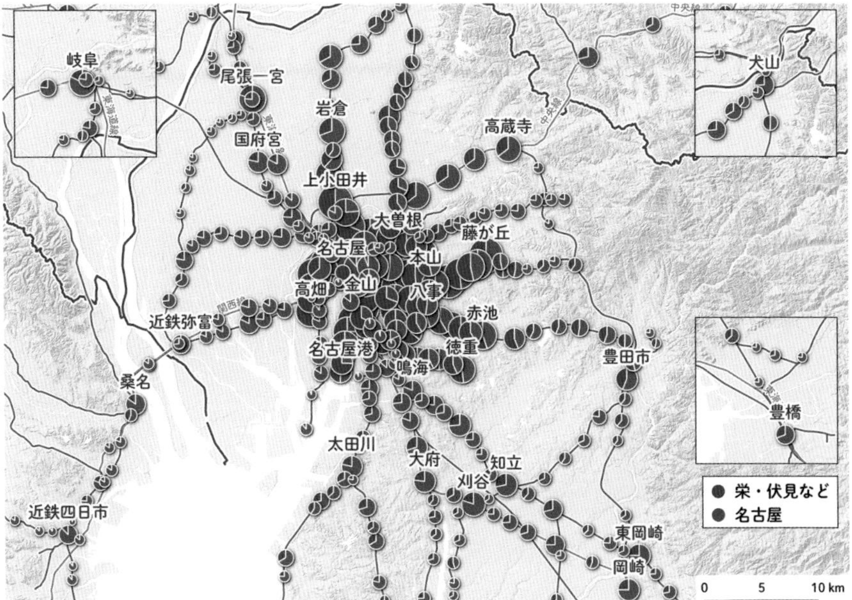


図4　遠方からの来訪者は名駅に向かう傾向が強い、商圏としては栄のほうがローカル色が強い

# 3-4 「列車本数」の可視化が あぶりだすローカル線の苦悩

休日にふらっと電車で出かけるとき、どれぐらいの時間まで待てますか？　ケースバイケースなところはありますが、個人的には10分以内に来てくれるとうれしいですし、20分以上待つようなら、自動販売機で缶コーヒーを買いたくなります。

本項では昼の時間帯（おおむね10～15時台）の電車、列車の本数を可視化してみました。元データは地域・交通データ研究所（代表・西澤 明氏）が作成したオープンデータ。2019年秋のデータなので、現在とは多少の違いがあります（特にコロナ禍で毎時1～2本ぐらい減ってしまった路線が多いです）。また収録されていない路線もあります。複数の路線が乗り入れている駅では、一番本数が多い路線の数字を採用しました。

## ◎路面電車や私鉄が活躍する都市もある

まず手始めに、日本全国を眺めてみましょう（図1）。データに収録された9,243駅の平均値は毎時3.4本、中央値は毎時2本です。三大都市圏や札幌、仙台、福岡などの大都市には毎時12本以上の「赤」が見えるほか、福岡から東京にかけての「太平洋ベルト」で本数がやや多くなっていますね。

九州から関東にかけての主要部を拡大すると（図2、3）、三大都市圏だけでなく、鹿児島、長崎、高知、岡山、静岡といった30～70万人クラスの都市にも毎時4～6本以上の駅、路線があることがわかります。これらの都市では、路面電車や都市型の私鉄が市民の足として活躍しています。

## ◎都市圏から離れたローカル線は苦戦

その一方で、都市圏から離れたローカル線では毎時1本以下の区間が大半。中には1日あたりの利用者数が100人を割り込んでいる区間もあり、JRと沿線自治体が存廃や再編に向けた検討を始めた路線（広島県と岡山県を走る芸備線の一部区間）や、災害をきっかけにBRT※に転換された路線

（福岡県と大分県を走る日田彦山線の一部区間）もあります。これまで、JRなどの大手鉄道会社では、大都市の黒字で地方圏の赤字をカバーしてきましたが、少子高齢化に加えて新型コロナウイルスによる行動変容が、企業全体の経営にダメージを与えた結果、このような「内部補助」も限界を迎えつつあります。

## ◎どんどん鉄道が減っていく北海道

北海道では毎時1本未満の区間が目立っています（図4）。JR北海道では少子高齢化の影響で収入が長期的に減少する中、2011年のトンネル内脱線・火災事故などを発端に、安全確保に必要な修繕や設備投資を怠っていたことが発覚し、厳しい経営状態に陥っています。日高本線の一部区間（地図中の灰色の駅）は災害によって長期運休していましたが、復旧を断念して2021年に廃止。今後も複数の路線や駅の廃止が決まっています。

北海道では戦前から戦後にかけて、数多くの鉄道路線が建設されました。1960年には鉄道総延長が約4,500kmに達していましたが、炭鉱の閉山やモータリゼーションによって役目を終えた路線が続々と廃止され、現在では約2,300kmを残すのみとなっています（図5、北海道新幹線の新函館北斗－新青森間のうち、JR海峡線と重複していない区間を含む）。

## ◎「コンパクトシティ」を目指す都市もある

三大都市圏と一部の地方都市圏を拡大してみます（図6～9）。毎時8～12本以上の駅（オレンジ～赤）の広がり方から、各都市圏のスケールが見えてきます。ちなみに、毎時8本以上停まる駅は1,531駅。そこから15分（約1.2km）以内に約2,600万人が住んでいます。日本の国土のわずか0.6%（2,136km$^2$）に日本人の5人に1人が集まっている計算で、都市部への人口集中ぶりがよくわかります。

人口集中という言葉にはマイナスイメージがありますが、地方都市の中には、市街地に人口を集めていく「コンパクトシティ」を模索していると

※：バス高速輸送システム（BRT：Bus Rapid Transit）。明確な定義はありませんが、従来の路線バスよりも速達性を重視し、バス専用道や専用レーンを設けることが多いです。

ころもあります。

公共交通を活性化させ、駅から歩ける範囲に居住、商業、行政、文化などの都市機能を集中させることで、拠点集中型のコンパクトな街づくりを実現しようというものです（『富山市都市マスタープラン（2008年）』より一部抜粋）。

例えば、富山市では、2006年にJRの赤字ローカル線を譲り受けて（富山市、富山県などによる第三セクター）近代的な路面電車に刷新したほか、2009年には既存の路面電車を延伸して環状運転を開始するなど、「公共交通で市街地に行きやすい」「市街地の中を回遊できる」街づくりを進めています。富山モデルが国内に広がっていくと、本項の地図がもっと華やかなものになるかもしれません。

参考：地域・交通データ研究所（代表・西澤 明氏）『各駅昼間運行本数データ』（https://nszw.jp/index.php/opendata）

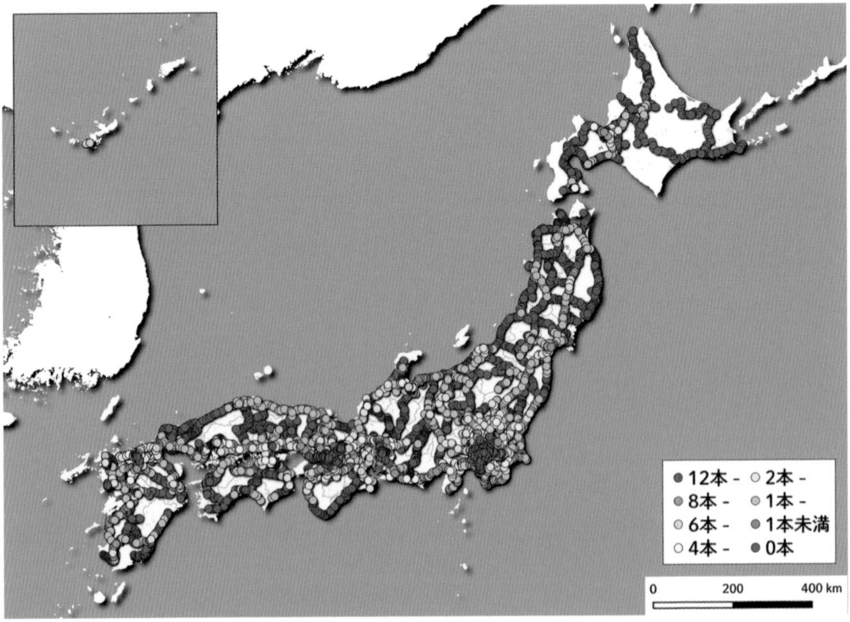


**図1** 列車の本数マップ（2019年の10～15時台、全国）
時刻表いらずの駅や路線（毎時4～6本以上）はそれほど多くない。

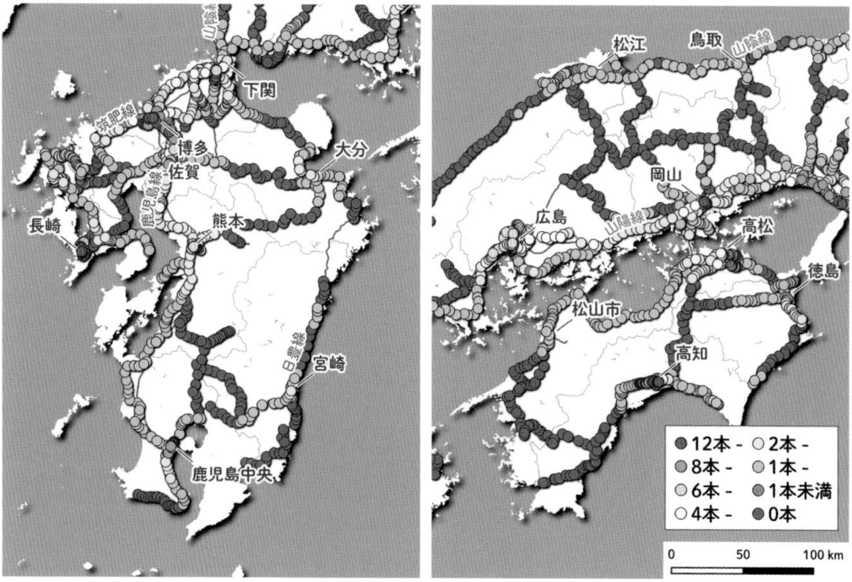


図2　列車の本数マップ（2019年の10～15時台、九州、中国地方）
熊本地震で運休していたJR豊肥線と南阿蘇鉄道は再開済み。JR日田彦山線はバス（BRT）に転換した。

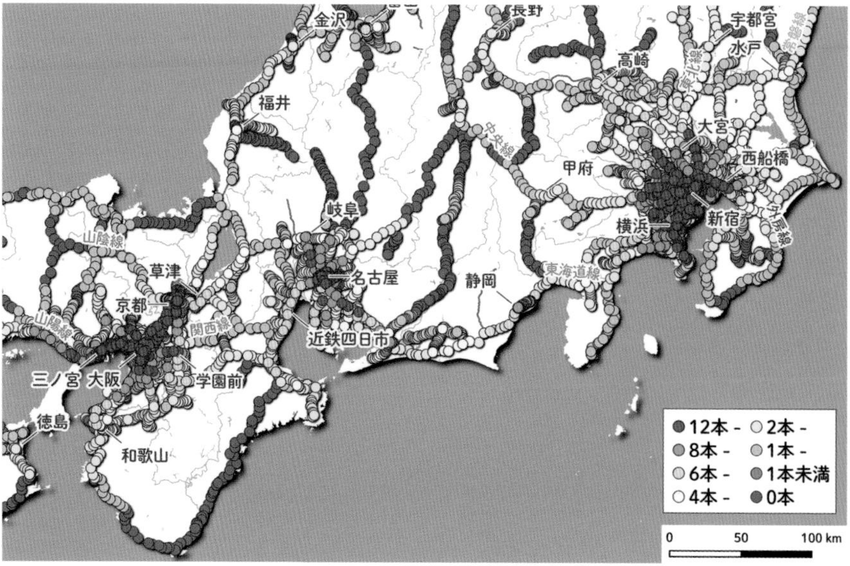


図3　列車の本数マップ（2019年の10～15時台、近畿～関東地方）
列車ダイヤはひとつの商品。需要（利用状況）や市場環境（競合）に合わせて、供給（本数、両数）が細かく調整されている。

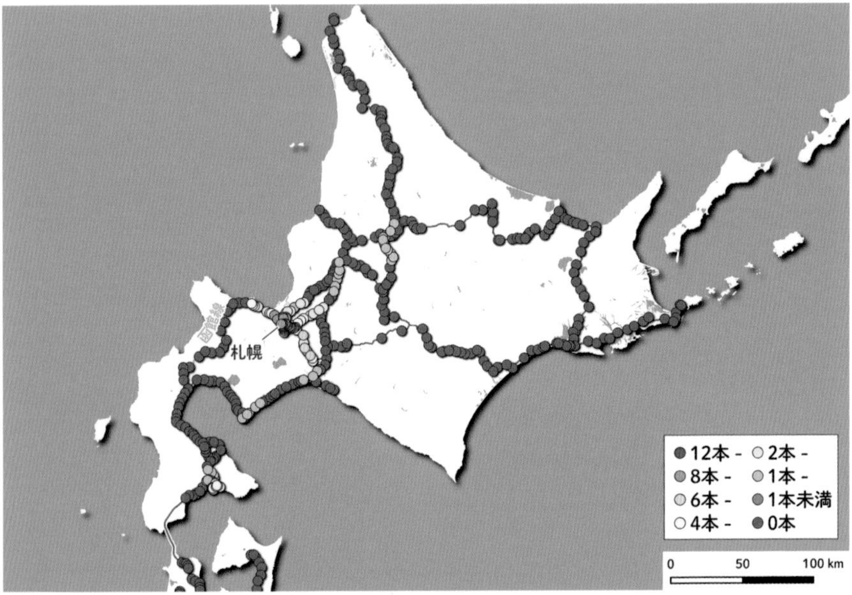


図4 列車の本数マップ（2019年の10～15時台、北海道）
道内には1日の利用者数が10人を下回る駅も多く、駅の統廃合が進んでいる。

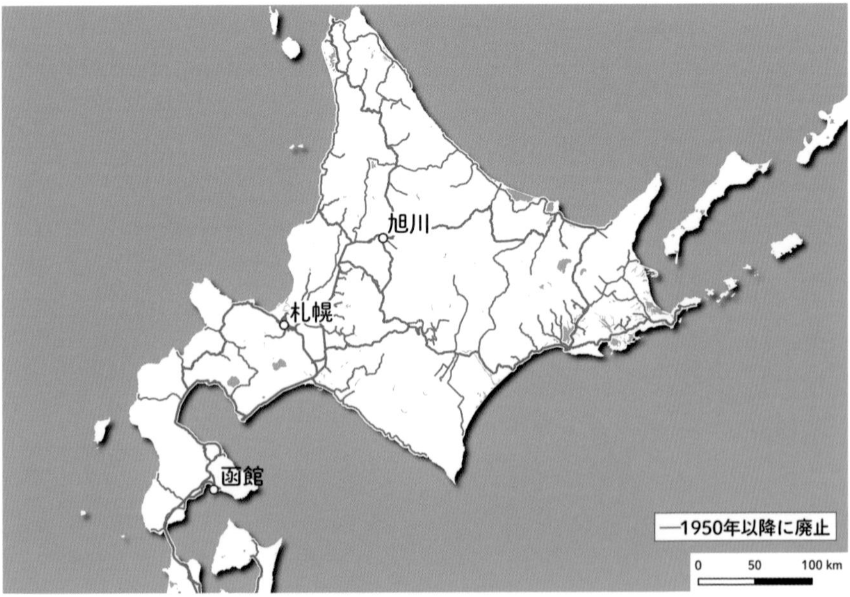


図5 1950年以降に廃止された路線（北海道）
石炭産業の衰退と少子高齢化によって沿線の過疎化が急速に進み、2,000km以上の鉄道路線が廃止された。

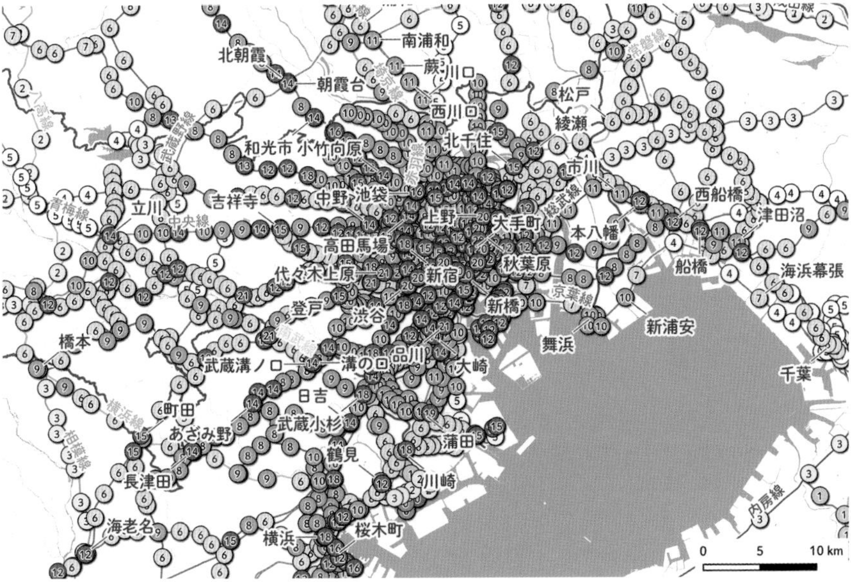


**図6**　列車の本数マップ（2019年の10～15時台、首都圏）

都心では5～6分に1本、郊外では10分に1本がひとつの目安。

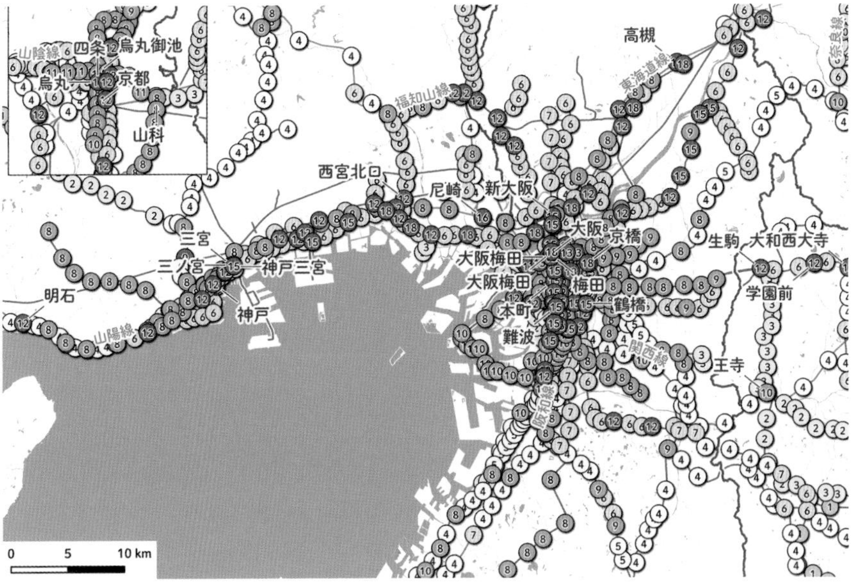


**図7**　列車の本数マップ（2019年の10～15時台、近畿圏）

JR山陽本線、東海道線の西明石～草津間は日本最長の複々線（120.9km）。

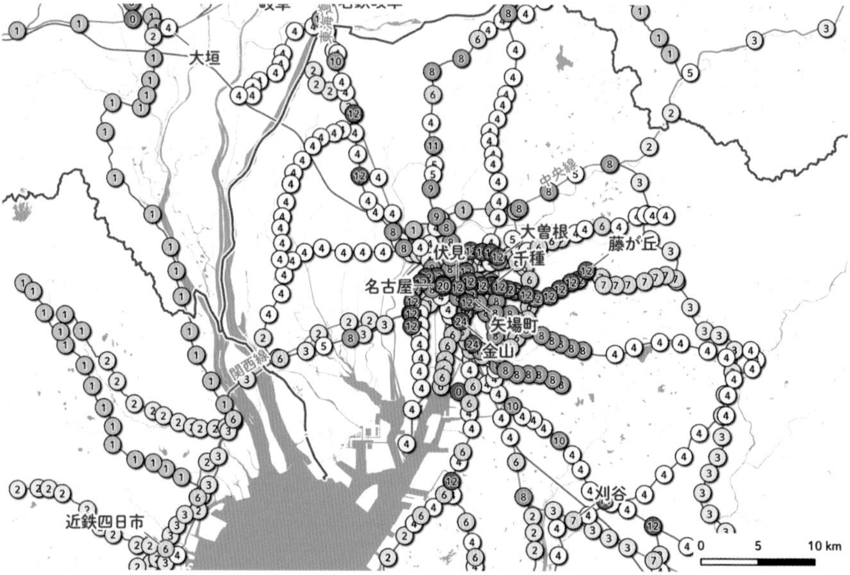


**図8** 列車の本数マップ（2019年の10～15時台、中京圏）

名鉄名古屋駅には愛知、岐阜の各方面への列車が集まり、昼間の時間帯でも2～3分おきに発着する。

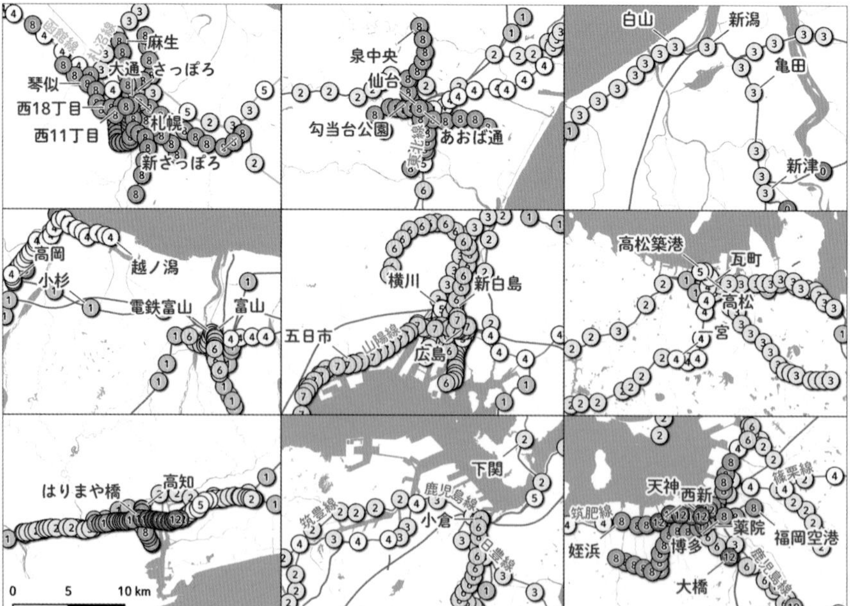


**図9** 列車の本数マップ（2019年の10～15時台、主な都市）

地下鉄、路面電車などが活躍している。富山市の富山ライトレールは毎時4本（地図には未掲載）。

# 3-5 「鉄道」よりも「飛行機」を選びたくなる基準がある？

遠くの街に旅行するとき、飛行機と新幹線のどちらで行けばいいのか悩むことはないでしょうか。そんな悩みを解消するために、「○○に行く人に一番よく使われている交通手段」を可視化してみました。

## ◎新幹線 vs. 航空便の熾烈な戦い

最初は東京23区から見てみましょう（図1）。

元データは2015年に国土交通省が実施した統計調査「全国幹線旅客純流動調査」です。地域間の長距離移動を対象とした調査なので、通勤、通学などの日常的な移動や、同じ都道府県内や同じ大都市圏内の移動は集計対象外となっています。また、年次が古いのでご注意ください。2015年には北陸新幹線が金沢まで開通していますが、北海道新幹線（新青森⇔新函館北斗）や西九州新幹線（長崎⇔武雄温泉）は未開通です。

地図を見ると、鉄道と航空便の境界線が目に飛び込んできます。西日本方面では、大阪を越えて岡山、広島あたりまで鉄道（東海道・山陽新幹線）が優勢ですが、山口県の岩国で航空便が逆転します。岩国では2010年の調査まで鉄道のほうが圧倒的に有利でしたが、2012年に岩国錦帯橋空港※1がオープンして東京直行便が就航した結果、東京までの所要時間が平均90分も短縮。いまでは岩国から東京へ向かう人の約3分の2が航空便を利用しています。

関東甲信地方にはバスの色で塗られたところがありますね。長野県の伊那・飯田エリア、山梨県の東部・富士五湖エリア、茨城県の鹿島エリアなど

※1：錦帯橋を訪れる観光客のうち、岩国錦帯橋空港を利用する人は全体の6～7%にすぎない、との調査結果があります（「岩国市観光客動態調査 報告書」）。アンケートによると、広島市内や宮島観光のついでに日帰りで来る人が多く、滞在時間の延長や岩国市内での周遊先拡大が課題になっています。このような傾向は、京都、大阪に近い奈良市や、東京、横浜に近い鎌倉市にも見られます。

図1 「東京23区」への最多交通手段
広島あたりまで鉄道(東海道・山陽新幹線)が優勢だが、山口県の岩国で航空便が逆転する。

で、東京直通の高速バスがたくさん走っています。佐野(栃木県)や御殿場(静岡県)などの人気アウトレットも都心からバスで一直線です。

東北地方ではほとんどの地域で鉄道が優勢ですが、秋田県の秋田市周辺には僅差で航空便の色がつきました。同じ秋田県内でも、空港のない大曲(大仙市)、田沢湖(仙北市)などの地域では、80%以上の住民が新幹線を選んでいるので、空港と空港をワンストップで結ぶ航空便と、駅でこまめにお客さんを拾える鉄道の性格の違いが垣間見えます。

## ◎時間がかかっても鉄道を選ぶ人がいる

ざっと傾向をつかんだところで、鉄道、航空便、マイカーの所要時間を比べてみましょう。図2は、全国の各市区町村役場から東京都千代田区役所まで「一番速い交通手段」で塗り分けた地図です。こちらは2020年のデータを利用したので、北海道新幹線が新函館北斗駅まで開通しています。

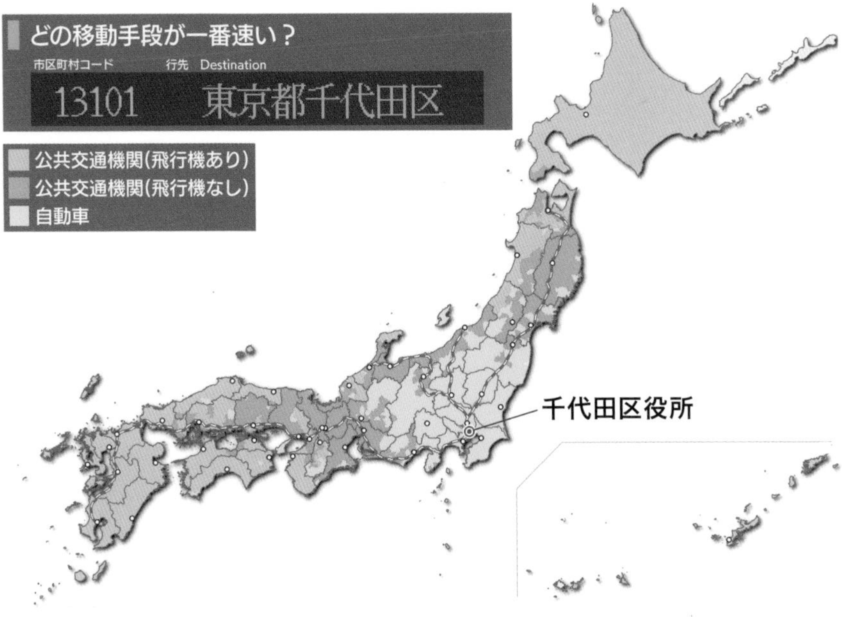


**図2**「千代田区役所」まで一番速く到着できる移動手段
大阪、奈良、和歌山や福井では、航空便のほうが速いにもかかわらず、鉄道を選ぶ人も多い。

全体的な傾向は図1（一番よく使われている交通手段）と似ていますが、大阪、奈良、和歌山や福井などを見ると、所要時間が短いからといって航空便が選ばれるとは限らないことがわかります。東京までのドアツードアの移動時間がほとんど変わらないのであれば、航空便がもっと選ばれてもよさそうですが、羽田空港で「必ず」乗り換えなければならないことや、手荷物検査への抵抗感などが航空便を遠ざけてしまっているのかもしれません。

## ◎瀬戸内海は「海」か「湖」か？

次に、大阪までの移動手段を見てみましょう（図3、4）。

九州北部の熊本から関東地方まで、鉄道（東海道・山陽新幹線）が優勢な地域が広がっています。北陸や甲信地方でも鉄道（北陸新幹線・JR北陸本線）による移動が一般的です。

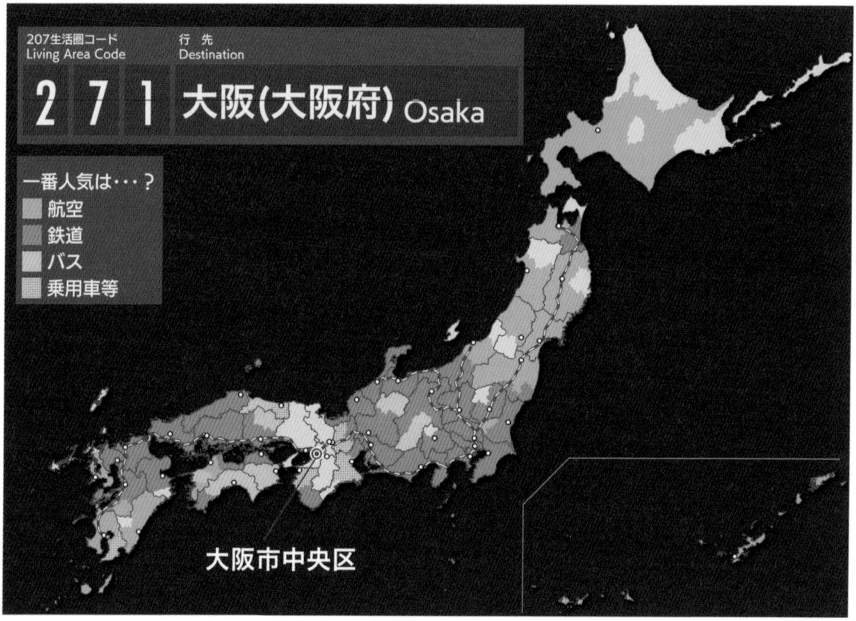


図3 「大阪」への最多交通手段
大阪までバスを利用する人も多い。

図4 「大阪市中央区」まで一番速く到着できる移動手段
徳島県では1998年の明石海峡大橋の開通で、関西までの距離がぐっと縮まった。

高速バスの色も目立ちますね。長野県の南信、岐阜県の飛騨高山、鳥取県や四国各地などです。四国と関西の間には明石海峡大橋（1998年開通）を経由する高速バスが多数走っていて、感染症流行前の2019年度には年間約190万人が利用していました。以前、徳島に住んでいた友人も「週末にはバスで三ノ宮（神戸市）に遊びに行っている」と語っていて、そんな友人と訪れた鳴門海峡でたくさんの高速バスを見ながら、四国と本州が“陸続き”になっていることを実感したものでした。

ちょっと興味深いのが茨城県の下館、古河エリア。東京駅まで時間がかかることと、茨城空港へのアクセスが悪くないことが幸いしてか、航空便を選ぶ人が多くなっています。茨城県内から大阪府・兵庫県への来訪者数は年間約23万人（2019年度）。このうち過半数の約12万人が茨城－神戸の直行便を利用していました。

## ◎北海道内で飛行機を使う人がいる！

次は日本最大の都道府県、北海道です（図5、6）。

道都・札幌へのアクセスは車と飛行機が中心です。特異なところを見ると、本州の最北端、下北半島では、大間－函館のフェリーとJRの特急列車を乗り継いでいる人が多いようです。埼玉県の熊谷市周辺では「乗用車等」が一番人気という結果になりましたが、熊谷と札幌を往来する人は非常に少ないので、国土交通省の調査に回答した人（もしかしたら1名～数名かもしれません）が、たまたま自動車に偏っていたということでしょう。

道内の移動手段としては自動車が主役。都市間の移動にはJRや高速バスも使われていますが、根室振興局が管轄する地域では、なんと航空機が首位となりました。この地域には中標津《なかしべつ》空港があり、新千歳便が1日3便、羽田便も1日1便が飛んでいます。同じ都道府県の中を航空機で移動するというのは、本州の感覚からするとちょっと不思議ですが、根室市から札幌市まで約420km（車で6時間、列車で7～8時間）も離れていることを考えれば、納得できる結果です。

図5 「札幌」への最多交通手段
道内では自動車での移動が主流。根室振興局の管下、中標津空港の周辺では航空便が人気。

図6 「札幌市中央区」まで一番速く到着できる移動手段
道内に新幹線がないため、「公共交通機関(飛行機なし)」の色がついたエリアはほとんどない。

図7 「福岡」への最多交通手段
名古屋の近辺に鉄道or航空便の“境界線”がある。

図8 「福岡市中央区」まで一番速く到着できる移動手段
九州新幹線、山陽新幹線が主な都市を貫いているので、少し時間がかかっても電車で行く人が多い。

## ◎名古屋から福岡は新幹線？　航空便？

福岡に行く場合、岐阜県、愛知県より西では新幹線、東では航空便を使う傾向があります（図7〜8）。ちょうど名古屋の近辺に境界線があって、自宅から名古屋駅＆セントレア空港への行きやすさによってどちらを選ぶかが変わってくるようです。

福岡空港に向けては三大都市圏と九州内の主要都市のほか、札幌、花巻（岩手県）、仙台、茨城、新潟、小松（石川県）、静岡、松本（長野県）、徳島などから直行便が就航しています。鉄道と航空便は全体的に、ガチンコ勝負というよりは、お互いに補完し合うような関係性になっていて、新幹線とJR特急列車で行きづらいところを航空便がカバーしているような形です。

なお、北海道の函館周辺では「車で福岡に行く人が多い」ことになっていますが、こちらは先ほど紹介した「熊谷→札幌」の事例と同じく、回答者数が少なすぎてノイズ（一般的な傾向と異なる回答）を拾ってしまった例だと思われます。

## ◎新幹線「4時間の壁」とは？

交通の世界では4時間の壁という言葉を耳にすることがあります。鉄道と航空便を比べたときに、鉄道での所要時間が4時間を切る場合には鉄道が有利に、逆に4時間を上回る場合は航空便が有利になるというものです。

実際のデータを見ると、目的地までのトータルの所要時間が5〜6時間を超えると航空便のほうが選ばれやすくなる傾向があります（図9）。出発地や目的地での移動にかかる時間を差し引き、新幹線や特急列車の乗車時間が4〜5時間というのがひとつの目安で、それよりも時間がかかるところでは航空便のほうが、所要時間や乗り換え利便性などの点で優位になってくるようです。

データからわかる興味深い点がもうひとつあります。

都市間の移動時間を鉄道と航空便で比べたときに、両者が同じぐらいであれば圧倒的に鉄道のほうが選ばれやすいということです（図10）。このデータによると、鉄道を使った場合の移動時間（待ち時間、乗り継ぎ時間を含む）が航空便より1時間長いぐらいであれば、まだまだ鉄道が選ばれ

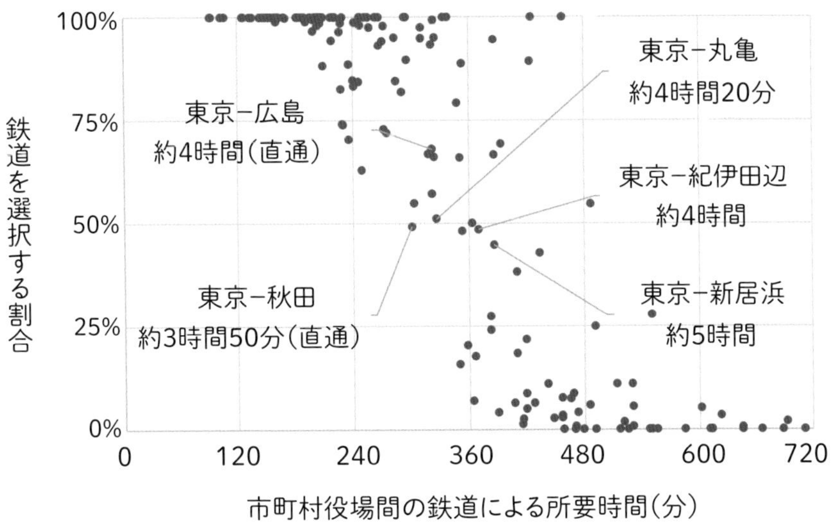


**図9**　ドアツードア「6時間の壁」
目的地までのトータルの所要時間が5～6時間(300～360分)を超えると航空便のほうが選ばれやすい。

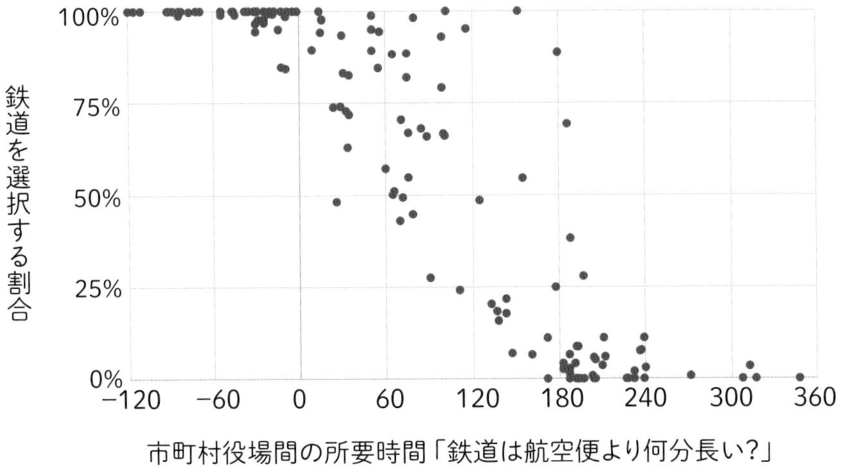


**図10**　少し遅いだけなら鉄道のほうが有利
横軸の「0」は「鉄道と航空便の所要時間が同じ」ことを表し、「マイナス」は「鉄道のほうが早い」ことを表している。

ることが多いようです。なぜこうなるのかについては交通工学の分野で研究が進められており、大まかな傾向としては「トータルの所要時間が同じであっても、出発地周辺や目的地周辺で電車やバスなどの市内交通に乗る時間や、それらの乗り継ぎ回数が増えれば増えるほど、利用者の移動抵抗が増える」ことがわかっています。

### ◎「札幌行き新幹線」は航空便を打ち負かせるか？

2019年の国土交通省の調査によると、道南（函館など）から東京への移動手段は4対1で航空機が選ばれています。追い上げる側の北海道新幹線は東京－新函館北斗で3時間57分の最速便を設定するなど、4時間の壁を意識した対抗策を打っていますが、新幹線の駅が函館市街から離れていることもあって、なかなか逆転には至りません。

2031年以降に新幹線が札幌まで延びる予定ですが、こちらは中心市街地に近いJR札幌駅に直接乗り入れることが決まっています。新幹線（東京駅－札幌駅：5時間、乗り換えなし）が航空便（東京駅－札幌駅：4時間、乗り換え2～3回）の牙城をどこまで崩せるのか、注目したいところです。

参考①：図1、3、5、7、9、10：国土交通省『全国幹線旅客純流動調査』（2015年）（https://www.mlit.go.jp/sogoseisaku/soukou/sogoseisaku_soukou_fr_000016.html）
参考②：図2、4、6、8：内閣府『RESAS（国内移動時間分析）』
※ヤフー・データソリューション、ゼンリン、ヴァル研究所、住友電工システムソリューションによる「移動時間計算用データ」を活用し、市区町村役場間の待ち時間を含む平均的な所要時間を算出したもの

# 3-6 「鉄道があるからクルマはいらない」は東京だけの現象？

電車通勤が多いエリア、クルマ通勤が多いエリアを可視化しました（図1〜3）。

データには2020年の国勢調査（通勤時の交通手段を尋ねたもの）を使用し、居住地ごとに一番多い交通手段で塗り分けています。複数回答が可能なので、たとえばバスと電車を乗り継いでいる人はバスに1票、電車に1票のあわせて2票が入ります。通勤手段に男女差があるため、初めに男性のデータから見ていきましょう。

## ◎大阪市内在住の男性は自転車通勤が多い

首都圏では、東京から四方八方にのびる鉄道に沿って、赤いエリア＝鉄道が優勢なエリアが広がります。その一方で、郊外ではクルマが優勢です。郊外では職場が駅から離れていることや、電車やバスの乗り継ぎが不便なことも多く、所要時間や交通費などの点で、クルマ通勤のほうが有利になりがちです。

ところどころにある水色のエリアでは、徒歩通勤が最も多くなっています。その多くは自衛隊の駐屯地や矯正施設、倉庫、温泉街など、住み込み、泊まり込みで働く人が多い場所です。

近畿圏では緑色（自転車）のエリアが目立ちますね。大阪やその周辺では、平坦な地形が広がっていることや、自宅と職場が比較的近いことから、自転車通勤が定着しています。大阪市内在住の働く男性のうち、およそ4〜5人に1人（22.6％）が、職場や最寄り駅まで自転車で通っています。これは東京23区の約1.6倍にあたります。

姫路市の沖合、家島諸島（家島、坊勢島など）では、働く男性の2人に1人がオートバイで通勤しています。家島諸島は有人島、無人島を合わせて40あまりの島々からなり、戦後にかけて漁業や砕石業で栄えました。姫路港への定期船には車を載せることができず、島どうしを結ぶ船も旅客とバイク専用。島内の道路も狭くて曲がりくねっていたので、小回りの利くオートバイが好まれるようになったのです。

ほかの100〜200万人クラスの都市も地図化してみました（図4〜8）。東京や大阪と比べると電車通勤が優勢なエリアが狭くなっているのと、市街地の中心部に徒歩通勤のエリアが広がっているのが特徴的ですね。広島市では大手自動車メーカーのマツダが社員の通勤用に構内バスを走らせているため、「勤め先・学校のバス」が優勢なエリアが見られます。

## ◎女性は自転車通勤者が多い

今度は女性の通勤手段を見てみましょう（図9〜12）。

女性は男性よりも自転車通勤者の割合が高くなっています（東京23区では女性22.6％、男性14.5％）。女性のほうが地元で働く人が多いという理由もありますが、子育て世帯では子どもの送迎を妻が分担することが多く、子どもを届けた自転車でそのまま駅や職場に……といったケースも多そうです。総務省統計局「社会生活基本調査」（2021年）によると、「6歳未満の子どもを保育園に預けている共働きの核家族世帯」で、平日に子どもの送迎移動を行っている人は妻：71.6％、夫：26.7％となっています。

神奈川県や兵庫県、京都府の山沿いの住宅地では、路線バスがよく使われています。バス便の住宅地には好き嫌いがあると思いますが、個人的な経験としては、夜の23時、喧噪の残る最寄り駅を離れて山道を駆け上っていくバスの15分が、仕事上がりの心と体を整える大事な時間だったように思います。

参考：総務省統計局『令和2年国勢調査　従業地・通学地による人口・就業状態等集計』

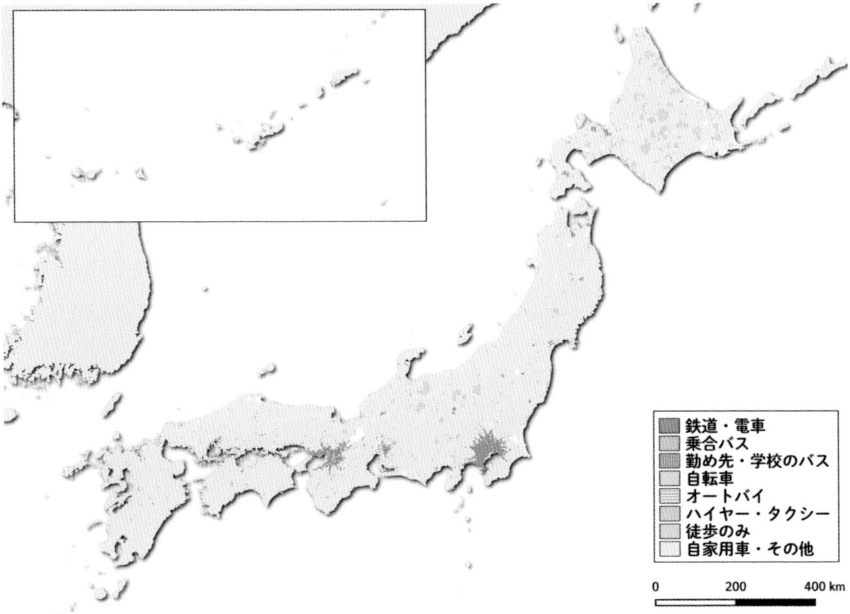


図1　主な通勤手段（男性）　全国
三大都市圏以外ではクルマ通勤が圧倒的に主流。農山漁村では徒歩通勤が多い地域も。

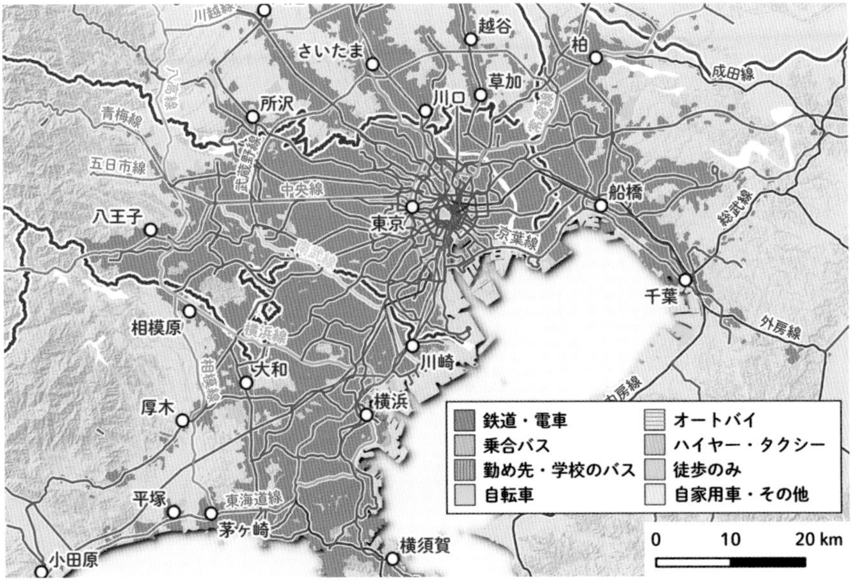


図2　主な通勤手段（男性）　首都圏
鉄道に沿って鉄道通勤が優勢な地域が広がっている。

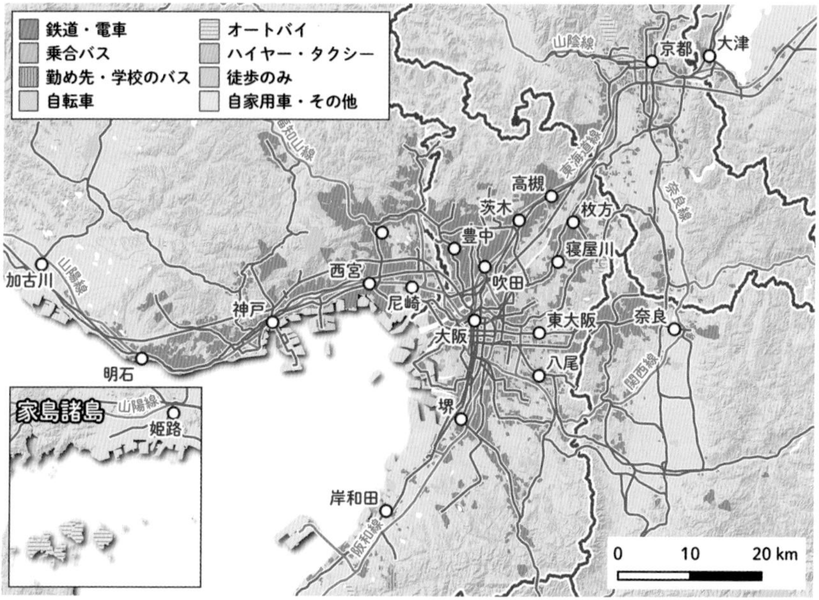


図3 主な通勤手段(男性)　近畿圏
自転車通勤が優勢な地域が目立つ。

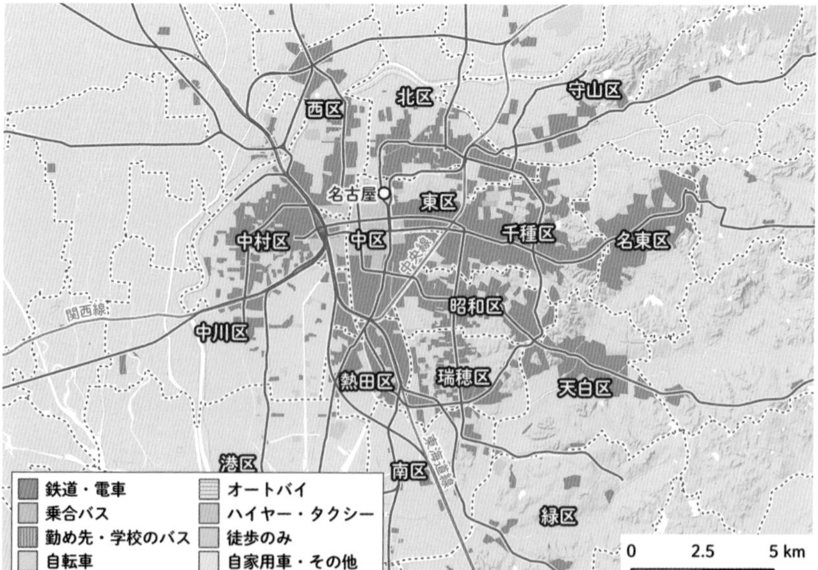


図4 主な通勤手段(男性)　名古屋
都市圏が狭いため、東京・大阪よりも縮尺を拡大している。中心には徒歩通勤のエリアも。

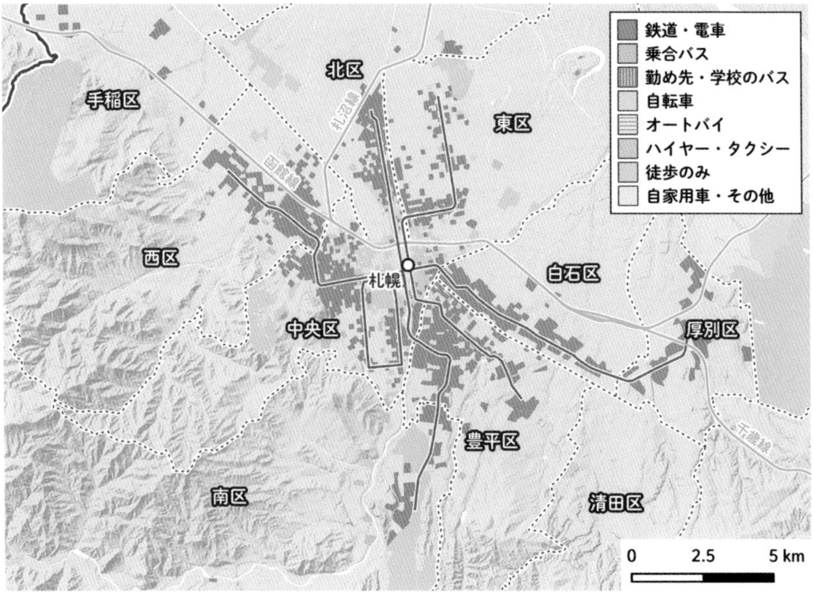


図5　主な通勤手段（男性）　札幌

地下鉄沿線では電車通勤が優勢。JRは本数の少なさなどからやや劣勢。

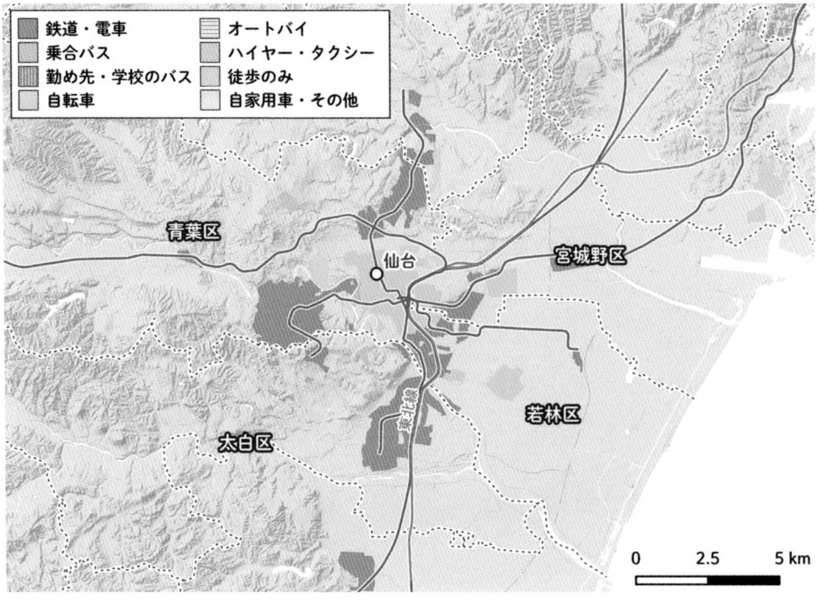


図6　主な通勤手段（男性）　仙台

地下鉄やJR仙石線が市内交通の要として活躍している。

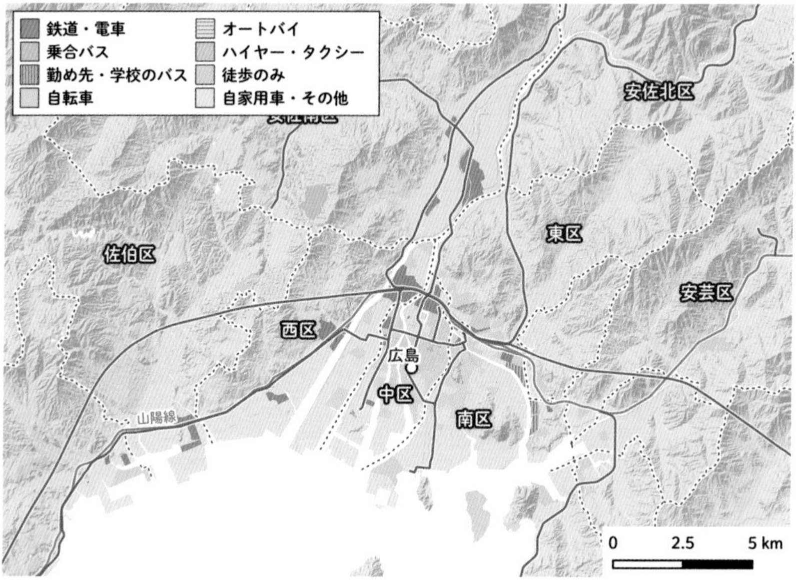


**図7** 主な通勤手段(男性)　広島

デルタ(太田川下流の三角州)では徒歩や自転車通勤が多い。一部、職場の送迎バスの色も。

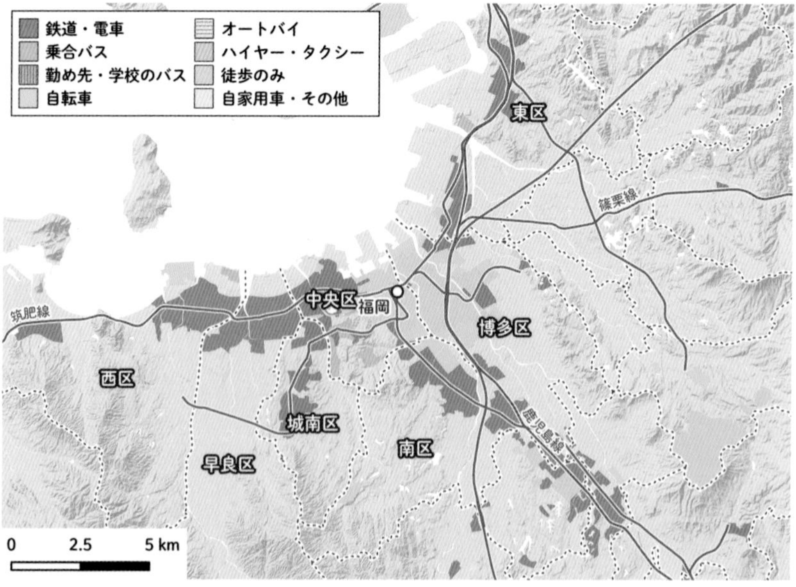


**図8** 主な通勤手段(男性)　福岡

2005年に地下鉄七隈線が開通するまでは、城南区でもバス通勤者が非常に多かった。

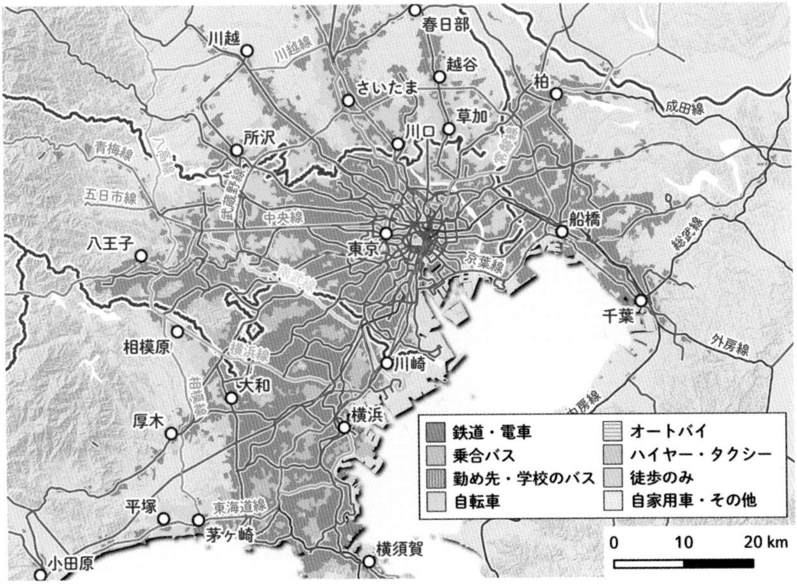


図9　主な通勤手段（女性）　首都圏

男性と比べると自転車や路線バスの利用率が高い。

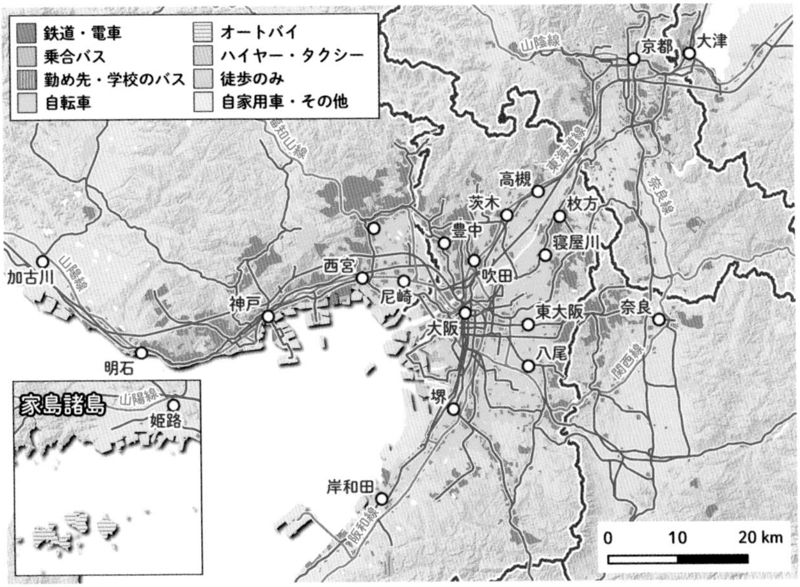


図10　主な通勤手段（女性）　近畿圏

自転車通勤が優勢な地域が広がり、職住近接ぶりが垣間見える。

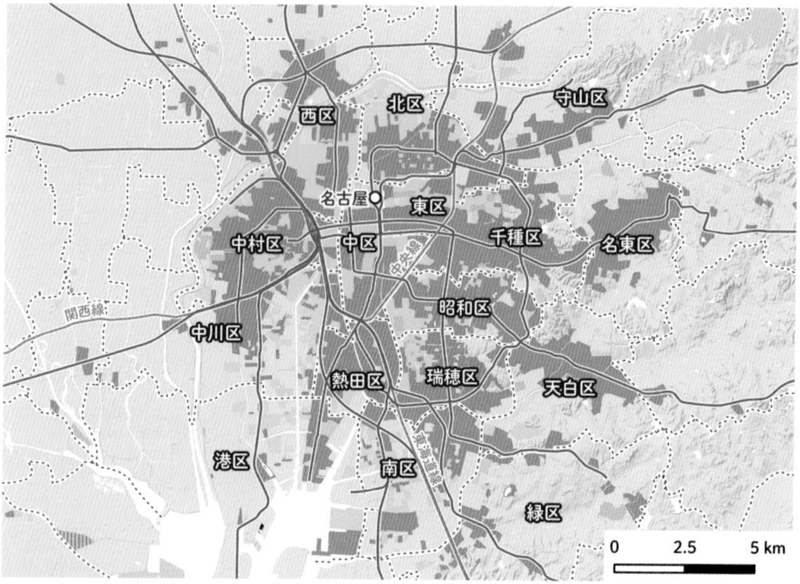


**図11** 主な通勤手段(女性)　中京圏

地下鉄と自転車が通勤手段の主役。

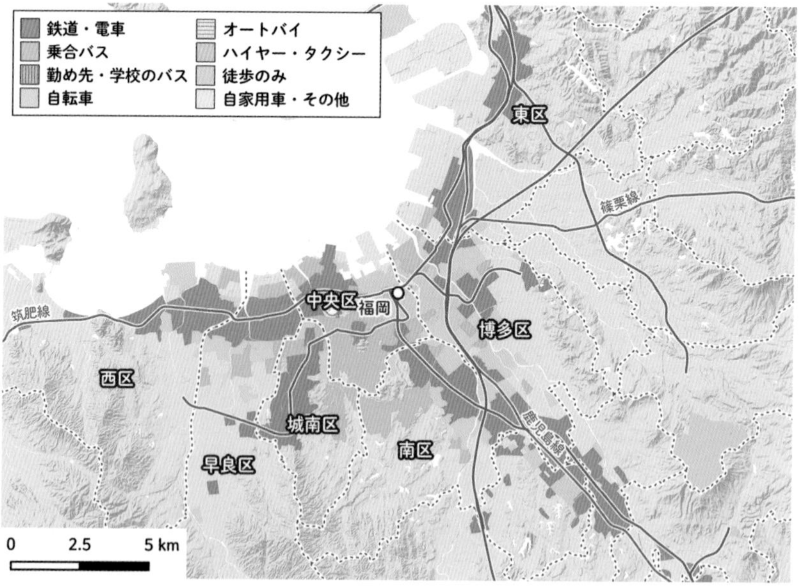


**図12** 主な通勤手段(女性)　福岡

朝の天神には各方面から大量のバスが集まってくる。

Column ③

# 主な交通手段のシェア～主要21都市

通勤、通学の際にどの交通機関を「主に」利用しているのか、その割合をまとめてみました（図1）。

全国的には約50%がクルマを、約25%が鉄道を利用していて、残りを徒歩、自転車、オートバイなどが分け合っているような形です。各都市のデータを見ると、都市の規模が大きいほど鉄道が利用される傾向がありますね。広島、北九州、福岡では路線バスも盛況です。なお、今回は通勤、通学の移動手段をまとめてみましたが、プライベートな移動ではクルマの割合が高くなります。

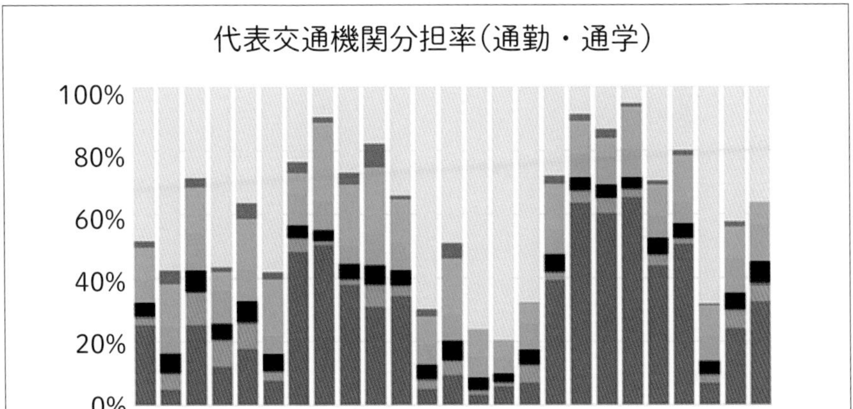


**図1** 代表交通機関分担率（通勤、通学）
鉄道や電車とほかの交通機関を乗り継いでいる場合は、「鉄道・電車」にカウントされる。3種類以上の交通機関を乗り継いでいる場合は「その他」に含めた。

3-7

# 主要高速道路の「勢力圏」を可視化してみた

全国から東京までの「最速ルート」を描いてみたら、東京に向かう血管の集まりのようなものが見えてきました(図1、2)。

この地図は、誰でも編集できるネット地図「OpenStreetMap」のデータを使って、全国約2万校の小学校から東京都庁まで車で向かう場合の最速ルートをひとつひとつ検索し、その結果を重ね合わせたものです。データと検索ソフトの特性上、遠回りのルートや車で行けないルート(車を載せられない小型フェリーなど)が選ばれていることもあるので、細かい部分よりも地図全体の姿をとらえてみましょう。

「すべての道はローマに通ず」ならぬ、「すべての道は東京に通ず」でしょ

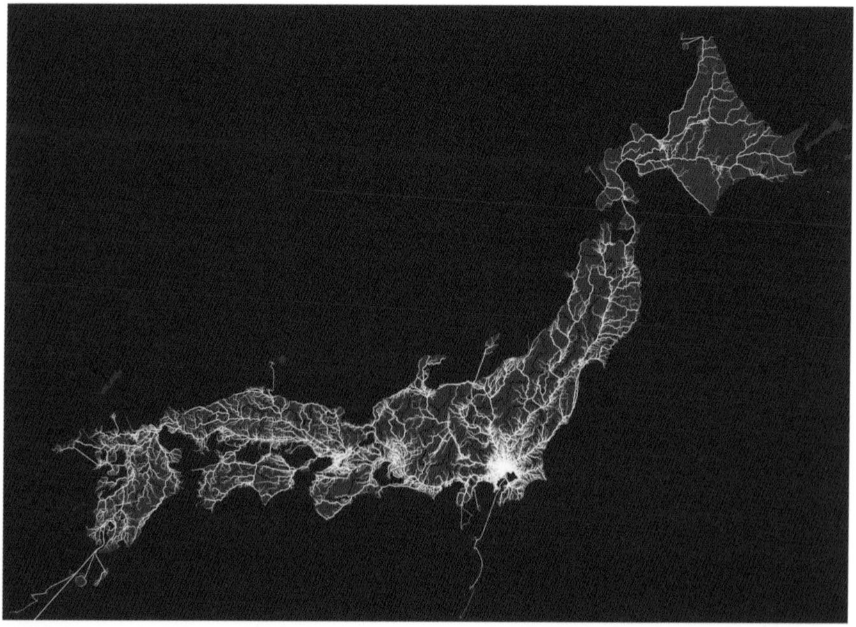

図1 東京までの「最速ルート」(全国)
都市間を結ぶ高速道路に車が集まり、東京に向かっていく様子は、まるで血管のよう。

うか。特に、都市圏どうしを結ぶ主要な高速道路に車の流れが集まっていく様子は毛細血管と動脈（心臓に集まっていくから静脈？）のようで、人がつくった道路網が生き物のようにも見えてきます。

## ◎「大動脈」の「勢力圏」が見える

それぞれのルートを「東京までどの高速道路で来たか？」で塗り分けると、また違った発見があります（図3）。

まず目に入るのが、東名高速道路の勢力圏の広さです。広さだけでなく、東名阪（東京～名古屋～大阪）という人口密集地の物流や人の移動を東名高速がまるごと受け持っているのが印象的です。近年では渋滞、災害対策として新東名高速道路も建設されていて（2023年現在、神奈川県の新秦野IC～静岡県の新御殿場ICの約25kmを残して開通済み）、国内では珍しく2本の高速道路がまるで「複々線」のように都市間を結んでいます。

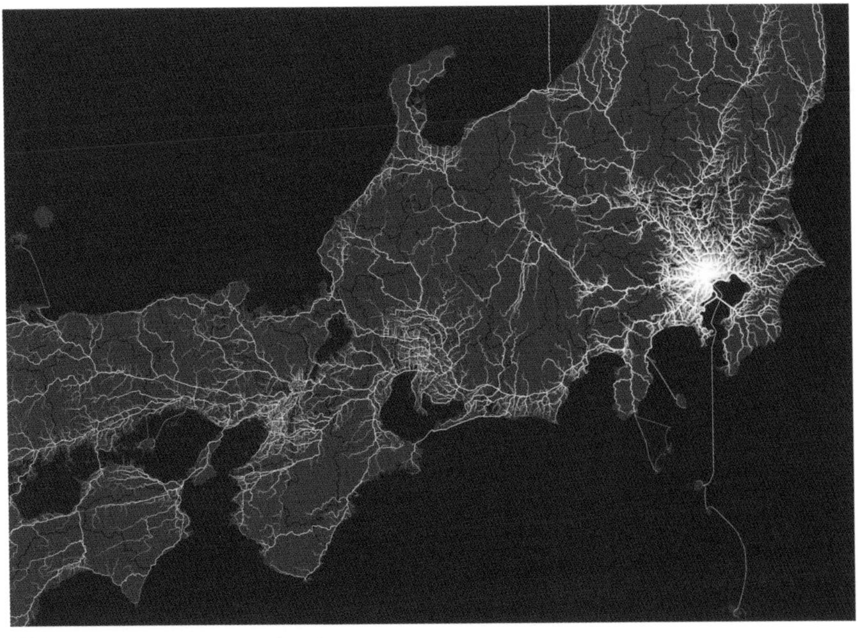

**図2** 東京までの「最速ルート」（拡大）
渋滞や道路の走りやすさが十分に考慮されていないため、不自然なルートが表示されているところもある。

房総半島には東京湾アクアラインの「勢力圏」が見えますね。もともと房総半島の南部には、東京湾の北側をぐるりと迂回するか、久里浜からフェリーを使わないと行けなかったのですが、1997年に東京湾アクアラインが開通し、所要時間が約45～60分も短縮しました。これにより、木更津市、袖ケ浦市などから都心への通勤、通学者が増えましたし※、2012年に木更津市内にオープンしたアウトレットパークは都内ナンバーの車でにぎわっています。その半面、南房総と東京をつなぐ鉄道路線では特急列車がほぼ廃止され、2両のワンマンカーが行き来するローカル線になってしまいました。

福井と石川の県境付近に東名高速と中央道の「分水嶺」が見えます。福井県北部のあわら市では中央道と東名高速がほぼ互角。福井市では九頭竜湖から東名高速に抜けるルートが提案されました。「わざわざ山道を通る

※：2020年国勢調査による木更津市から東京23区への通勤、通学者は3,490人で、1995年の1.3倍に増加しました。その一方で千葉市への通勤、通学者は減少していて（1995年 4,000人、2020年 2,977人）、アクアラインの都心直結効果がうかがえます。

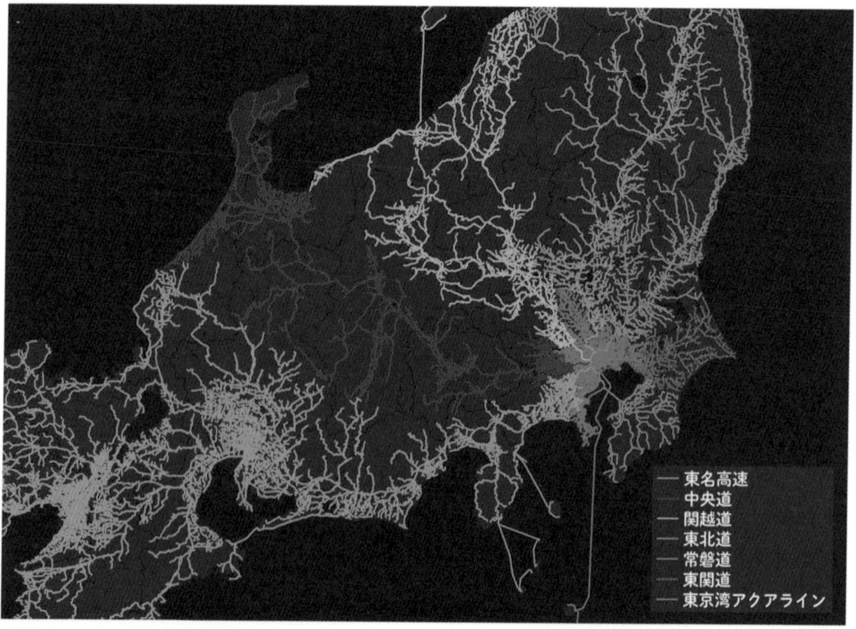


図3 東京まで「どの高速道路」で来たか？

かな？」とも思いましたが、休日の午後にGoogleマップで検索しても同じ結果に。福井在住の読者の皆さんは、東京までどの道を通りますか？

### ◎地図データの「限界」の一例

ところで、道路交通にくわしい方であれば、この地図に違和感を覚えるかもしれません。例えば、新潟県新発田市、阿賀野市から東京に向かう場合、関越自動車道を通るのが一般的ですが、これらの地図では東北横断自動車道（いわき新潟線）から南会津の一般道を経由して、東北自動車道に抜けています。今回使用した経路検索ソフトでは道路の状態（車線数やカーブ・勾配など）があまり考慮されないため、このようなおかしなルートが散見されています。

「不正確」な計算結果を書籍に掲載するのはしのびない気持ちですが、地図データを使ったひとつの思考実験として楽しんでいただきたく、あえてそのまま掲載しています。

参考：OpenStreetMap Contributorsによる道路データを使用

Column ④

# すべての道は「大阪」にも通ず？

海外の地理系SNSでは、「すべての道はローマに通ず（All roads lead to Rome）」と題された地図が、ときどきシェアされています。**3-7**の地図と同じような手法でローマへの移動経路を示したもので、「ローマ帝国の土木事業、すごいな」といったコメントが寄せられていますが、「たくさんの道がローマにつながっている」からといって、「たくさんの道がローマを目指して建設された」とは限らないことに注意が必要です。

東京につながる道は大阪にも青森にもつながっていますから、目的地を変えて「すべての道は大阪にも通ず」を描くこともできます。そこに『教科書では教えない事実。江戸時代には大阪を中心に五街道が整備されていた』というキャプションをつければ、信じてしまう人も少なくなさそうです。地図は人を欺く手段にもなりえるので、見るときも描くときも細心の注意を払いたいところです。

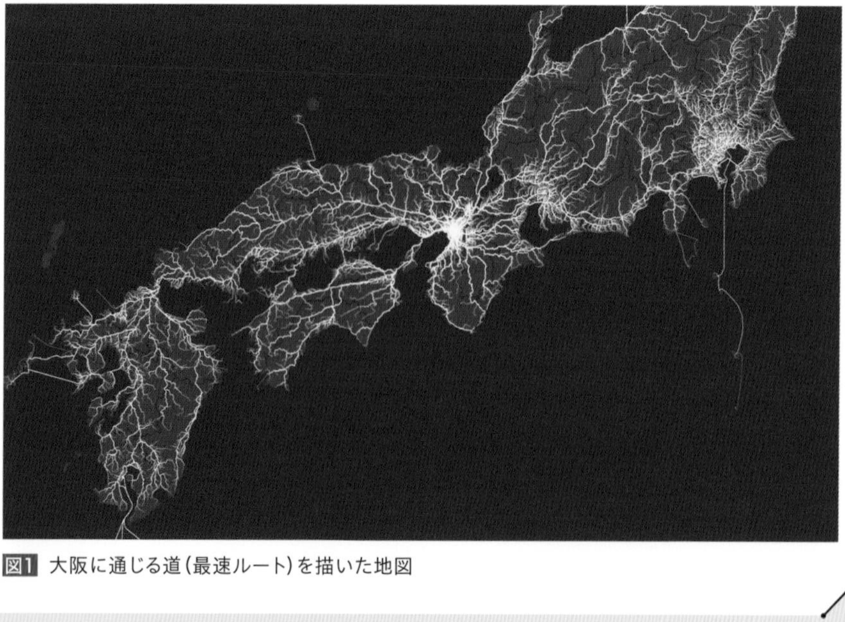

**図1** 大阪に通じる道（最速ルート）を描いた地図

第4章

# さまざまな自然を可視化！

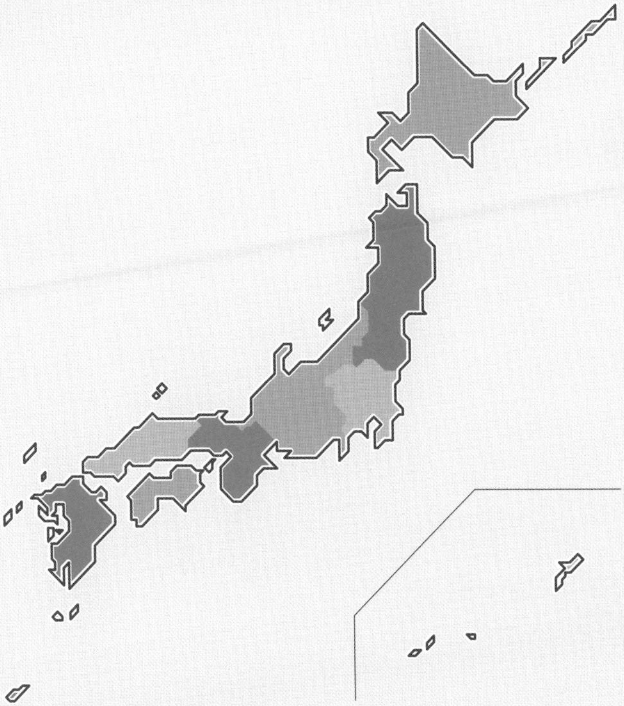

# 4-1 日本列島を「川の流域」で塗り分けてみた

日本列島を「川の流域」で塗り分けてみました（図1～4）。雨が陸地に降ると、一部は地中にしみこみ、地下水となりますが（浸透）、地面に浸透しなかった水は地表を流れていきます（流出）。浸透した水は長い時間をかけて湧き水や泉となって地表に現れ、流出した水は、傾斜や凹凸によって集められて小さな流れをつくり、やがて川となって海や湖に注いでいきます。

地表に流れる水や、湧き水や泉から湧き出した水が同じ川に注ぎ込む範囲を「流域」と言い、その流域を流れる河川のことを「水系」と言います。ひとつの例えですが、川に住む魚は陸の上を歩いたり、一度海に出たりしない限り、別の流域に移り住むことができません。そういった意味で、それぞれの水系、流域が川魚にとっての「世界」であるとも言えるでしょう。

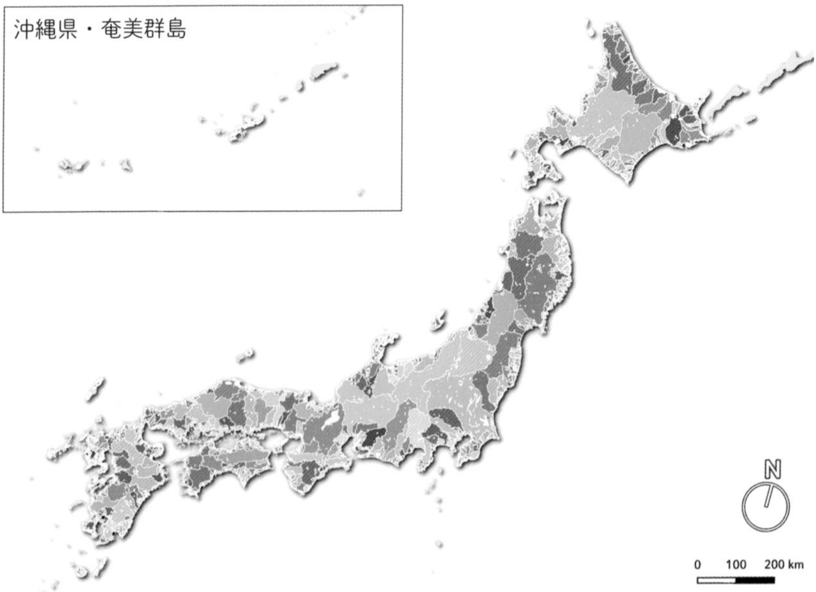


**図1** 日本列島を流域で塗り分けてみた
日本全国を流域で塗り分けると（色分けはランダム）、都道府県とは違った形の境界線が見えてくる。

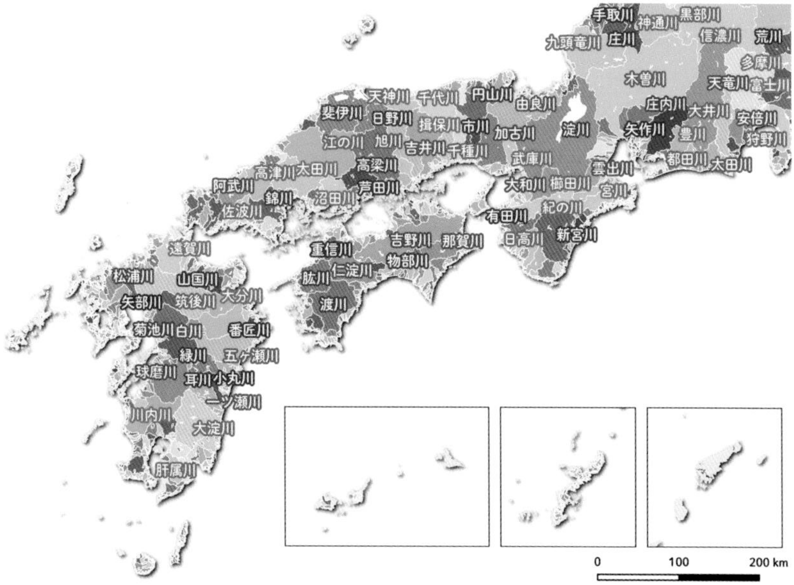


**図2** 日本列島を流域で塗り分けてみた（西日本）

西日本では淀川、江の川、吉野川の流域面積が広い。吉野川の流域は四国四県にまたがる。

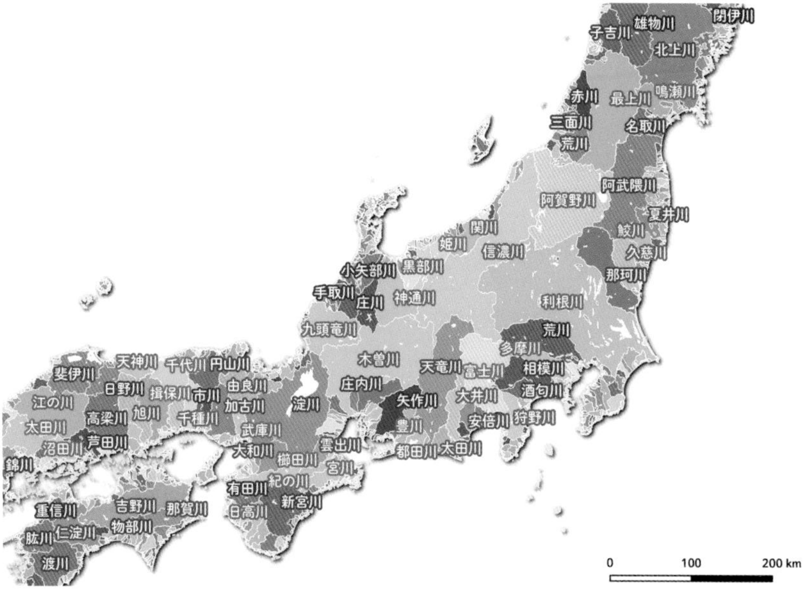


**図3** 日本列島を流域で塗り分けてみた（近畿〜東北南部）

富山県の常願寺川はわずか56kmで約3,000mを流れ下り、急勾配の川として知られる。

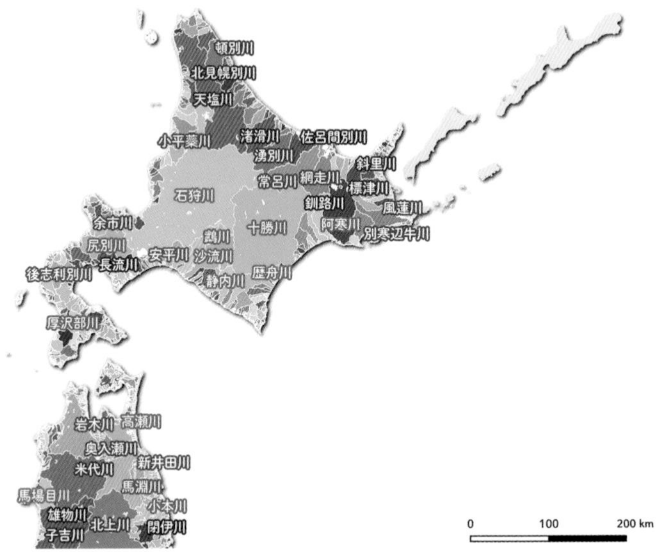


**図4** 日本列島を流域で塗り分けてみた（東北南部〜北海道）
北海道民のおよそ半分が石狩川の流域に住んでいる。

## ◎利根川、荒川、多摩川の大きな存在感

日本最大の流域は利根川です（図5）。関東地方の約半分、1.7万$km^2$を占め、日本人の10人に1人にあたる約1,300万人が暮らしています。本流の水源地は群馬・新潟県境にまたがる大水上山《おおみなかみやま》で、尾根に降った雪が地中にしみこみ、山麓に湧き出しながら利根川の源流をつくっています。

かつて、利根川は太平洋ではなく東京湾に向かって流れていましたが、江戸時代に関東地方の水運を改善するために、当時の常陸《ひたち》川（栃木県小山市あたりから千葉県銚子市に流れていた川）とつなぎ、そちらを本流としました。また、この工事と前後して「古い利根川（現在の会の川→大落古《おおおとしふる》利根川→中川など）を新たな利根川から切り離す」「利根川と太日川（現在の江戸川）の間に航行可能な広い水路をつくる」といった大規模な流路の変更で、関東一円にわたる広大な流域が形づくられました。

関東地方では荒川、多摩川も目立ちますね。荒川流域には970万人、多摩川流域には390万人が住んでいます。東京23区の南部はどちらの流域にも

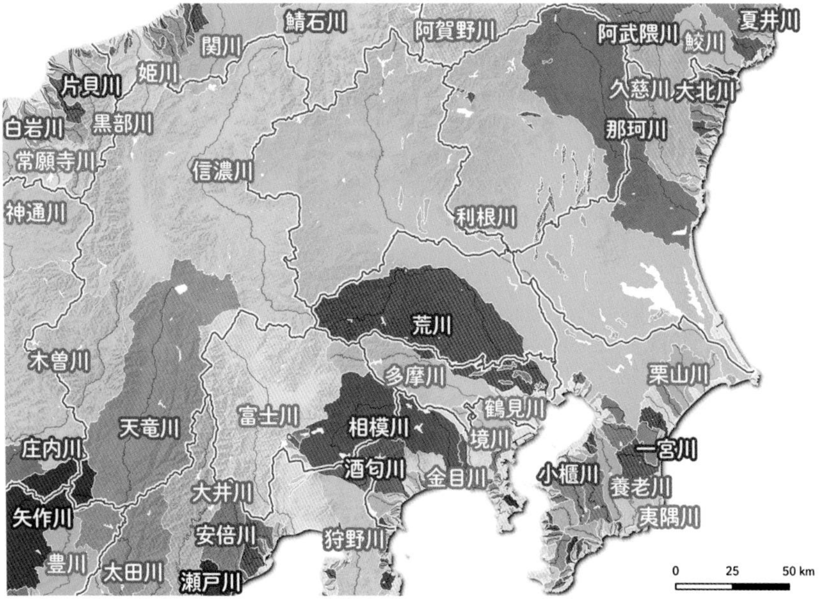


**図5** 日本列島を流域で塗り分けてみた（関東地方）
江戸時代に行われた大規模な治水事業の結果、利根川の流域面積は日本最大となった。

属さない地域があり、小さい川がたくさん流れています。

## ◎淀川と大和川の大きな存在感

近畿地方には淀川の流域が広がります（図6）。流域面積は約0.8万 $km^2$ で、約1,100万人が暮らしています。淀川にそそぐ川の中で大阪湾から一番遠いのが高時川。福井・滋賀県境の栃ノ木峠から流れ出しています。その近くにあるスキー場「余呉高原リゾート・ヤップ」からは、福井県敦賀市の街並み、そして日本海を望むことができます。計算上では琵琶湖も見えることになっているのですが、実際のところはどうでしょうか？

大和川の流域がちょっとおもしろい形をしていますね。大和川は奈良盆地から大阪府北部を通り、大阪湾にそそぐ川ですが、かつては大阪城の北側を回りこんで淀川につながっていました。大和川は土砂が流れる量が多く、また大阪府（河内国）に入ると急に地形が平坦になるため、川底に土砂

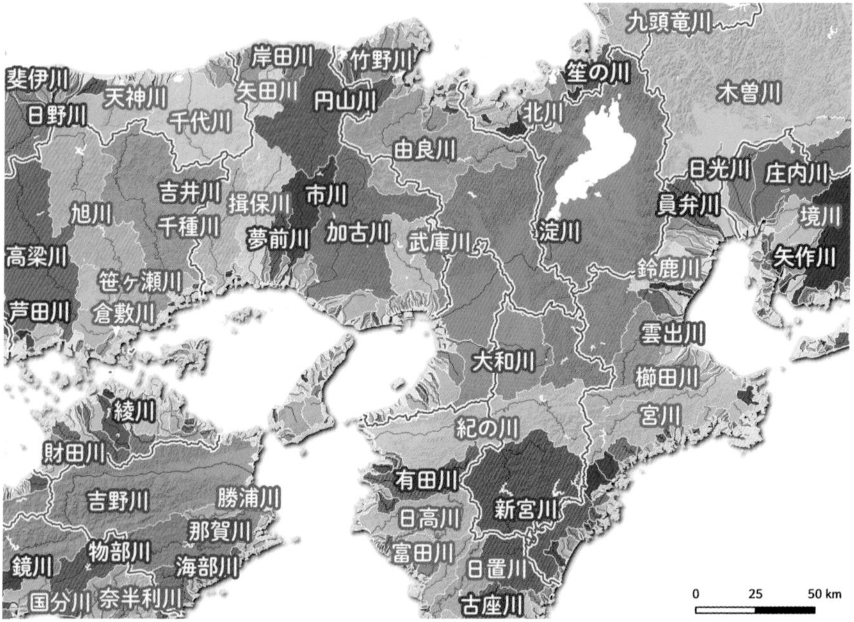


図6 日本列島を流域で塗り分けてみた(近畿地方)
淀川の流域は滋賀、福井県境まで広がっている。

図7 日本列島を流域で塗り分けてみた(石狩川流域)
富良野に降った雨は芦別、赤平(空知川)を通って、少し北の美瑛に降った雨は旭川を通って石狩湾にそそぐ。

**図8**　県境と流域界がずれているところがおもしろい
多摩川の源流は山梨県丹波山村（武田氏の家臣であった小菅氏の支配地）。小田原市に注ぎ込む酒匂川（さかわがわ）の源流は富士山の北東斜面。相模川（山梨県内では桂川）も山中湖が水源とされ、神奈川県より山梨県内のほうが流域面積が広い。

がたまりやすく、天井川（川底が周囲の土地よりも高い川）になっていました。これにより下流の大阪（当時の大坂）で水害が頻発したため、1704年に大和川の流路が変更され、新たな水路「新大和川」を通って堺に流れるようになりました。

流域界、つまり流域どうしの境界線は尾根や峠のような地形になっていることが多く、歴史的に令制国や県・市の境界線が引かれることがしばしばありました。一方で、地形の都合や、国どうしの経済的な争いにより、尾根から離れたところに境界線が引かれることもあります。自然に引かれた境界線と、人が引いた境界線。それぞれをじっくり眺めてみると、その土地の歴史を知るきっかけが得られるでしょう（図8）。

## ◎「中央分水界」の話

「中央分水界《ぶんすいかい》」という言葉をご存じでしょうか。日本列島では、地上に降った雨が太平洋、日本海、東シナ海、オホーツク海のいずれかに流れこむことが多く、特に太平洋（・瀬戸内海）と日本海（・東シナ海・オホーツク海）をへだてる山のことを「中央分水界」と呼んでいます。「なんとなく

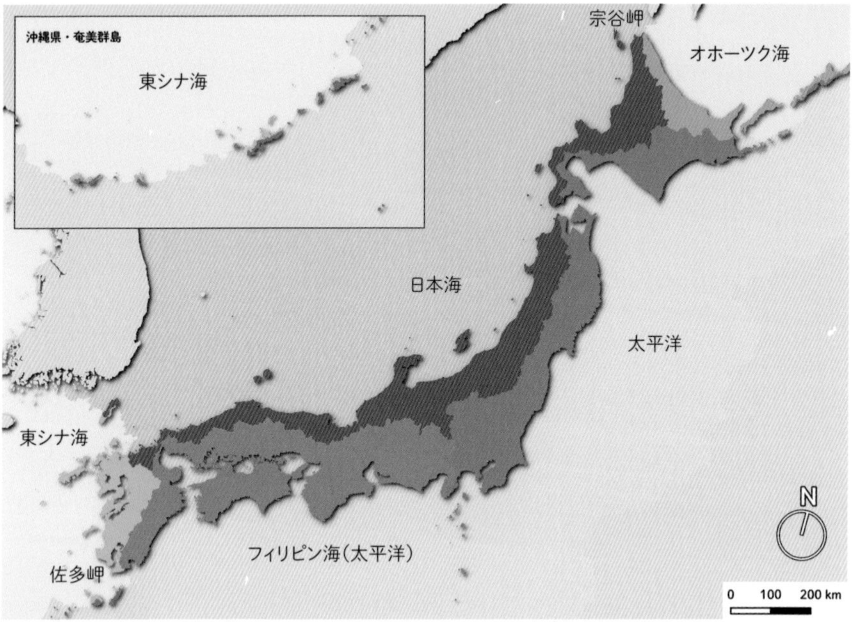


**図9** 中央分水界

海底地形データをもとに、海の範囲を機械的に求めているため、一般的な中央分水界の定義とは異なる部分がある。

本州の真ん中を走ってるんだろうな」というイメージを持ちやすいですが、地図を見ると意外な発見があります（図9）。

中央分水界の最南端は、どこを海の境界とするかによって諸説ありますが、一般的には大隅半島の佐多岬だと言われています。海底を含めた地形から機械的に計算すると、佐多岬から北東に40km離れたところ（鹿児島県肝付町の南部）が、東シナ海と太平洋の分水界になります。最北端は宗谷岬という見方が一般的です。

個性的な分水界をいくつか見てみましょう。

### ①標高95mの中央分水界

兵庫県の丹波市には、本州で一番低い中央分水界があります（図10）。「石《い》生《そう》の水《み》分《わか》れ」と呼ばれるところで、標高わずか95m。「水分れ公園」の園内には、瀬戸内海に流れる高谷川（加古川水系）と、日本海に流れる由良川（に続く人工的な水路）が分かれているところがあり、上流からの水が瀬戸

図10　石生の水分れ付近。赤い線より右は加古川流域（瀬戸内海側）、左は由良川流域（日本海側）。地図の奥、扇状地の入り口（扇頂：せんちょう）あたりに水の分かれ道がある。兵庫県のオープンデータ『兵庫県 全域DEM（2010年度～2018年度）』と国土地理院『最新全国写真（シームレス）』を使用。

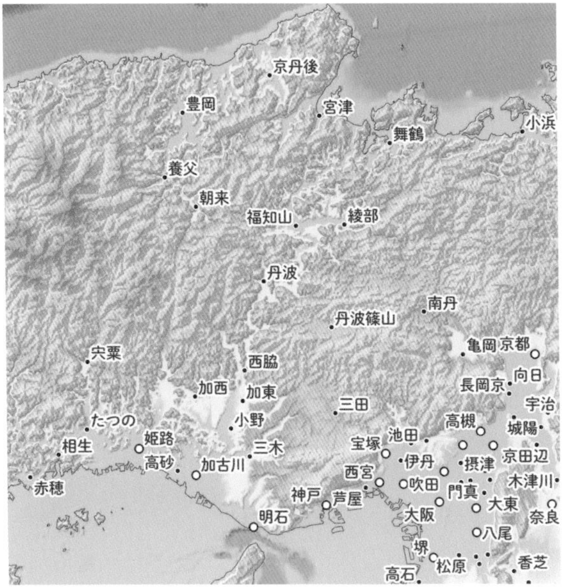


図11　「もし海水面が100m上がったら」という地図。「氷上回廊」は「氷上海峡」に名を変えるかもしれない。国際的なプロジェクト『GEBCO（大洋水深総図）』の海底地形データを使用。

内海と日本海に分かれていく様子を観察することができます。

加古川と由良川をつなぐ低地帯は「氷上回廊」と呼ばれ、古くから南北の生き物が交わってきました（図11）。1958年には瀬戸内海側の佐治川で日本海側の川魚「ヤマメ」が見つかっています。

このように、谷の中で流域が分かれていく場所は「谷中《こくちゅう》分水界」「泣き別れ」などと言われており、広島県安芸高田市の「分水界泣き別れ」（江の川水系と太田川水系）、京都市南丹市の「水別れの路」（由良川水系と淀川水系）、山形県最上町の「堺田分水嶺」などが知られています。

**②3つの海を分ける山**

関東甲信越地方が3色に分かれていますね。本州は太平洋と日本海の2つの海に面しているのですが、伊豆諸島より西側は（太平洋の付属海の）フィリピン海でもあるので、あえて区別してみました。3つの海を分けへだてる山は長野、山梨、埼玉県境の甲武信《こぶし》ヶ岳《たけ》で、千曲川、富士川、荒川の源流になっています。

北海道の三国山と、九州の英彦山《ひこさん》付近の尾根も、3つの海を隔てる分水嶺です。

**③それぞれの分水界を越えろ**

皆さんにとって思い出の分水界はありますか？　筆者にとって思い出深い中央分水界は、長野県の野辺山《のべやま》高原です。筆者は毎年4月に開かれる「佐久市強歩大会」に出場し、山梨県韮崎市から長野県佐久市までの78kmを16〜17時間かけて歩いているのですが、清里ライン（国道14号線）を延々と登ったあと、急に現れる臨時の休憩所……そこがまさに日本海と太平洋（フィリピン海）を分ける分水嶺です（図12）。午前4時前、満天の星空の下で炊き出しの甘い紅茶を飲んでいるうちに、八ヶ岳の山々がわずかに輝き始めます（図13）。標高差900mを登りきった満足感、自分の足で日本海側に入ったという高揚感を胸に、残り44km、時間にして9時間の下り坂を歩き始めます。

参考①：国土交通省『国土数値情報（流域メッシュデータ）』
参考②：GEBCOプロジェクト『Gridded Bathymetry Data: GEBCO_2023 Grid』（https://www.gebco.net/data_and_products/gridded_bathymetry_data/）

図12 「太平洋側」から「日本海側」に入る瞬間。「JR鉄道最高地点」の看板のあたりが尾根になっている。肉眼ではかなり暗い。

図13 図12の休憩所より撮影。焚火に当たっているうちに八ヶ岳が光り始める。星がきれいな年は夜と昼の気温差が大きいせいか、いいタイムが出ない。

4-2

# 猛暑日が多い街、少ない街には共通点がある？

8月に最高気温35℃以上の「猛暑日」となる日数を地図にしてみました(図1)。毎年、梅雨明けの時期から「猛暑日」「40℃超え」がニュースになりますが、だいたい同じような場所で35℃以上を連発していることがわかります。皆さんの地元はどうでしょうか。

近畿から関東にかけての地域を拡大してみましょう(図2、3)。ニュースでよく聞くのが熊谷(埼玉県)、多治見(岐阜県)です。京都では、月10～12日、だいたい3日に1日ぐらいの割合で猛暑日となっています。これらの街が暑くなる理由や条件はいくつかありますが、ここでは代表的なものを3つ紹介します。

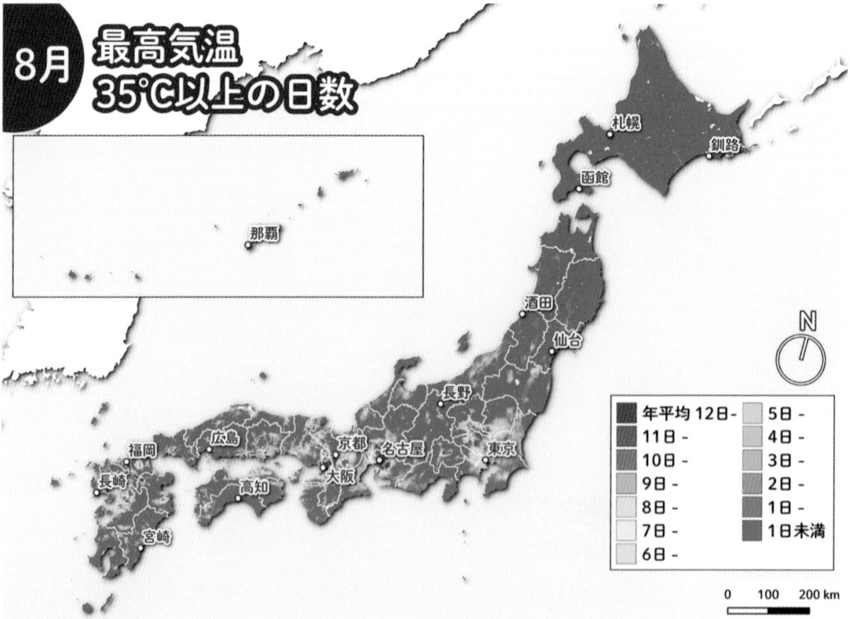


**図1** 8月の最高気温35℃以上の日数(2013～2022年の平均。全国)
農研機構「農業気象メッシュ」では、毎日の気温が約1km四方の精度で再現されている。全国約1,300カ所の観測データから推定しているため、地形や日照によって誤差が生じることに注意したい。

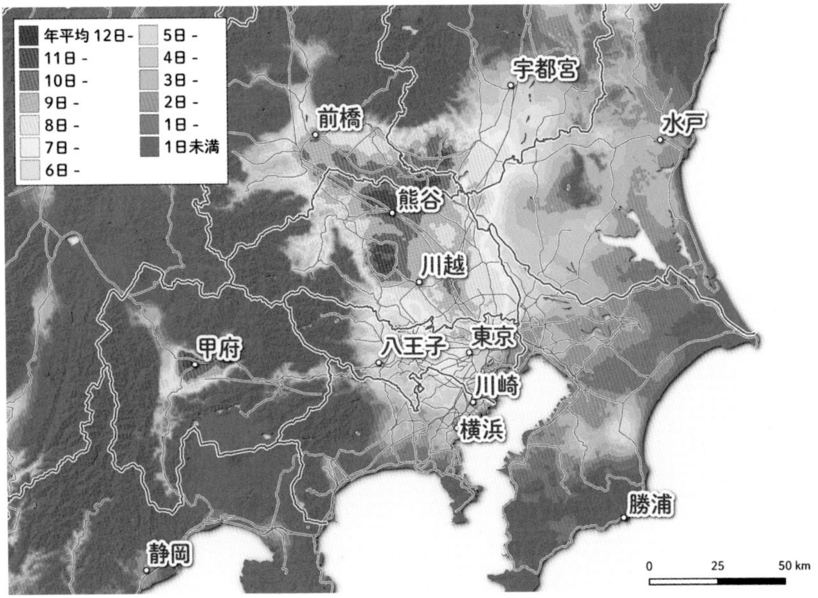


**図2** 8月の最高気温35℃以上の日数（2013～2022年の平均）　首都圏
関東地方の内陸、特に江戸川や鬼怒川より西側で気温が上がりやすい。甲府にも注目。

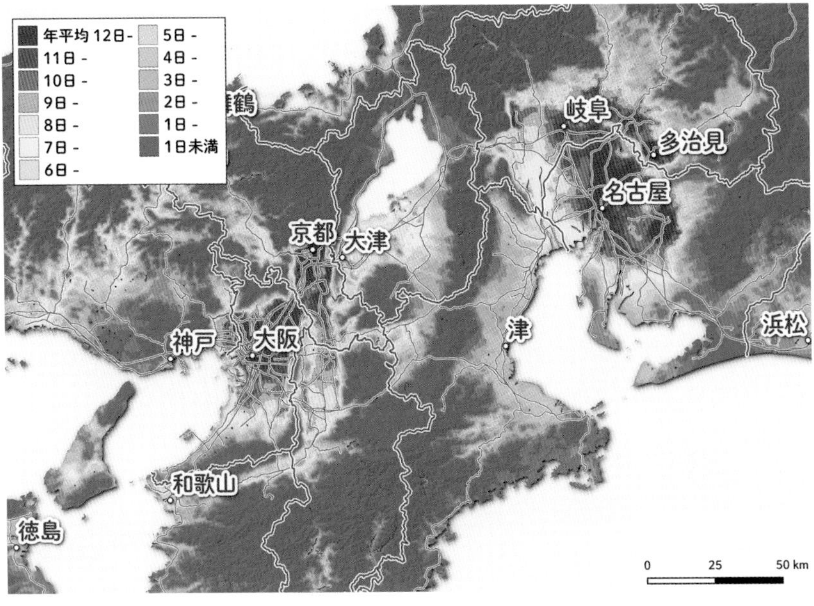


**図3** 8月の最高気温35℃以上の日数（2013～2022年の平均）　近畿圏、中京圏
県庁所在地では神戸（兵庫県）や大津（滋賀県）、津（三重県）などが比較的過ごしやすい。

### 理由① 海風が入りにくい

海は陸地よりも一日の気温の変化が小さく、夜は暖かく、昼は涼しくなる傾向があります。晴れた日の昼間には、海から内陸に向かって涼しい風（海風）が吹き、気温の上昇が抑えられますが、海から離れるほど海風が入る時間が遅くなりがちです。

### 理由② ヒートアイランド現象

気温上昇を抑えるはずの海風が、酷暑の原因となることもあります。海風は一般的に気温の上昇を遅らせる効果がありますが、海風が大都市を通ると、都市の排熱によって温められて“熱風”に変わり、風下（内陸側）に酷暑をもたらします。

### 理由③ フェーン現象

上空の風が山を越えて吹き下ろしてくると、空気が圧縮されて温度が上がります。これを「フェーン現象」と言います。熊谷、多治見、京都では、街の西側に山地が連なっているため、気圧配置の関係で西寄りの風が強まるとフェーン現象が起こり、極端に気温が上がることがあります。

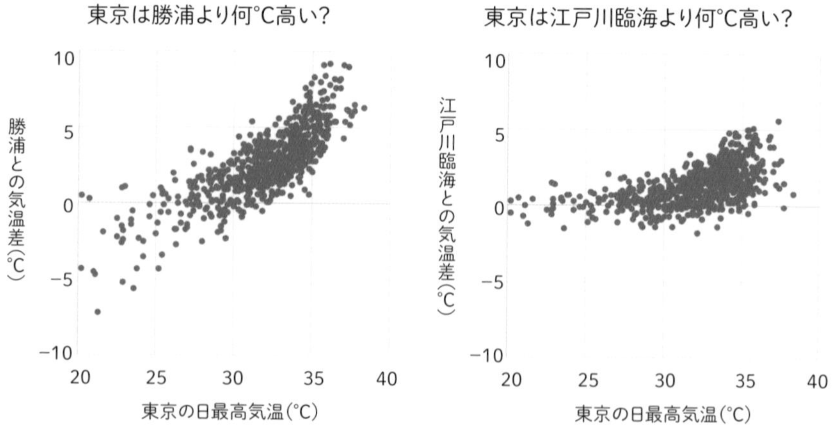


図4 東京と勝浦・江戸川臨海（葛西臨海公園）の気温差（2000年〜2023年の8月）
東京の気温が高い日ほど、勝浦や江戸川臨海との気温差が大きくなる。

逆に、猛暑日が少ない都市も気になりますね。

地図を見てわかるように、1,000mを超えるような高原や山地では35℃を超えることは稀です。

また、海沿いでも、「海風が入りやすく」「都市化が進んでおらず」「風が山を越えてこない」場所を狙えば、暑さを避けることができます。

大都市に近いところでは南房総や伊豆半島、紀伊半島南部などが挙げられますし、能登半島北部や四国の太平洋岸なども条件を満たしています。特に勝浦（千葉県）では1902年の観測開始後、35℃以上の猛暑日を観測したことがありません※。また、都市部でも、南側が海に面しているところでは、昼間の気温が上がりにくい傾向があり、葛西臨海公園（東京都）や明石（兵庫県）などでは、都心との気温差が5℃以上に達することもあります。

ちなみに、海辺で「避暑」を楽しむコツは「暑い日を狙うこと」です。海沿いの町では一年や一日を通じて気温差が小さいため、酷暑のときほど内陸との気温差が開いていきます（図4）。

例えば、東京が30℃の日には、勝浦との気温差が1～2℃ぐらいの日が多く、現地に行ってもそれほど涼しさを実感できないのですが（むしろ湿った海風のせいで蒸し暑く感じることも）、東京が35℃を超えるような日であれば、おおむね5℃前後、場合によっては10℃近くの気温差を体験できることもあります。ただし海の近くでは日差しが強いので、日焼け止めを忘れずに。

※：110年以上の観測史の中で、勝浦では周辺環境が変わったり、露場《ろじょう》（観測装置をセットするための屋外の場所）がわずかに移動したりしています。観測史上最高気温は34.9℃（1924年）ですが、観測条件をそろえると、35℃以上の日があったかもしれません。

参考①：農研機構『メッシュ農業気象データ』（https://amu.rd.naro.go.jp/）
参考②：気象庁『過去の気象データ・ダウンロード』（https://www.data.jma.go.jp/risk/obsdl/index.php）

4-3

# 日本の夏の暑さのレベルは「1994年」から変わった

夏の夜には、気温が25℃を下回らない「熱帯夜」となることがあります。8月に熱帯夜となった日数をまとめてみました（図1）。

この地図を見ると、海に近いところほど熱帯夜となりやすいことがわかります。海水は温まりにくく冷めにくいので、内陸と比べて夜でも気温が下がりにくいからです。また、都市部ではビルや道路などが熱をため込んだり、工場や車などが熱を出したりすることで、気温が下がりにくくなる「ヒートアイランド現象」も影響しています。

逆に、海から離れた内陸では夜中にぐんと冷え込みますし、北海道や東北地方では、平地でも20℃ぐらいまで下がります。

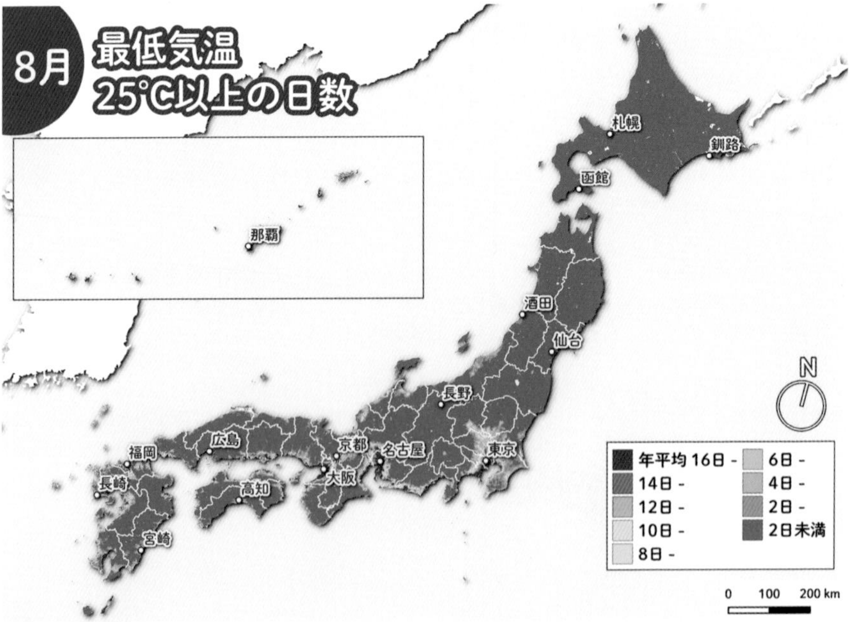


**図1** 8月の最低気温25℃以上の日数（2013～2022年の平均）　全国
三大都市圏や瀬戸内海沿いで熱帯夜が多い。

大都市を拡大すると「海」と「ヒートアイランド」の影響力がわかります。首都圏では、東京湾や相模湾に沿って熱帯夜の多い地域が広がっています。また、内陸でも都市化の進んでいるさいたま市周辺では、週3～4回ペースで熱帯夜を記録しています。一方、関東山地に近いエリア（八王子や飯能）、鹿島灘からの冷たい北東風が入り込みやすいエリア（つくばや成田）では、夜の暑さが控えめです（図2）。

近畿圏や中京圏では、おおむね週4～6回ペースで熱帯夜となります（図3）。特に京都は三方を山に囲まれているため、街を風が通り抜けにくく、湿気もあるので、気温以上に蒸し暑く感じます。

ところで、日本では1960～70年代以降、気温が上昇し続けています。特に夏の夜の気温が下がりにくくなり、熱帯夜が徐々に増える傾向にあります。図4は、1950年以降、8月の熱帯夜の日数を都道府県別に集計し、可視化したものです。1970年代まで、熱帯夜は年間数日～10日ぐらいの地域が

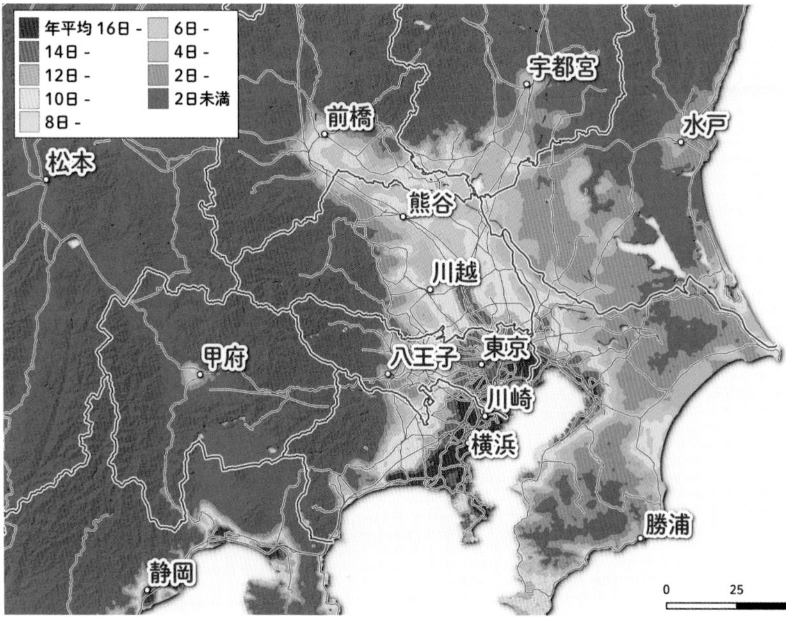


図2　8月の最低気温25℃以上の日数（2013～2022年の平均）　首都圏
東京湾に沿って、熱帯夜の多い地域が広がっている。

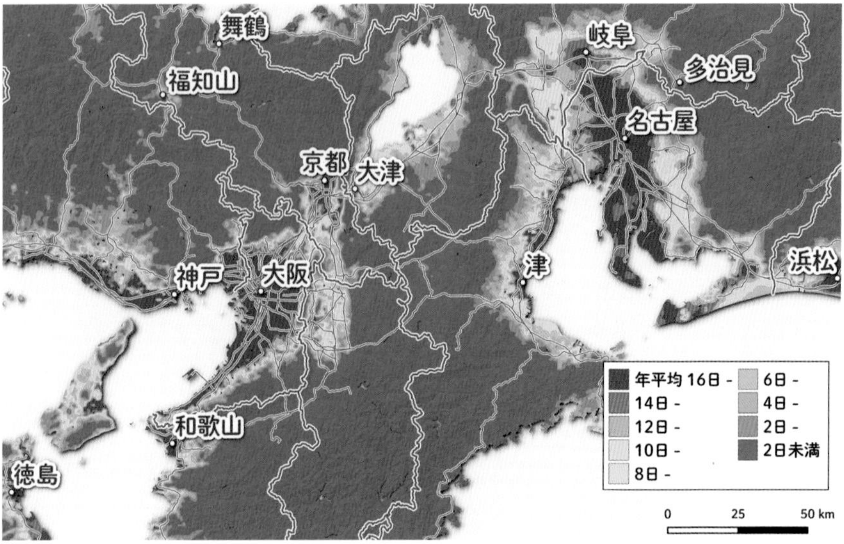


図3 8月の最低気温25℃以上の日数（2013～2022年の平均） 近畿圏、中京圏
首都圏よりも熱帯夜が多い。奈良県や滋賀県内では寝苦しさが少し和らぐ。

多かったのですが、猛暑となった1994年ごろを境に状況が一変していることがわかります。

熱帯夜が増えた原因としては、地球温暖化現象や、数年から数十年の自然変動が考えられています。さらに都市部では、ヒートアイランド現象の影響も加わった結果、1950年代からの約70年で、夜中から明け方にかけての最低気温が約2℃も上昇し、いまや25℃を下回る日は数えるほどです。

最近は猛暑日も増えています（図5）。1994年には記録的な猛暑、水不足が発生。西日本を中心にダムが干上がったり、大規模な給水制限によって工場の稼働が停止したりするなど、社会経済に大きな影響が出ました。当時は「戦後、最も厳しい暑さ」と言われたものですが、2010年以降、このクラスの暑さが当たり前になってしまいました。

参考①：農研機構『メッシュ農業気象データ』（https://amu.rd.naro.go.jp/）
参考②：気象庁『過去の気象データ・ダウンロード』（https://www.data.jma.go.jp/risk/obsdl/index.php）
参考③：総務省統計局『生活消費実態調査 地域編 主要耐久消費財に関する結果』（1994年、2014年）

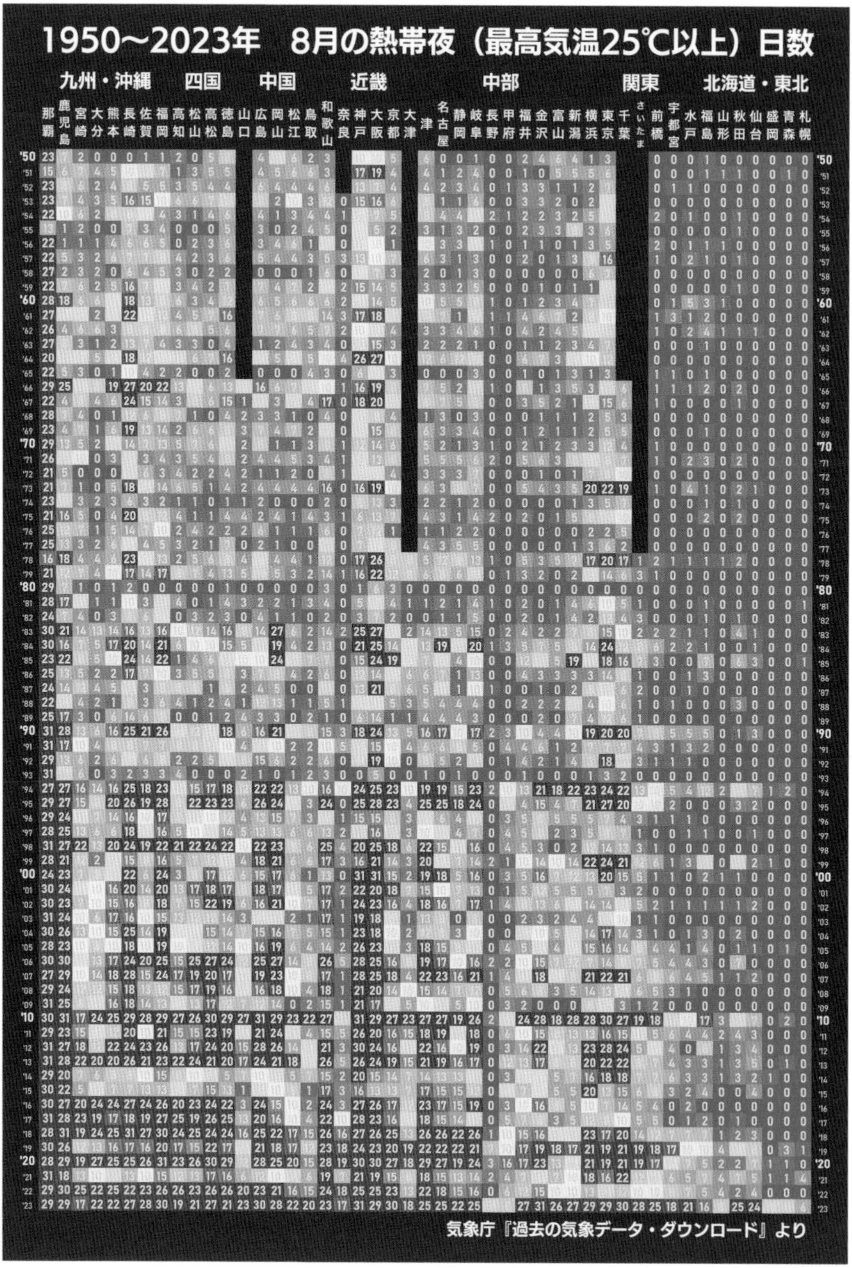


図4　8月の熱帯夜の日数(47都道府県)

1994年を境に熱帯夜が増加。近年では長野でも熱帯夜の日数が増えてきた。

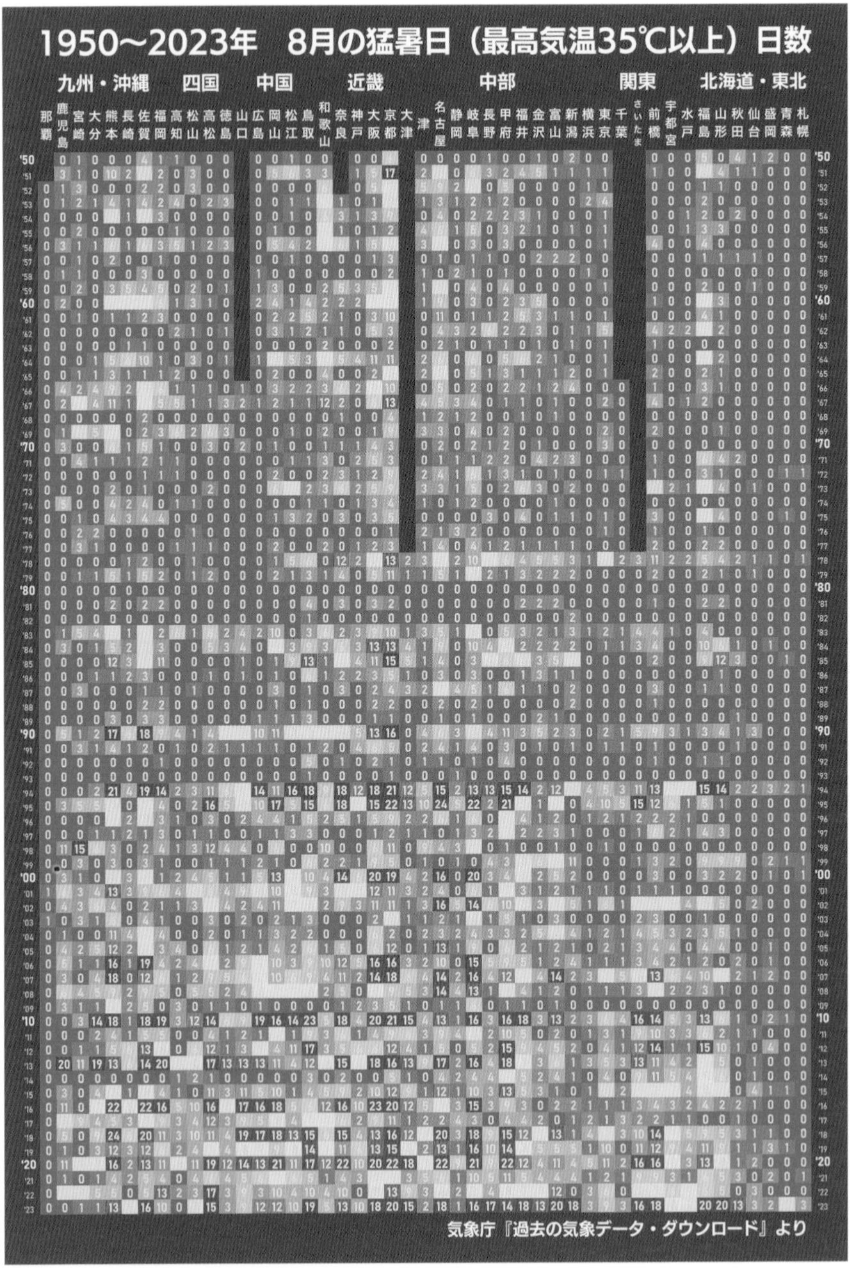


図5　8月の猛暑日の日数（47都道府県）

近年では、戦後「最も暑い」と言われた1994年に匹敵する猛暑が2〜3年おきにやってきている。

# 4-4 暖かいイメージの県でも「雪国」だったりする

「国境《くにざかい》の長いトンネルを抜けると雪国であった。夜の底が白くなった。信号所に汽車が止まった。」――川端康成の小説『雪国』の冒頭の一文です。物語の舞台は新潟県の湯沢温泉。12月のある日、文筆家の島村が乗った汽車は、水上を過ぎて清水トンネル（群馬・新潟県境）を越えるわけですが、この一文から、そのときの情景がありありと浮かんでくるようです。

本章では『雪国』とそれ以外の境目がどのあたりにあるのか、簡単に可視化してみました（図1）。

地図を見ると、北海道をはじめ、東北地方から中国地方にかけての日本海側で50～100cm以上の雪が積もっていることがわかります。

**図1** 1月、2月の積雪中央値（2002年～2021年）※1、※2
大陸からの冷たい風と、日本海の温かく湿った水蒸気がぶつかり、大量の雪雲が発生する。日本海側と太平洋側の違いがくっきり。

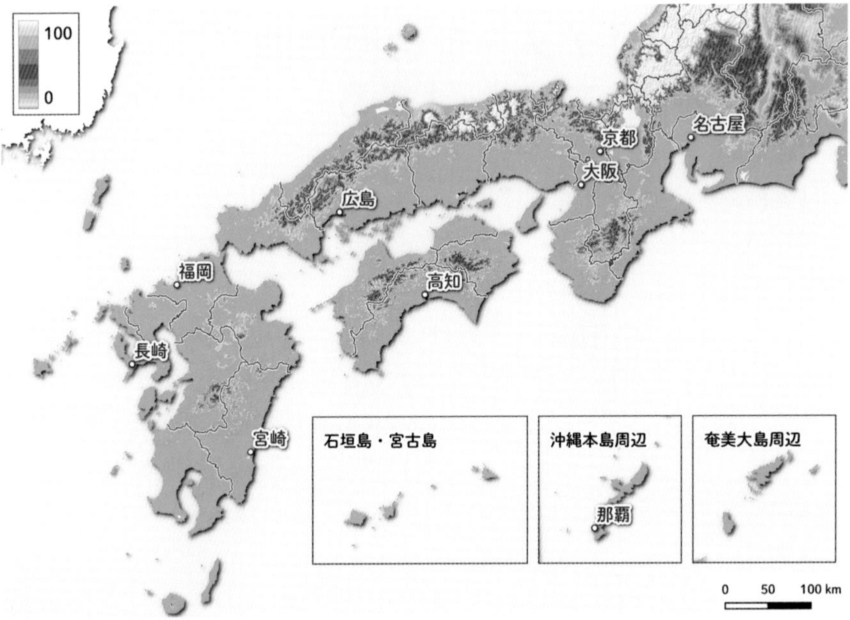


**図2** 九州、四国、中国地方
中国山地には1m以上積もるところも。九州、四国でも標高の高い山地では冬用タイヤ・チェーンが必須。

拡大図を見ると、暖かいイメージのある九州、四国でも、標高の高いところには、「雪国」の色がついています。(図2)。熊本・宮崎県境や阿蘇山(熊本県)、剣山(徳島県)などには、雪雲の中の雲粒が木々にぶつかり、美しい樹氷ができる山も。また、愛媛県では朝鮮半島からの雪雲が関門海峡を超えて流れ込み、平地でも大雪となることがあります。

北陸から関東、甲信越にかけては日本の「背骨」が真っ白(図3)。飛騨山脈、木曽山脈、赤石山脈(日本アルプス)や越後山脈などです。これらの山々

※1:農研機構(国立研究開発法人 農業・食品産業技術総合研究機構)が、全国約330か所のアメダス積雪観測データをもとに、全国の日々の積雪を1km四方の解像度で推計したデータを使っています。

※2:平均値でなく中央値を選んだ理由は、「普通の冬の普通の日にどれぐらい積もっているか?」を表すためです。1年に数回しか雪が降らない地域で積雪の「平均値」をとると、0cmより大きくなりますが、「中央値」なら0cmになります。どちらが実際のイメージに近いでしょうか?

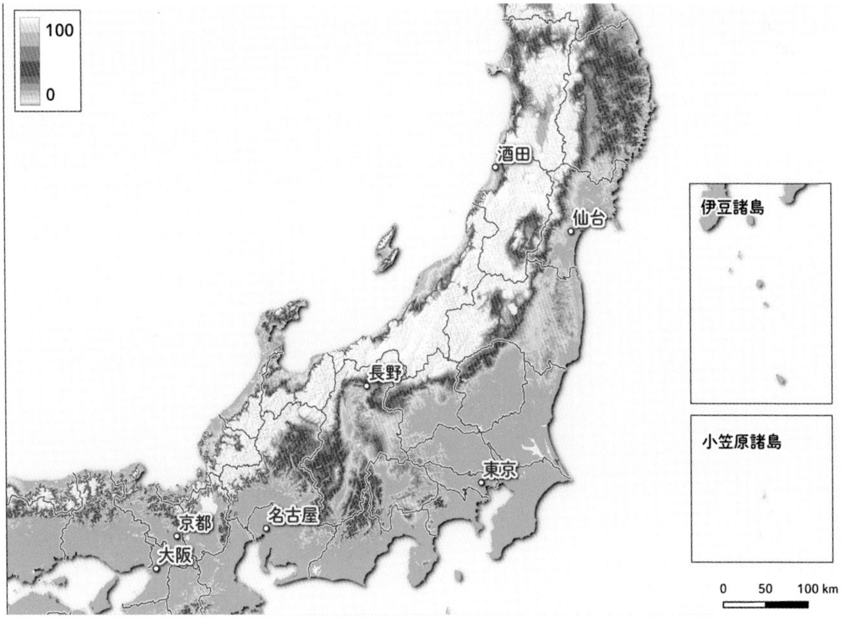


**図3** 中部、関東地方
日本の背骨・脊梁山脈（せきりょうさんみゃく）が、日本海からの雪雲を受け止めている。伊豆半島や箱根周辺にも色がついているが、まったく積もらない年もある。

には日本海を流れてきた湿った風がぶつかり、多いところでは、ひと冬で合計10mほど（10cmではありませんよ！）の雪を降らせます。

同じ日本海側でも、新潟、金沢といった平野部の都市では雪が少なめです。特に、県庁などのある中心市街地では根雪《ねゆき》※3にならない年も多いのですが、少し山のほうに入ると一気に雪深くなってきます。

図4は、金沢市の拡大図です。金沢駅前では積雪（中央値）0cm。寒波が来ると20cmほど積もります。一方、山沿いの金沢大学（角間キャンパス）や北陸大学（太陽が丘キャンパス）では中央値で約20cmに達し、50cm以上積もることも珍しくありません。ここにも「雪国」とそれ以外の境目がありそうです※4。

京都の町も「雪国」と隣り合わせ。日本海からの雪雲が盆地に流れ込み、

※3：根雪とは、冬の間に降り積もった雪が、春まで解けずに残っている状態を指します。1cm以上雪が積もった状態が30日以上続くと長期積雪（根雪）と言います。

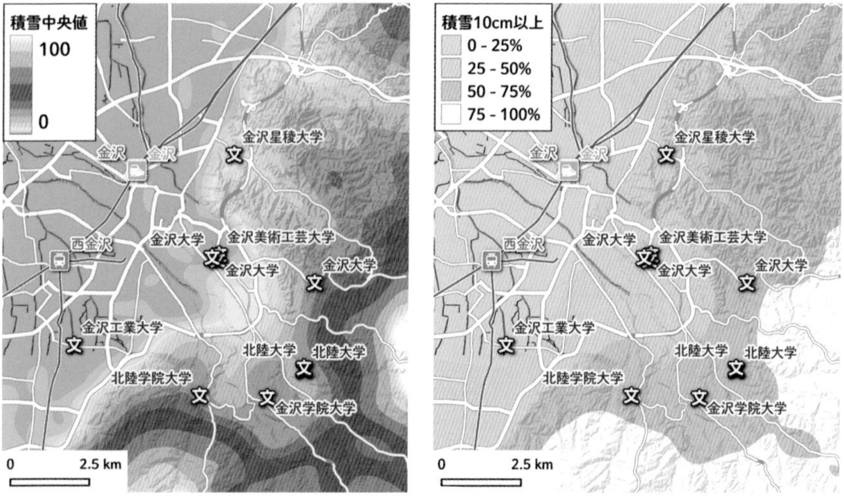


**図4** 金沢市（1～2月の積雪中央値、積雪10cm以上となる日数）
市街地でも標高の高いところでは雪が深い。

金閣寺や八坂神社などの名勝がうっすら雪化粧することも稀ではありません（図6）。さらに北部の鞍馬《くらま》（鞍馬山・貴船《きふね》神社）、大原（三千院・寂光院・宝泉院）まで登っていくと、雪の降る日が多くなります。

貴船神社では、適度に雪の積もった土曜、日曜の夜に「積雪日限定ライトアップ」が行われ（2023年1～2月時点）、しんしんと雪の降りつむ荘厳な参道や境内を散策できます。

川端康成の小説『雪国』で描かれた清水トンネルのあたりを拡大してみます（図7）。上越線で群馬から新潟方面に向かうと、渋川あたりまでは「空《から》っ風」の中をひた走るのですが、沼田から先、山地に入るにつれて残雪、積雪が見られるようになり、乗換駅の水上に着くころにはすっかり雪景色に。作中、島村が越後湯沢を訪れたのは12月のことですが、もし1～2月の真冬の時期だったら、冒頭の文章はこんな感じだったのかもしれません。

水上駅に着くと、雪国はすでに始まっていた。白い絨毯が広がる田園風景を眺めながら、島村は窓辺にもたれた。雪は降り続いているようだっ

※4：金沢大学、北陸大学では学内のボランティア団体と地域関係者が協力して、地元の住宅地で除雪や地域イベントを行っています。

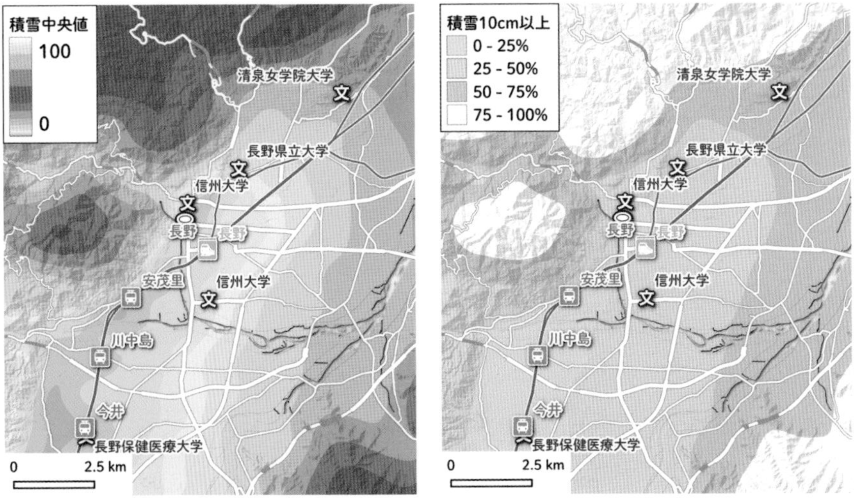


図5　長野市(1～2月の積雪中央値、積雪10cm以上となる日数)

長野市街地で雪が積もっていなくても、まわりの山々は深い雪に覆われていることが多い。

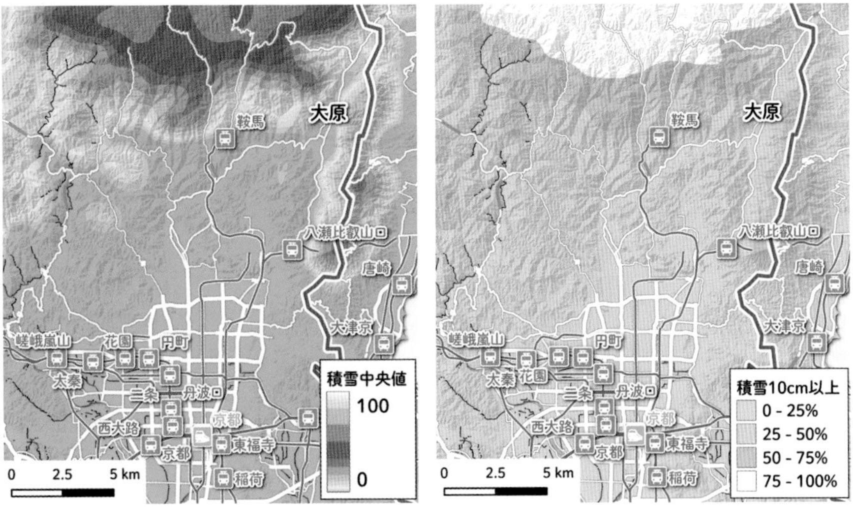


図6　京都市(1～2月の積雪中央値、積雪10cm以上となる日数)

京都市北部の大原や鞍馬では、雪化粧する日も少なくない。

た。信号所で汽車が止まると、向かい側の座席から娘が立って来て、島村の前のガラス窓を落とした。雪の冷気が流れこんだ。娘は窓から外を見やった。

水上駅を出た列車は、峠道を一気に駆け上がりながら清水峠を目指します。作中に出てきた信号所は現在の湯《ゆ》檜《び》曽《そ》駅。利根川に注ぐ湯檜曾川を望む、雪景色のきれいな温泉街です。

参考：農研機構『メッシュ農業気象データ』(https://amu.rd.naro.go.jp/)

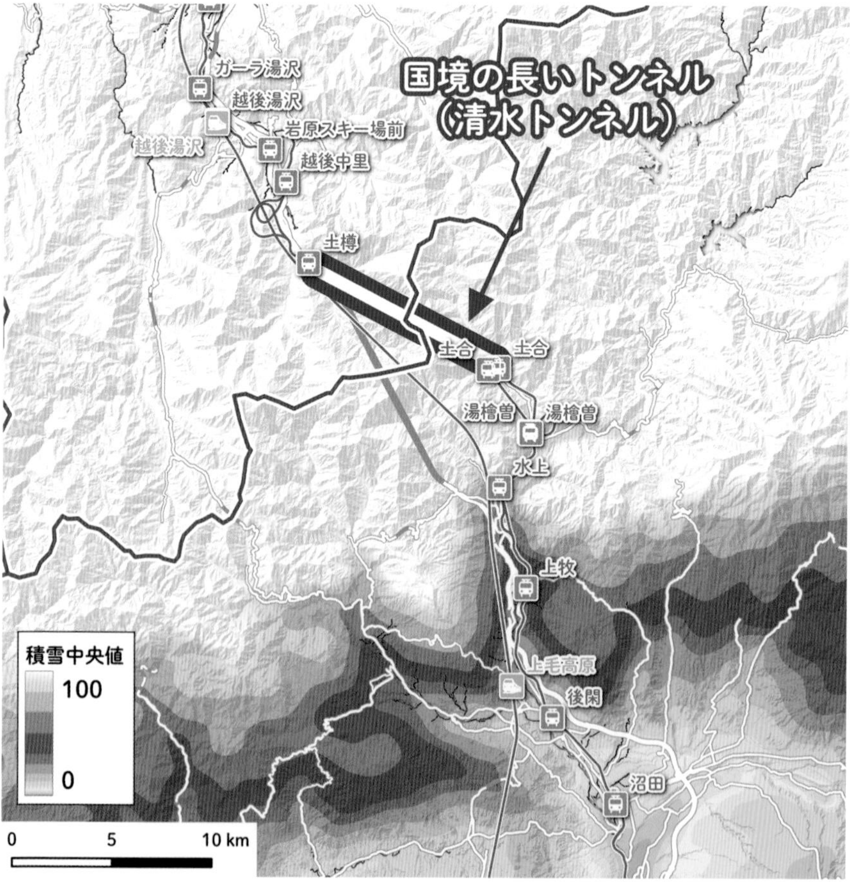


**図7** 上越国境(1~2月の積雪中央値)
JR上越線を北上すると、一駅ごとに雪が深くなっていく。県境の長いトンネルの先は日本有数の雪国、上越。

4-5

# 「きれいな星空」を見られる街をデータで探せ！

人工衛星がとらえた「夜間光」データをもとに、夜空の明るさを可視化してみました（図1）。大都市やその周辺では建物や街灯、自動車などの人工的な光が大気中の微細な水滴やチリに反射し、空全体がぼーっと明るくなっています。空が明るければ明るいほど、星の光が夜空に埋もれてしまいます。これを「光害＝ひかりがい」と呼びます。衛星写真がとらえた「光の量」を可視化することで、夜空が暗くて星が見えやすい地域がわかるというわけです。

余談ですが、この原稿はTHE ALFEEの「星空のディスタンス」を聴きながら執筆しています。皆さんも星にまつわるお気に入りの曲を流してみてください。

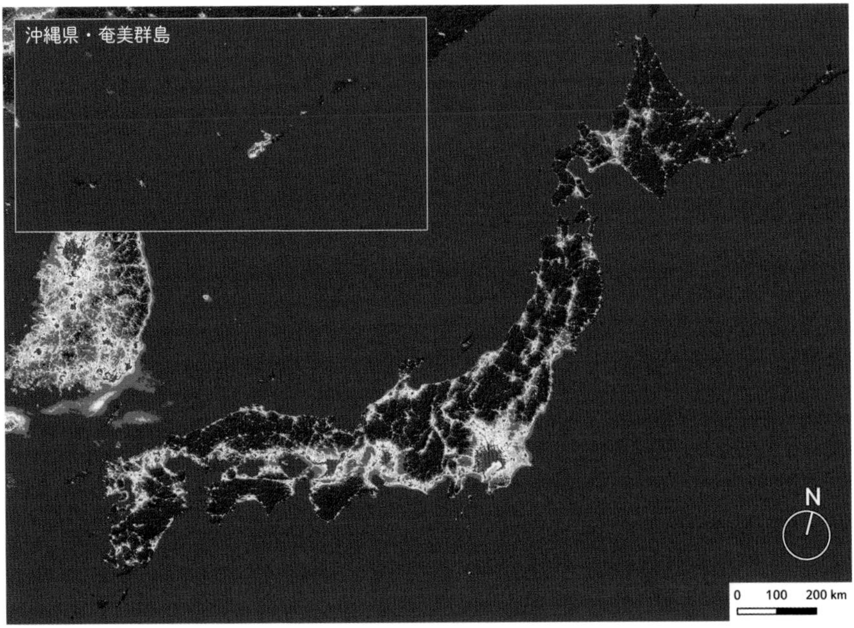


**図1**　NASAの地球観測衛星がとらえた夜の明るさ（2022年の中央値）
大都市だけでなく、海沿いや内陸の谷間も明るく光っている。人間の活動エリアがよくわかる。

| 等級(mag/□") | 目安 |
|---|---|
| 21以上 | 天の川の複雑な構造が確認でき、星団などの観測ができる |
| 20以上～21未満 | 山や海などの暗さ。天の川がよく見られる |
| 19以上～20未満 | 郊外の暗さ。天の川が見え始める |
| 18以上～19未満 | 住宅地の明るさ。星座の形がよくわかる |
| 17以上～18未満 | 市街地の明るさ。星座の形がわかり始める |
| 17未満 | 都市部の明るさ。星はほとんど見られない |

出典：環境省「令和4年度冬の星空観察」(天文愛好家団体「星空星団」による目安)

**表1** 夜空の明るさの目安

各地方を拡大してみましょう(図2～4)。地図中の四角い点は、環境省が毎年1月と8月に実施している「星空観察調査」の結果です。デジタルカメラで夜空の明るさを計測したもので、測定された等級が「1」小さくなると、夜空の明るさが約2.5倍になります(一等星が二等星より2.5倍明るいのと同じ理屈です)。それだけ星は見えにくくなります。

大都市では17～18等級(紫～赤)。冬の晴れた夜にオリオン座が見えるかどうかというレベルです。都市圏の周辺部、19等級(黄色)の場所では星座の輪郭がはっきりしてきますが、天の川が見えることはほとんどありません。20～21等級(青)になると天の川がよく見えるようになり、天候や大気の状態が良ければ、思い出に残るような満天の星空を楽しめます。

2011年に放送されたTBSのテレビ番組で、長野県の野辺山高原、岡山県井原市美《び》星町《せいちょう》、沖縄県の石垣島が「天文学者27名が選ぶ　星空がきれいな場所(日本三選星名所)」として紹介されました。確かにデータを見ても夜空の暗さが際立っています(図5～7)。

長野県では、八ヶ岳を望む霧ヶ峰高原や野辺山高原、白馬に近い鬼《き》無《な》里《さ》で毎年のように21等級を記録しています。野辺山高原には国立天文台の電波望遠鏡があり、太陽や銀河、さらには星間ガスやブラックホールまで幅広く観測していますが、肉眼で見る満天の星空も素敵です。

岡山県井原市の美星町は、以前から星空による町おこしに力を入れており、1989年には日本初の光害防止条例「美しい星空を守る美星町光害防止条例」を制定。サーチライトを禁止したり、水平以上に光が漏れないよう

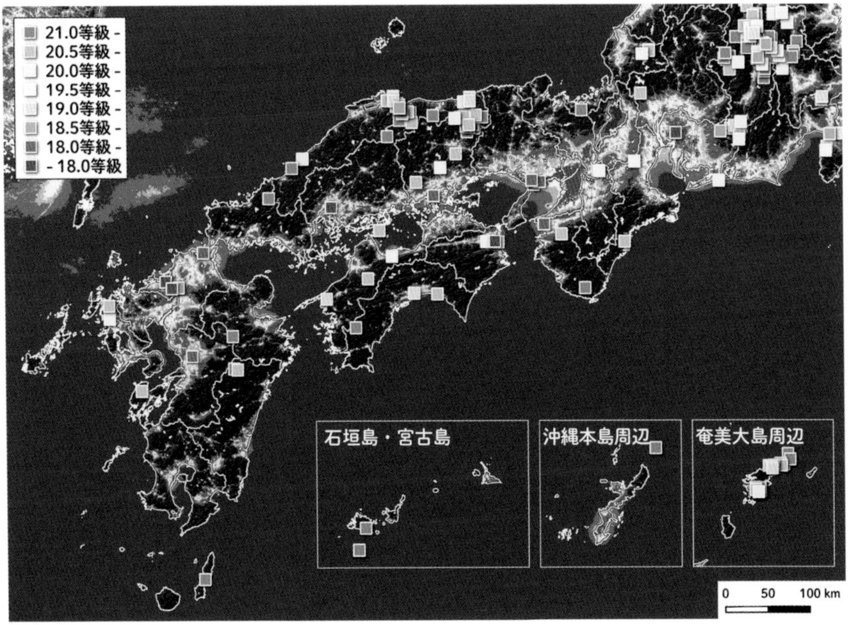


**図2** 夜の明るさ（九州～近畿地方）
環境省「星空観察調査」の結果も重ねている。青い「■」は「星がよく見えた地点」を表す。

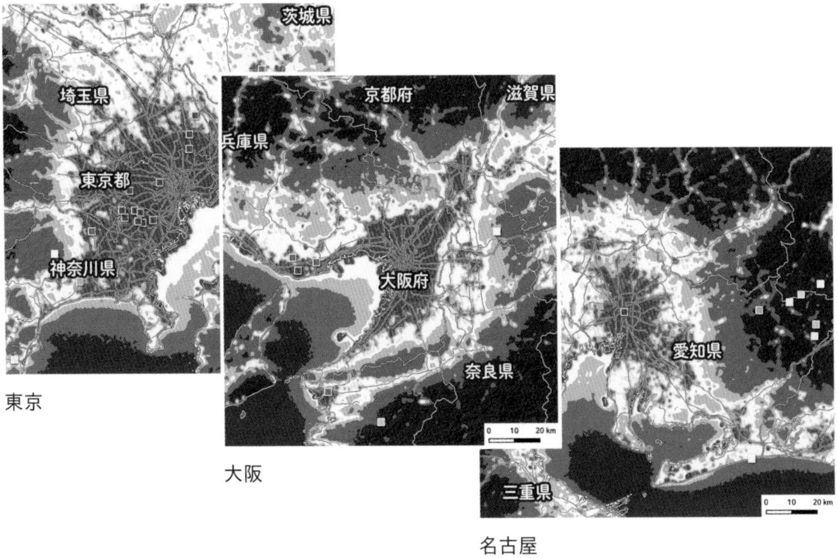


**図3** 夜の明るさ（三大都市圏）
大都市圏で満天の星空を見るのは難しい。

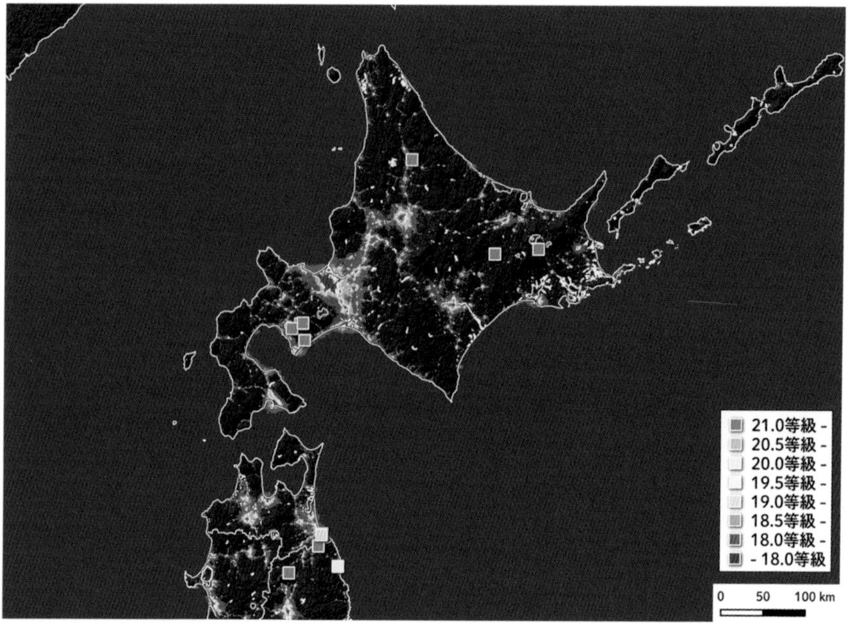


図4 夜の明るさ（東北北部～北海道）
北海道は星空スポットの宝庫。札幌近郊では定山渓（札幌市南区）やカシオペアの丘（石狩市）が人気。

に屋外照明の向きを規制したりするなど、先進的な内容が話題になりました。その後もメーカーの協力を得ながら街路灯の改良などを進め、2021年にはNPO・国際ダークスカイ協会（IDA）によって「星空保護区」に認定されました。

沖縄県の石垣島は観測データがありませんが、近くの西表《いりおもて》島や波照間《はてるま》島では21.5～22前後の等級を記録しています。これは2014年の昭和基地（南極）での観測値（約21.5等級）に匹敵します※。ひとつ注意したいのは、石垣島なら、どこでも星がきれいに見える、というわけではないこと。石垣島で星空を観察する場合、レンタカーやナイトツアーで島の北部に移動する

※：昭和基地での観測は、国立極地研究所の「南極北極科学コンテスト」の受賞作として、「海城中学高等学校地学部　夜空の明るさ研究チーム」が第55次南極越冬隊に託す形で行われました。月明かりやオーロラによって最大15.2～18.6倍も明るさが変化したとのことで、星空だけでなく、オーロラのほうも気になります。

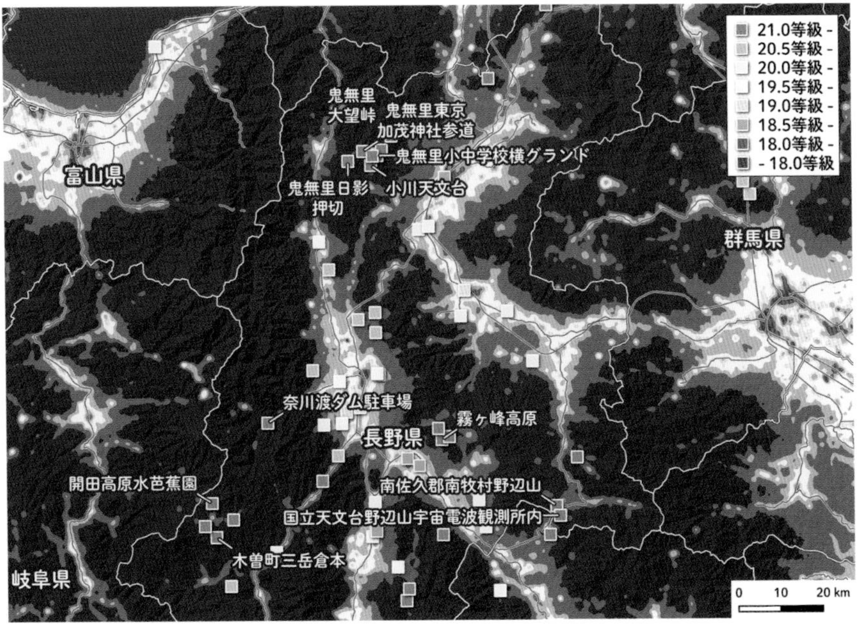


図5 夜の明るさ（長野県中部）

図6 夜の明るさ（岡山県、鳥取県）

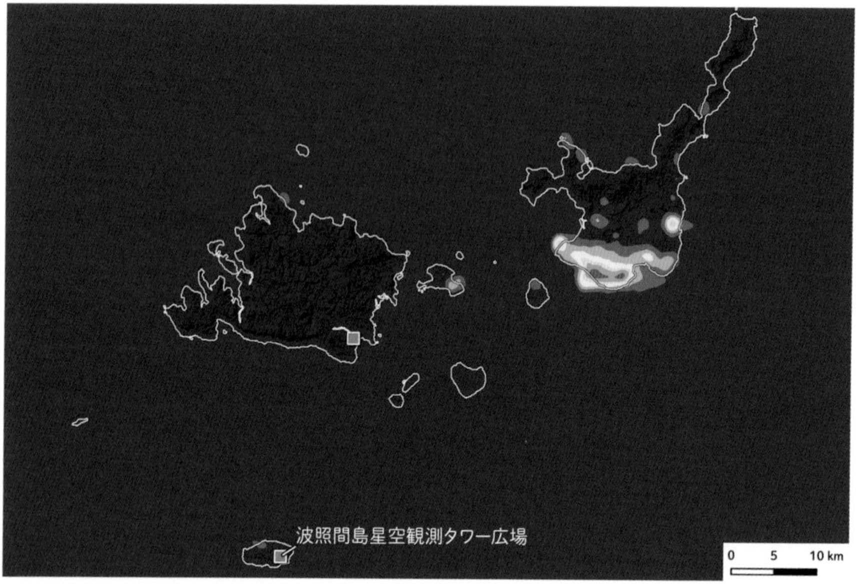


図7 夜の明るさ（石垣島、西表島、波照間島）
石垣市街地では、街の明かりで星空があまり見えない。初見の場合は現地の星空ツアーの利用がお勧めだ。

のが一般的です。

## ◎夜空が晴れやすい地域は？

ここまで、人工衛星がとらえた夜空の明るさをもとに「星がきれいな町」を解き明かしてきましたが、星の見え方を左右する条件としては、「天候」や「空気の状態（黄《こう》砂《さ》、PM2.5など）」も見逃せません。

図8は、1月、夜9時の雲量（中央値）をまとめた地図です。気象庁のスーパーコンピューターが計算した2008～2022年の計465日分の雲量を集計し、中央値が50％以上（空の半分が雲に覆われている状態）だった地域を白く着色。また、週1回以上の頻度で1mm以上の雨や雪が降った地域を水色で塗りました。

この時期、太平洋側では晴れて乾燥した日が続き、満天の星空に出会えるチャンスが高まります。一方で日本海側や沖縄では、大陸からの寒気の吹き出しを受けて天気が崩れやすく、石垣島の星空ツアーも冬場には催行

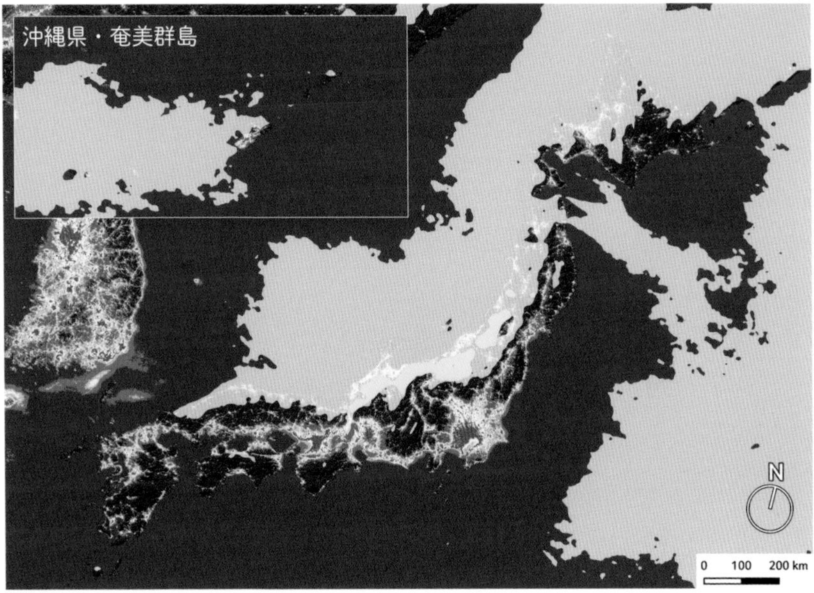


図8 1月、夜9時の雲量(中央値)
日本海側や沖縄で満天の星空を望むのは難しい。

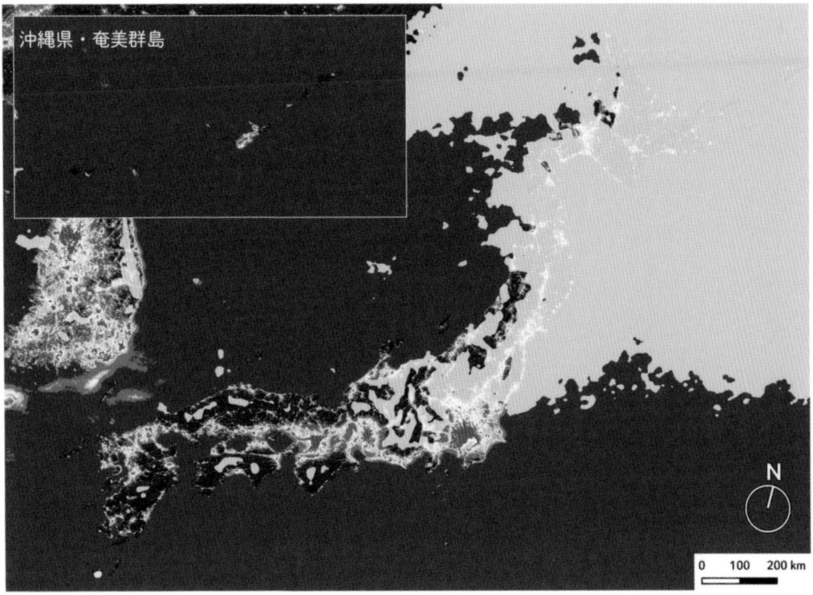


図9 8月、夜9時の雲量(中央値)
関東以北では、太平洋からの湿った風の影響で雲が広がることが多い。

率が下がります。

図9は、8月、夜9時の空です。今度は東日本、北日本に雲がかかっていますね。中部地方や関東地方の内陸では夕立が降る日もあり、星空に会えるかどうかは運次第。また、東北地方や北海道には、太平洋やオホーツク海から冷たく湿った風が吹き付けることがあり、晴天率が低くなっています。

春先には西日本を中心に黄砂で空がかすみますし、PM2.5や花粉の影響を受ける日もあります。初夏には梅雨前線、秋には秋雨前線や台風が天敵になります。遠くはるばる星空を見に来て、雨に降られた日には悲しくなってしまいますが、こうした地図を見て「そもそもすっきり晴れる日は少ない」「曇ったら宿でゆっくりできる」と「自分の期待値をコントロールするのも悪くないかな？」と、歳を取って思うようになりました。

参考①：Earth Observation Group『VIIRS nighttime lights: Annual VNL V2』(https://eogdata.mines.edu/products/vnl/)

参考②：環境省『令和４年度 夏の星空観察結果』(https://www.env.go.jp/air/life/hoshizorakansatsu/observe-4.html)

参考③：気象庁『メソモデル (MSM)』(2008年～2022年の1月、8月の毎日21時起算のデータを使用した。雲量は解析値、雨量は予測値 (T = 1) を使用)

※京都大学生存圏研究所『生存圏データベース ＞ 気象庁データ』(http://database.rish.kyoto-u.ac.jp/arch/jmadata/) より入手

Column ⑤

# 夜の明るさに見る世界のいま

衛星データから読み取れるのは「星空の美しさ」だけではありません。貧富の差、国境線に並ぶ投光器の列、戦争の傷跡……いろいろなメッセージを伝えてくれます。2022年からのウクライナ侵攻では、30～50cmという高い解像度で撮影された小型衛星の画像を各国政府や民間企業、研究者が分析し、情報が途絶えた現地の状況を把握したり、被災地のデジタルマップを作成したりといった取り組みが進められています。

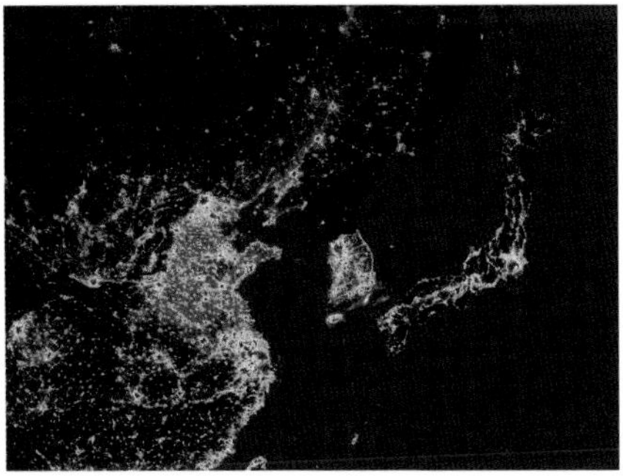

図1 東アジアの夜の明るさ(2022年の中央値)
近年の研究で、夜間光とGDP ( 国内総生産 ) には相関があることがわか ってきた。朝鮮半島の南北で明るさが異なり、貧富の差が垣間見える。また、シカゴ大学の経済学者 ルイス・マルティネス教授は、衛星画像の解析結果をもとに「一部の非民主主義国家がGDP成長率を水増ししている」と指摘し、一部の大国の公称GDPに疑問を呈している。

図2 インドとパキスタン国境の夜の明るさ(2022年の中央値)
1947年にイギリス領インド帝国が分離、独立して以来、インドとパキスタンは対立状態にある。インド側では禁制品の密輸や不法越境への対策として、国境沿いに15万個の投光器を設置しており、その様子は宇宙からも確認できる。

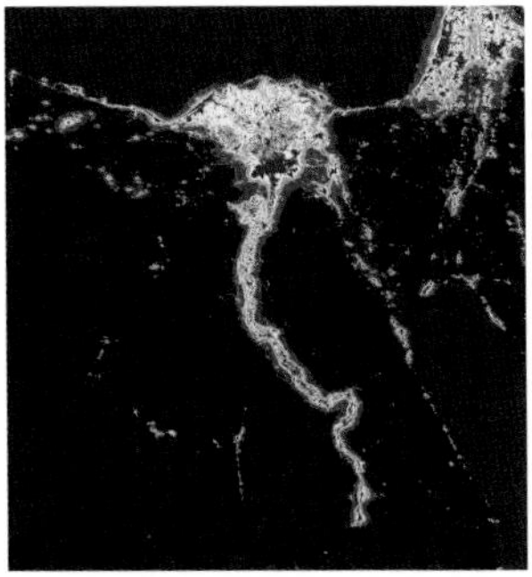

図3 エジプトの夜の明るさ(2022年の中央値)
エジプトでは人口の約85%がナイル川流域や、下流部のデルタ地帯(イチョウの葉っぱのような部分)に住んでいる。残りの空白地帯は砂漠と海だが、砂漠には油田が、海にはガス田があってGDPの約18%を稼いでいる。デルタ地帯の東側にはスエズ運河があり、その通行料だけでも約63億ドル、GDPの約1.5%にのぼる(2021年)。

4-6

# 緑が多い街を可視化してわかる「意外な共通点」

緑の多い町、少ない町を可視化してみました（図1〜4）。

緑の多さにはさまざまな定義がありますが、ここでは樹幹の被覆率、つまり空から眺めたときに、木々の葉っぱにどれだけ覆われているのかを表しています。NASAの人工衛星「Landsat（ランドサット）7」のデータをメリーランド大学（アメリカ）の研究チームが分析したもので、2009〜2011年の暖候期（樹木の生育期のピーク）の中央値です。

全国平均は65%。本州の内陸や九州南部、四国、紀伊半島などには90%以上の市区町村が広がっていますが、大都市圏やその周辺では軒並み10%以下。斜線をつけた地域では1%を切っていて、三大都市圏では大阪市生野区（0.0008%）、それ以外では山梨県昭和町（0.025%）が最下位となりました。大阪市生野区は、戦後の10年間で人口が倍増した密集市街地。昭和町は甲府市郊外に広がる農業と製造業の町で、山梨県で唯一、山のない市

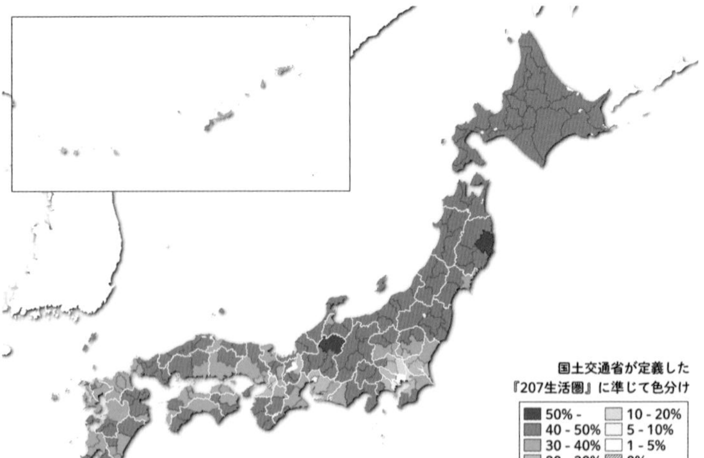


**図1** 緑の多い町、少ない町（全国）
国土交通省が定めた「207生活圏」ごとに人工衛星の観測データを集計した。

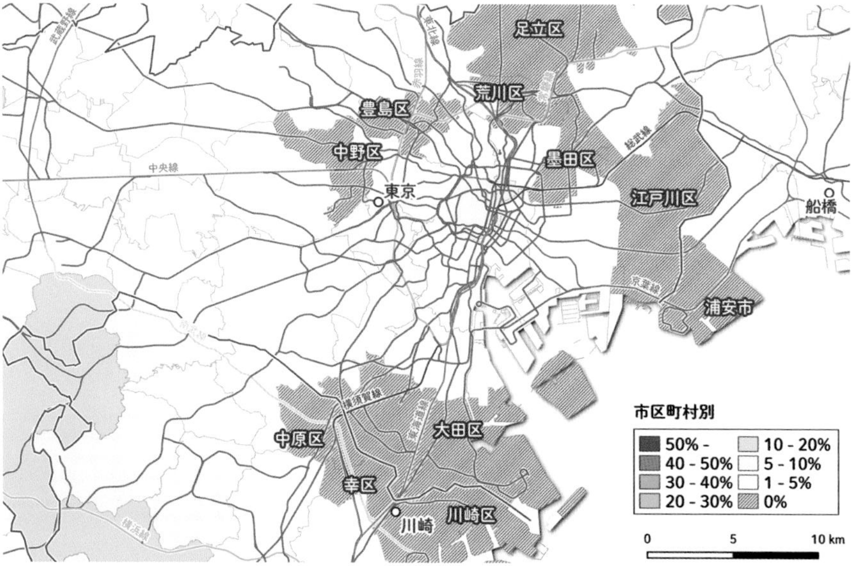


**図2** 緑の多い町、少ない町（首都圏）

人工衛星の画像から森林面積を推定したデータ。平均10%以上の地域では、暮らしの中で緑を感じるシーンが多い。

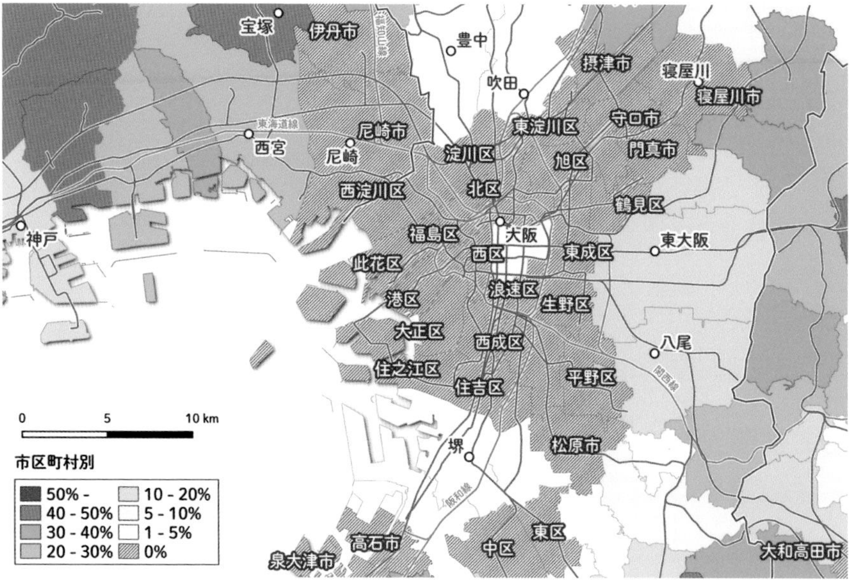


**図3** 緑の多い町、少ない町（近畿圏）

豊中市や吹田市などの新興住宅地では土地利用にゆとりがあり、都心と比べて緑がやや多め（1～5%）。

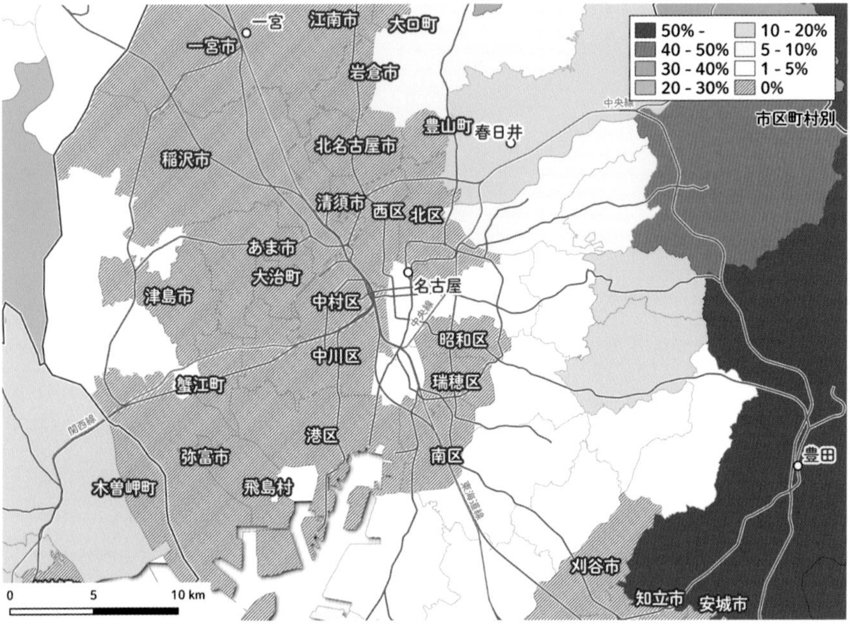


図4 緑の多い町、少ない町（中京圏）
地下鉄東山線に沿って、緑のやや多い住宅地（1～5％）が広がっている。

町村です。

今度は市区町村の縛りを外して、緑地の広がり方を眺めてみましょう（図5～8）。

NASAの人工衛星「Landsat7～9」がとらえた画像から、植物による光の反射を分析し、緑が多いと考えられる場所に色をつけています。全国の図は2012年8月の平均値、拡大図は2013～2023年の夏の間で雲にあまり覆われていない日を選んでいます。

## ◎首都圏

東京都心には皇居や神宮外苑、明治神宮、新宿御苑などの大きな森が広がっています。山手線の南半分、港区、品川区の内陸にも緑のエリアが見られますが、こちらは江戸時代に大名屋敷（主に下屋敷と呼ばれる別邸）だった場所で、明治以降に高級住宅地や大学、ホテル、結婚式場として整

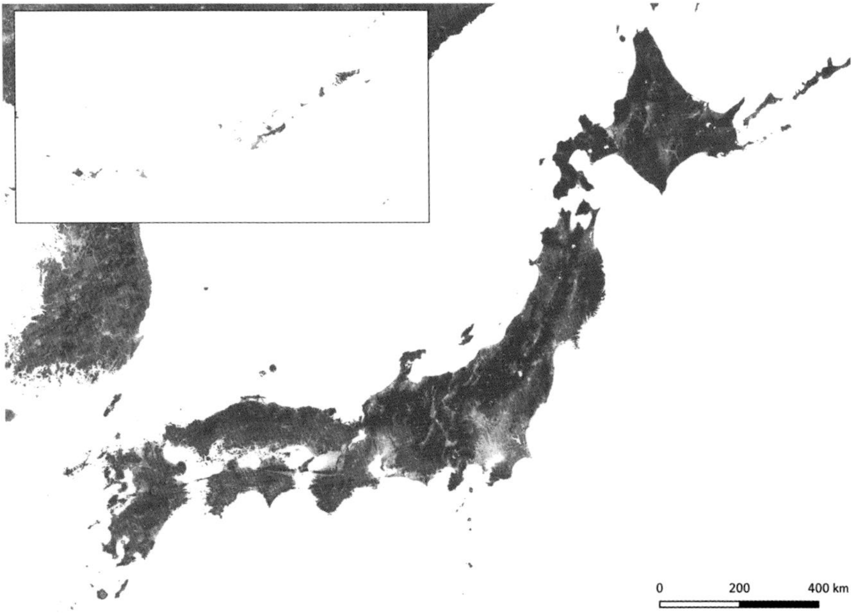


図5　人工衛星がとらえた緑地（全国）
日本の国土の約3分の2が森林に覆われている。

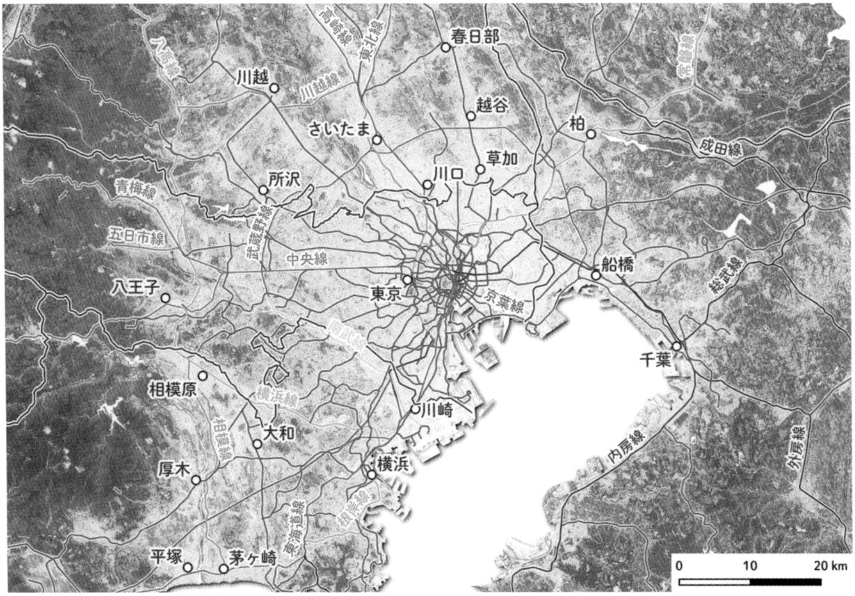


図6　人工衛星がとらえた緑地（首都圏）
鉄道に沿って宅地開発が進んだ結果、都心を中心に緑の少ないエリアが放射状に広がっている。

**図7** 人工衛星がとらえた緑地（近畿圏）

狭い平野に人口が密集していることもあり、首都圏よりも緑地率が低い。

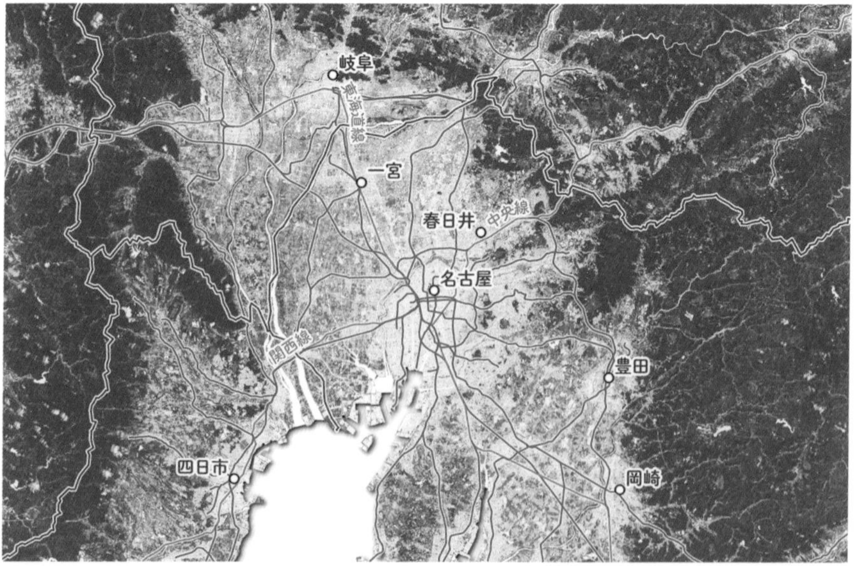


**図8** 人工衛星がとらえた緑地（中京圏）

平野を取り囲むように山林が広がっているほか、濃尾平野などには広大な田畑が見える。

備されました。山手線の内側は思いのほか緑にあふれています。

また、郊外でところどころに「緑の帯」が伸びていることに気づきます(図9)。杉並区の南部にあるのは善福寺川緑地で、川沿いに子どもの広場や野球場が整備されているほか、春にはたくさんの桜が咲き誇ります。

杉並区(高井戸)から福生市まで、「緑の帯」が続いています。赤枠で囲ってみましたが、わかりますか？　時は承応、1653年に多摩川(羽村)から江戸市中(四ツ谷)にかけて「玉川上水」と呼ばれる上水道が整備され、江戸

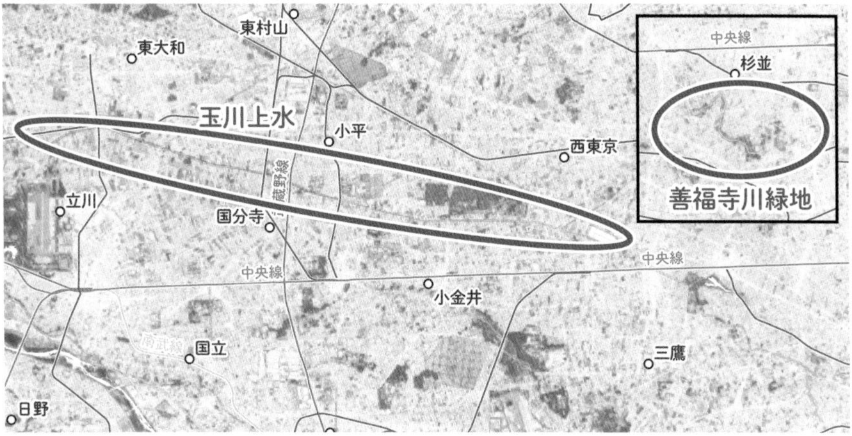


図9　人工衛星がとらえた緑地(東京都多摩地方)

図10　人工衛星がとらえた緑地(大阪)

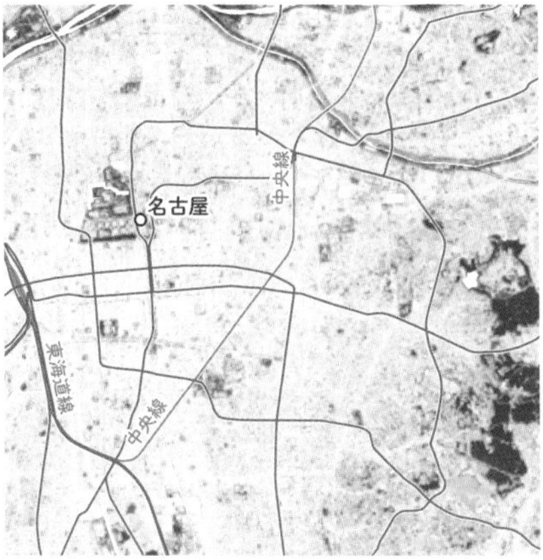


図11　人工衛星がとらえた緑地(名古屋)

の民の飲み水や武蔵野台地の農業用水として使われたのです。8代将軍・徳川吉宗の時代には幕府の命令によって約2,000本の山桜が植えられ、「小金井桜」として歌川広重や葛飾北斎の錦絵にも描かれました。現在でも緑道やせせらぎが保全され、流域の人々の憩いの場となっているのです。

## ◎大阪

大阪市は東京23区と比べると緑が少なめですが、大阪城公園や天王寺公園、長居公園などにまとまった緑地があります（図10）。また、地図では確認できませんが、市街地を南北に貫く御《み》堂筋《どうすじ》には大きなイチョウ並木がありますし、中之島公園のバラ園も市民の憩いの場となっています。

大阪環状線の南東側、天王寺区には緑の帯が南北に連なっています。上町台地の崖線《がいせん》に残された樹林、緑地です。生玉町《いくたまちょう》（生國魂神社）から夕陽丘町（大江神社）まで1kmあまりの門前町を抜けて、天王寺動物園に入っていくまでの街並みは日暮里（東京）の上野公園あたりに通じるものがある……と感じるのは、筆者だけでしょうか。このように崖線沿いに緑が連なる様子は、東京（日暮里崖線、立川崖線、国分寺崖線など）でも見ることができます。

せっかくなので、ほかの主要都市も眺めてみましょう（図11～15）。

## ◎緑地の涼しさを可視化する

ところで、夏の昼間に芝生に入ると、涼しく感じることはないでしょうか。

植物は呼吸によって水分を蒸散させていますが、この水分が気化するときにまわりの熱を奪うため、気温が少し下がるのです。その一方で、道路や建物などの人工的な表面は日射を吸収しやすく、熱をゆっくり放出する性質があるため、昼から夕方にかけて非常に熱くなります。本書に何回か出てきているヒートアイランド現象のひとつです。

緑地の涼しさはデータを見ても明らかです。

図16、17、19、20は2023年8月4日、朝10時過ぎの地表面温度※を表した地図です。この日は朝からよく晴れて、アメダスのある北の丸公園（東京都千代田区）の気温は34.4℃（朝10時）を記録していました。

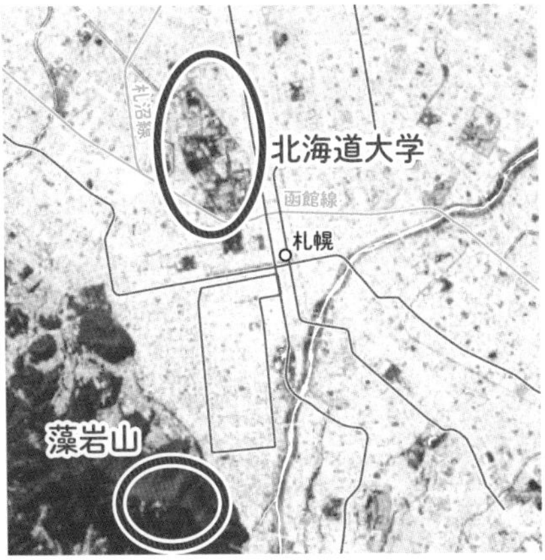


図12　人工衛星がとらえた緑地（札幌）

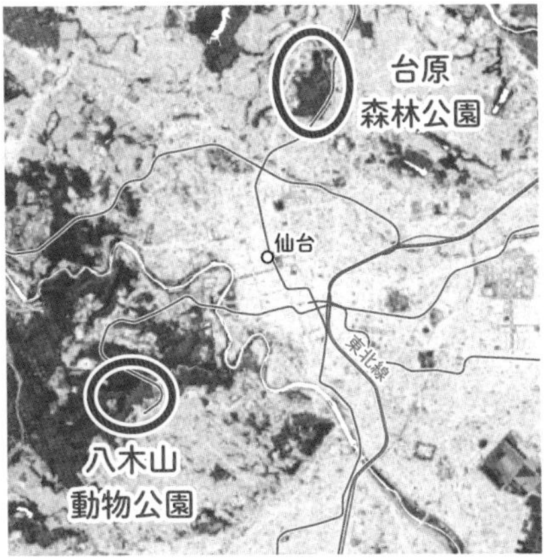


図13　人工衛星がとらえた緑地（仙台）

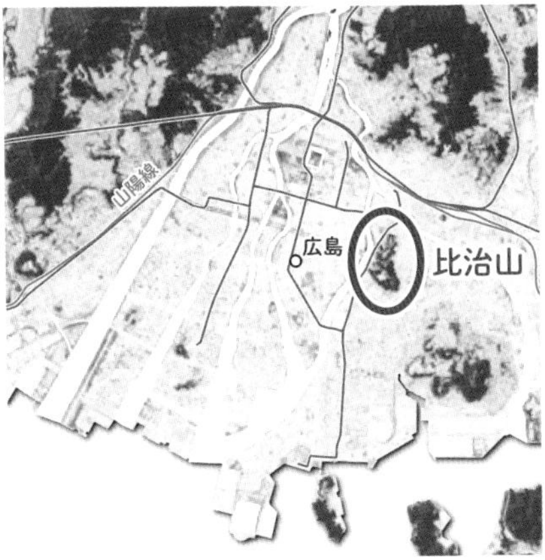


図14　人工衛星がとらえた緑地（広島）

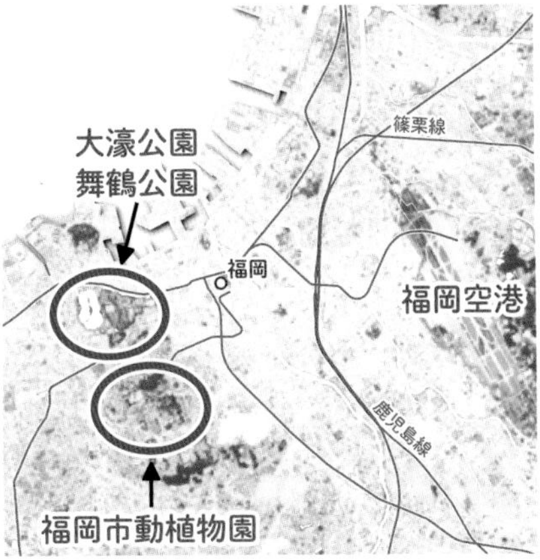


図15　人工衛星がとらえた緑地（福岡）

※：地表面温度とは、読んで字のごとく地球の表面の温度です。気温は地表から1.25～2.0m（日本では1.5m）の高さの温度です。空気よりも固体のほうが太陽からの日射を吸収しやすく、熱が伝わる速度も速いので、晴れた日中には気温より地表面温度のほうが上がりやすくなります。

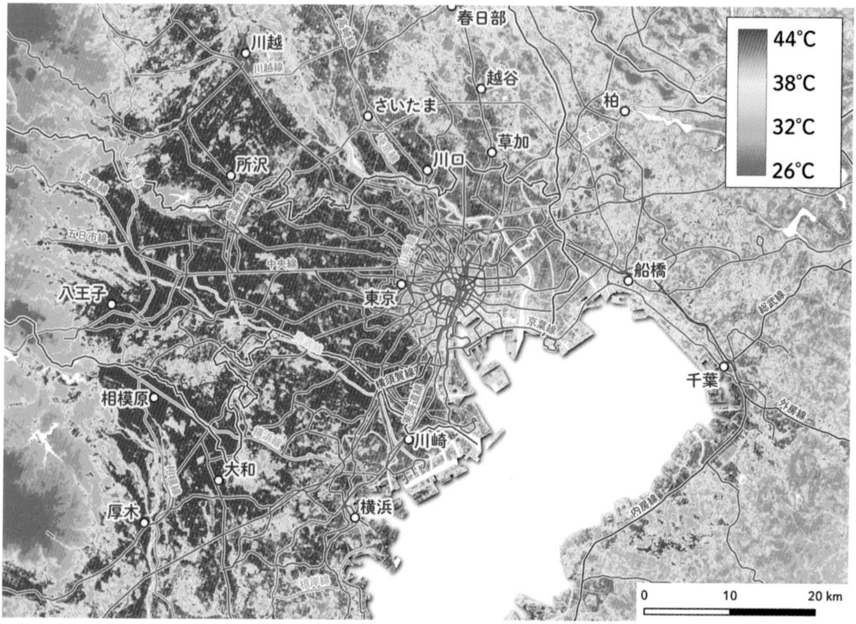


図16 人工衛星がとらえた地表面温度（東京）
アスファルトなどの舗装面や建物の屋根は地表面温度が上がりやすい。結果的に気温も高くなる。

地図を見ると、北の丸公園を含めた皇居、皇居外苑一帯の地表面温度は36〜37℃。これが東京駅周辺では42〜43℃、山手線より西側の密集住宅地では45℃を超えています。人工衛星が東京上空を通過するタイミングの関係で10時過ぎのデータしか採れないのですが、一日で一番暑くなる昼すぎには、高いところで50℃以上に達したのではないかと思われます。

改めて緑地（図18）の地図と比べると、緑が温度を下げる効果がわかります。東京都心周辺の6区（千代田区、中央区、港区、新宿区、文京区、渋谷区）では、緑地以外の地表面温度が平均41.5℃だったのに対し、緑地では平均39.6℃と、約2℃も低くなっていました。

2021年、韓国科学技術院コンピューティング学部のチャ・ミヨン教授が「都市が経済的に発展するにつれて、市民の幸福度が都市の緑地面積と直接的に関連する」という研究結果を発表しました。2019年の国内総生産

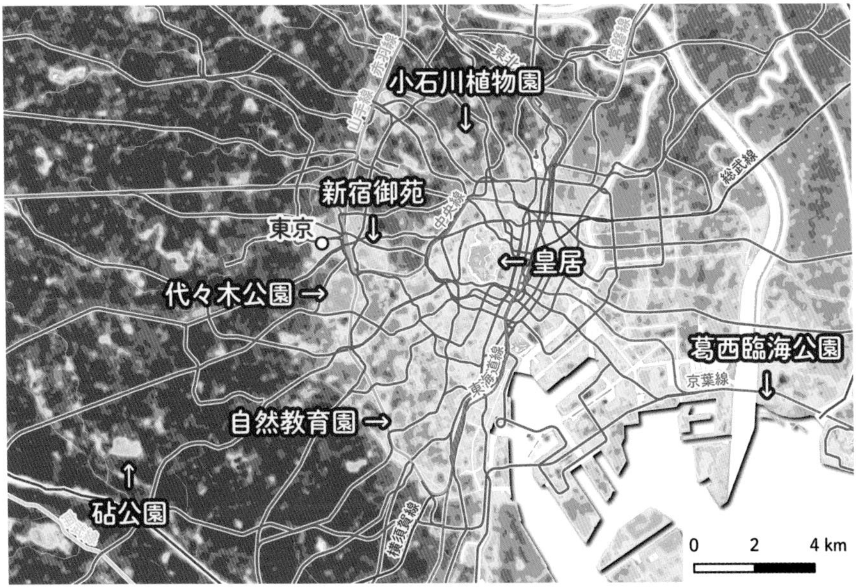


図17　人工衛星がとらえた地表面温度（東京都心）

都心周辺では海風と緑地の効果によって、地表面温度の上昇が抑えられている。

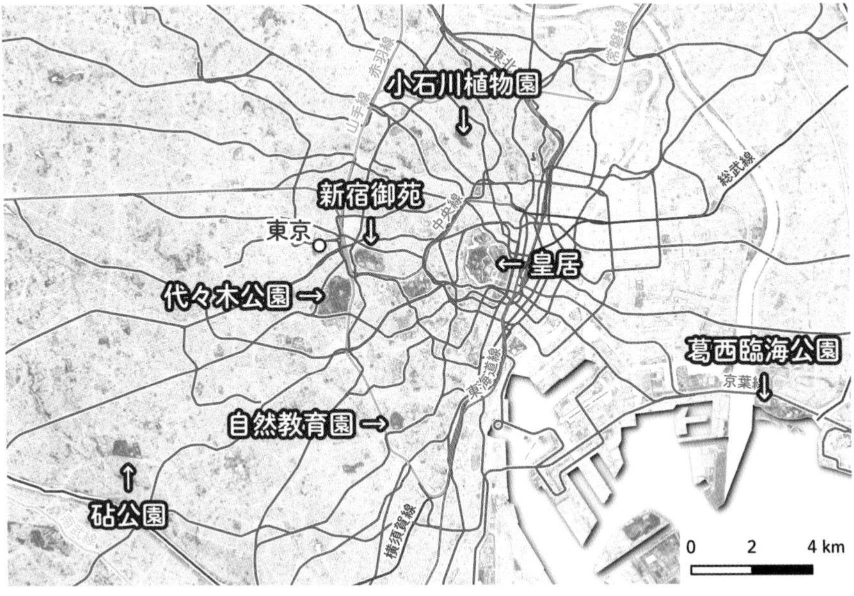


図18　人工衛星がとらえた緑地（東京都心）

山手線の内側が意外に(?)緑であふれていることがわかる。

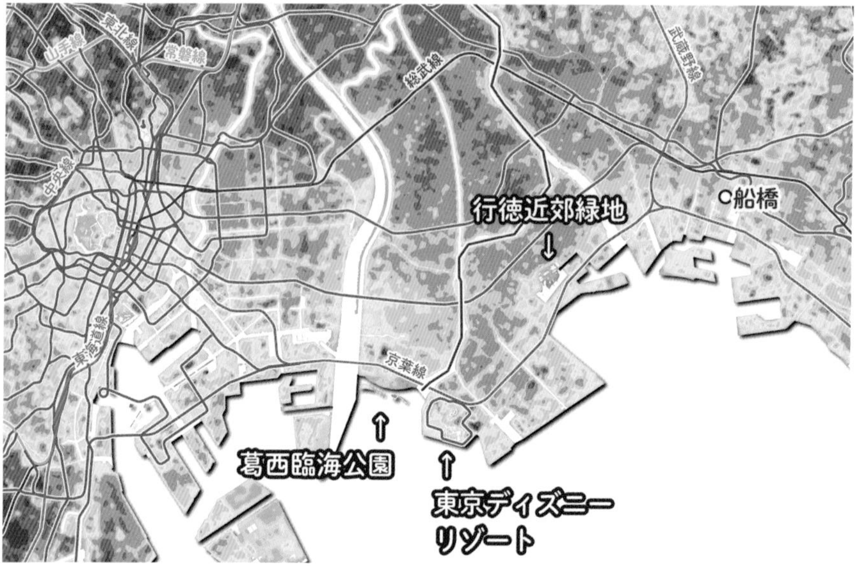


図19 人工衛星がとらえた地表面温度（江戸川区、浦安市など）
葛西臨海公園は海沿いで緑も多いため、地表面温度が都心よりも低い。東京ディズニーリゾートとの温度差が興味深い。

図20 人工衛星がとらえた地表面温度（横須賀市、三浦市など）
小網代の森では森林や湿地、干潟、さらに海に至るまで、「水循環」を構成する環境が手つかずのまま残されており、涼しい気候の中、豊かな生態系を見学できる。

(GDP)と緑地面積、国連がとりまとめた世界幸福度ランキング(World Happiness Report)を統計的に分析した結果、GDPが高い国ほど緑地面積と幸福度に強い相関が見られた、というものです。

住民目線で考えても、公園、庭園、川辺といった自然環境が近くにあると、休日の過ごし方が「豊か」になりますし、都会の灼熱地獄から逃れることができると感じます。引っ越し先やお出かけ先を探す際には、緑の多い町を意識してみるとよさそうです。

参考①：Hansen, M.C., Potapov, P.V., Moore, R., Hancher, M., Turubanova, S.A., Tyukavina, A., Thau, D., Stehman, S.V., Goetz, S.J., Loveland, T.R., Kommareddy, A., Egorov, A., Chini, L., Justice, C.O., and Townshend, J.R.G., 2013, High-Resolution Global Maps of 21st-Century Forest Cover Change: Science, v. 342, no. 6160, p. 850-853, at (http://www.sciencemag.org/content/342/6160/850.abstract)

参考②：NASA『Landsat 8/9』(NDVI(正規化植生指数)算出のために、加工の上、利用した)(https://landsat.gsfc.nasa.gov/data/)

シミュレーション

# 4-7 「首都直下地震が起きたら」①

30年以内に70%の確率で発生すると言われる「首都直下地震」。もし実際に起きたら東京はどうなるのでしょうか。首都直下地震とは、関東地方やその周辺で繰り返し発生する大きな地震の総称です。

関東地方では「どこで地震が起きてもおかしくない」ため、内閣府の中央防災会議では19通りの地震を想定。その中でも特に大きな被害が見込まれるのが「都心南部直下地震」です。この地震が「20XX年12月X日」に起きたら？

## ◎都心南部直下地震とは？

震源は品川区から大田区のあたり。震源の深さは20kmで、地震の規模を表すマグニチュードは7.3です。マグニチュード7.3というと、1995年に兵庫県・大阪府などに大きな被害をもたらした兵庫県南部地震(阪神・淡路大震災)と同じです。

よく勘違いされるのですが、ここに活断層が見つかっているわけではありません。この地震は内閣府の中央防災会議が災害対策を検討するために設定した「仮の地震」であり、震源がずれれば被害の範囲も変わってくることに注意が必要です。

## ◎都心南部直下地震の想定シナリオ

年の瀬も迫った12月X日(平日)は久々の冬晴れで、北からの風が身にしみます。17時を過ぎると外も暗くなり、東京の街は家路を急ぐ人で混み始めます。

17時58分、関東地方に置かれた複数の地震計が地震の揺れを検知し、緊急地震速報を表示(図1)。ほぼ時を同じくして、東京都心やその周辺が激しい揺れに見舞われます。

テレビ各局は通常の放送を休止して、スタジオからの中継に切り替わりますが、局によっては東京からの放送が困難になるかもしれません。NHKでは東京・渋谷の放送センターが機能を停止した場合、大阪放送局にバトンタッチして、放送を継続することになっています。

18時00分、気象庁が地域ごとの震度を発表（図2）。続いて18時02分に市区町村ごとの震度が届きます（図3）。震源が内陸にあるため、多少の潮位変動があるものの、津波による被害の心配はありません。

各地のくわしい震度を見てみましょう（図4）。

東京都心やその周辺に震度6強以上の地域が広がっています。震度の広がり方が震源から同心円状ではなく、いびつな形になっていますね。これは、地下深くの岩盤や浅いところの地盤が一様でなく、力の伝わりやすさに違いがあるためです。

首都直下地震モデル研究会（内閣府）の試算によると震度6弱～6強の地域が多くなっていますが、かつての干拓地（江東区・江戸川区・港区の一部）や、河川の堆積物が厚く積もった場所（目黒川・鶴見川・多摩川の下流）では、震度7に近い揺れ（計測震度6.25以上）が想定されています。

図1　テレビが緊急地震速報を表示

図2　テレビが地域ごとの震度を速報

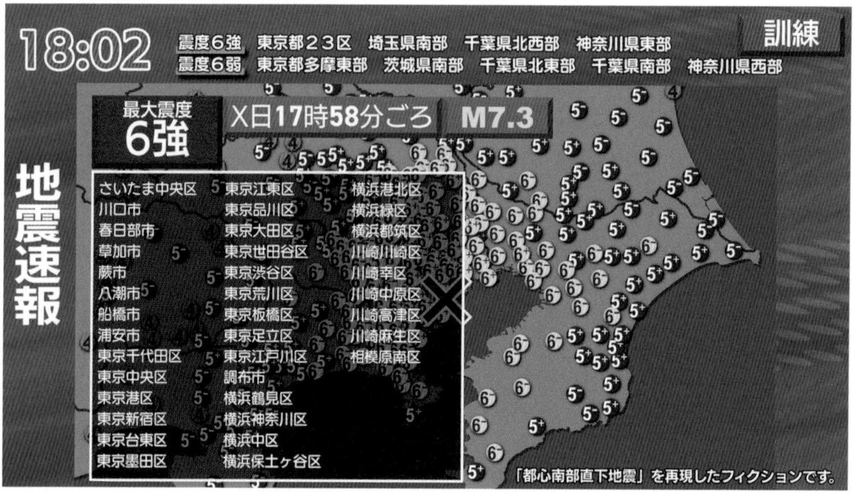


図3 テレビが市区町村ごとの震度を発表

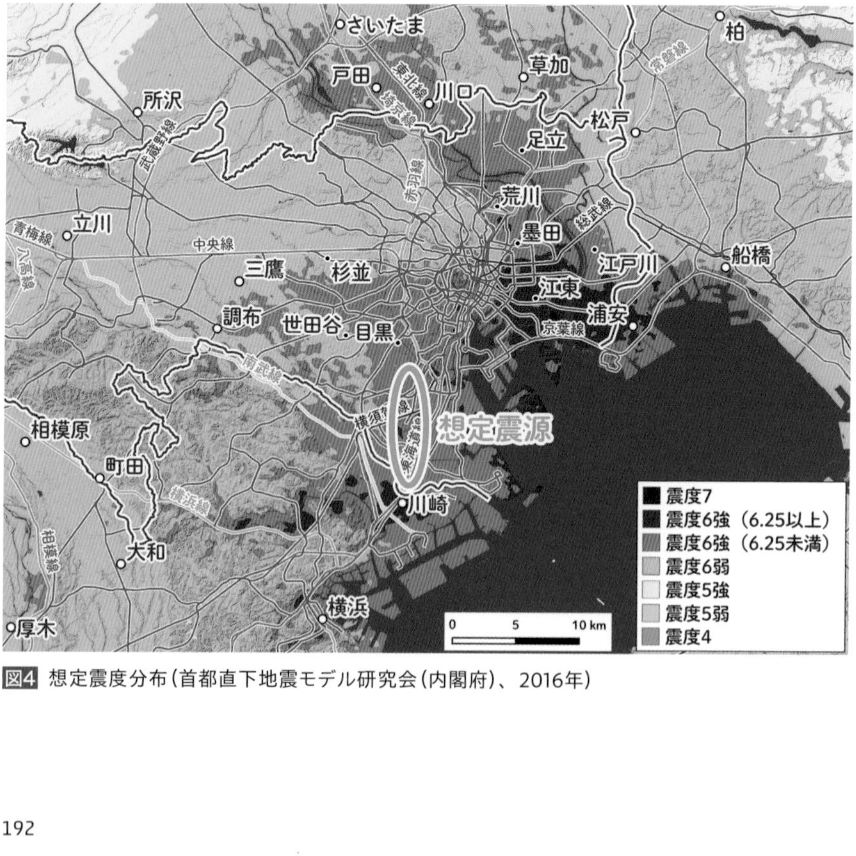


図4 想定震度分布（首都直下地震モデル研究会（内閣府）、2016年）

## ◎木造住宅を中心に大きな被害

被害の様子を見てみましょう。まず、激しい揺れによって、建物が多数倒壊（図5）。特に、耐震基準が改正された1981年以前に建てられた木造住宅は、20～30％が全壊します。鉄筋コンクリート造のビルでは被害が比較的小さくなりますが、1階に壁がなく、柱だけで支えているような建物（ピロティ構造）は倒壊するかもしれません。これは1995年の兵庫県南部地震や2016年の熊本地震でも見られた現象です。

東京湾岸の埋め立て地や川沿いでは、液状化によって家が傾くなどして、約1,500棟で居住が困難になります。2011年の東北地方太平洋沖地震（東日本大震災）では千葉県内などで住宅の破損、マンホールの浮き上がり、噴き出した砂に車両が埋もれるなどの被害が発生しましたが、さらに大規模に液状化した場合、建物や橋が海、川に落ちるような甚大な被害も予想されます。

また、各地で火災が起こります。最初の出火件数は1,000件あまりと予想されていますが、地震で建造物が倒れて細い街路が閉ざされることで、消火活動が思うように進まず、みるみるうちに延焼していきます。

公共交通機関がストップし、自宅に帰れない「帰宅困難者」が発生します（図6）。読者の中には2011年の東北地方太平洋沖地震で自宅まで歩いて帰った人もいると思いますが、周囲の建物が倒壊したり、火災が発生したりする中を、歩いて移動するのは非常に危険です。東京23区では、不燃化が進んでいるオフィス街やマンション街などを「地区内残留地区」、つまり遠方への避難が不要な地域としているので、職場や自宅などの状況を確認してみてください。

ライフラインへの影響も甚大です。都内では約12％の建物で停電、約26％で上下水道とガスの供給が止まります。もし発電所や送電線が被災したら、2018年の北海道胆振《いぶり》東部地震のように広い範囲でブラックアウトする可能性もあります。あなたは暗くて寒い夜をしのげるでしょうか。

参考：震災時火災における避難場所及び避難道路等の指定
https://www.toshiseibi.metro.tokyo.lg.jp/bosai/hinan/index.htm

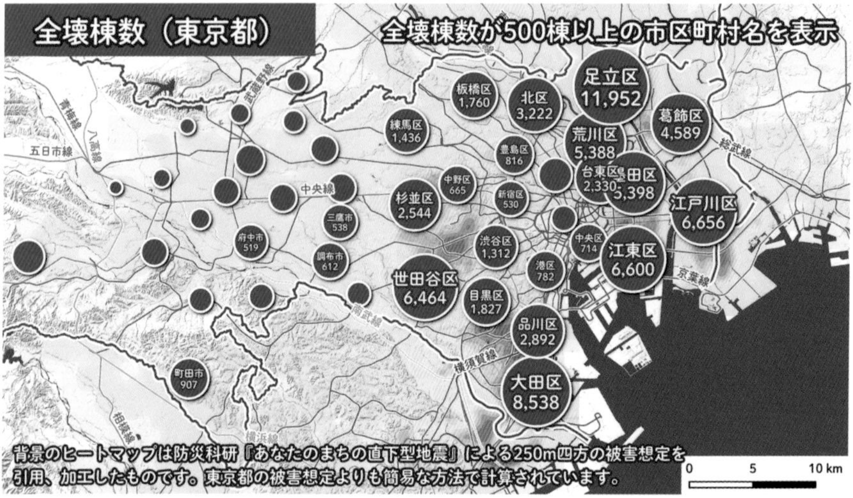


図5 東京都内 市区町村別の全壊棟数（東京都、2022年5月）

図6 東京都内 市区町村別の帰宅困難者数（東京都、2022年5月）

参考①：内閣府　首都直下地震モデル検討会『首都直下＿強震公開データ』（https://www.geospatial.jp/ckan/dataset/1301）

参考②：東京都『首都直下地震等による東京の被害想定（令和４年５月25日公表）』（https://www.bousai.metro.tokyo.lg.jp/taisaku/torikumi/1000902/1021571.html）

参考③：防災科研『あなたのまちの直下型地震』（https://nied-weblabo.bosai.go.jp/amcj/）。図7に250mメッシュの簡易被害想定（首都直下2013）を使用。

シミュレーション 4-8

# 「首都直下地震が起きたら」②

翌日のニュースでは、火災の様子が繰り返し放映されるでしょう。冬の晴れた日には強い北風にあおられて炎が広がりやすく、最終的には東京都内だけでも12万棟が焼失してしまうと考えられています（図1）。特に、23区の西側や北東側に広がる木造密集住宅地では、250m四方で100棟以上、率にして半分以上の建物が燃えてしまうところもあります。近年では延焼防止や緊急車両の通行路確保のために、延焼遮断帯と呼ばれる広めの道路の整備や、区画の整理、建て替えが進められていますが、まだまだ道半ば。次の地震に間に合うことを祈らずにはいられません。

最終的には、都内で6,148人が犠牲になると試算されています（図2）。このようなデータを地図にするのは胸が痛みます。原因としては、揺れによる建物被害が半数、火災が約40％などです。負傷者は都内だけで9万人以上、自宅の損壊などで避難する人は最大299万人にのぼると推計されます（図3）。

図1 都心を取り囲む木造住宅地を中心に、12万棟が焼失

## ◎翌日以降に何が起こるか？

東京都では地震の当日以降のタイムライン（いつ、どのようなことが起こりうるのか）を公開しています。これによると、表1のような事態が想定されています。もしもの時にどう生き残るのか、そして生き残った後にど

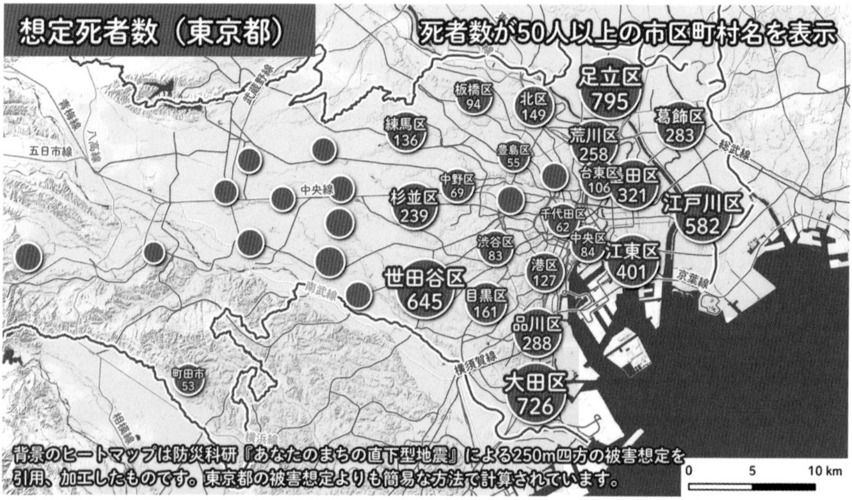


図2 東京都内 市区町村別の死者数（東京都、2022年5月）

図3 東京都内 市区町村別の避難者数（東京都、2022年5月）

うするのか。東京都が公開している防災ブック『東京防災』にそのヒントが書かれているので、ぜひ参考にしてみてください。

東京都『東京防災』（無料の電子ブック）
https://www.bousai.metro.tokyo.lg.jp/1002147/index.html

| | 被災者の生活 | インフラ・ライフライン |
|---|---|---|
| 発災直後〜1日後 | ・帰宅困難者が道路にあふれ、救命救急活動に支障<br>・停電や通信の途絶によって避難者数の把握、必要物資の把握が困難化 | ・電気、ガス、水道が停止<br>・スマホのバッテリー切れ<br>・公衆電話に長蛇の列<br>・避難所外避難者が飲食料等を取りに訪れ、物資が枯渇 |
| 3日後〜 | ・家庭内備蓄が枯渇<br>・品切れにより飲食料等の生活必需品が入手できない<br>・避難所の衛生状態が悪化 | ・復電により電気機器や配線がショートし、火災が発生<br>・燃料の枯渇により非常用電源が停止し、避難所の照明、空調、トイレが停止 |
| 1週間後〜 | ・体調不良者が続出<br>・避難所の清掃が行き届かず、気管支炎になる人が増加<br>・プライバシーや生活ルール、ペットをめぐるトラブル増加 | ・電気、ガス、水道が段階的に復旧するが、地域差あり<br>・集合住宅では給排水管の修理に時間がかかる場合も<br>・段階的に交通規制が解除 |
| 1か月後〜 | ・高齢者や既往症を持つ人などが、病状が悪化して死亡する事例も（震災関連死）<br>・生活習慣や文化等が異なる避難者たちのストレスが増大 | ・土砂災害等が発生した場合、インフラの復旧が長期化する可能性<br>・復旧工事に携わる職人や重機が不足する可能性 |

**表1** 東京都防災ホームページ『身の回りで起こり得る被害の様相』をもとに筆者が作図

参考①：内閣府 首都直下地震モデル検討会『首都直下_強震公開データ』（https://www.geospatial.jp/ckan/dataset/1301）
参考②：東京都『首都直下地震等による東京の被害想定（令和4年5月25日公表）』（https://www.bousai.metro.tokyo.lg.jp/taisaku/torikumi/1000902/1021571.html）
参考③：東京都『防災ホームページ（身の回りで起こり得る被害の様相）』（https://www.bousai.metro.tokyo.lg.jp/taisaku/torikumi/1000902/1021641/index.html）
参考④：防災科研『あなたのまちの直下型地震』（https://nied-weblabo.bosai.go.jp/amcj/）図2、3に250mメッシュの簡易被害想定（首都直下2013）を使用。

Column 6

# 関東地方は地震の「巣」

関東地方は「北米プレート」と呼ばれる陸のプレートの上に乗っています。その下には「太平洋プレート」「フィリピン海プレート」という海のプレートが沈み込んでいて、関東地方を2方向から押し込むような形で、常に力がかかっています。このような複雑な地下構造のため、関東地方は世界でも有数の地震多発地帯となっています。

これまでの研究によって、南関東ではマグニチュード8クラスの巨大地震が約200年周期で発生していることがわかっています。最近のものは1923年の大正関東地震（関東大震災）です。そのほか、過去2回の巨大地震の間（1703年〜1923年）にマグニチュード6.7〜7.3の地震が8回、平均27.5年間隔で起きています。

南関東のどこかで平均27.5年間隔で大地震が起きるとすると、次の30年間に一度以上大地震が起きる確率は、約66％と求めることができます（興味のある方は統計学の本で「ポアソン分布」を調べてみましょう）。これが「30年以内に70％」の根拠です（※ちなみに、今日からの1年間で3.6％です）。

じつは1923年以降にも、この「首都直下地震」の一種と呼べる地震が起きています。1987年に千葉県東方沖で起きた地震（マグニチュード6.7）です。房総半島や三浦半島を震度5弱〜6弱に相当する揺れが襲い、建物や道路、橋げた、盛り土などが崩れる被害が出ました（死者2名、負傷者144名）。

もし地震の規模がもう少し大きければ、人的被害が1桁、2桁増えた可能性もあります。

首都直下地震といえば「東京で」大きな被害が出るというイメージがありますが、実際にはどこで起きてもおかしくありません。東京以外にお住まいの方も、備えを忘れずに。

# 4-9 「内陸だから地震に強い」とは言い切れないワケ

世界でも有数の地震国、日本。特に日本海溝に面した東北地方、関東地方では数年おきに震度5弱～5強クラス（時には震度6強以上）の地震に見舞われています。

もし大地震が発生したら、あなたの住む町、働く町は無事でしょうか。どんな町が地震に強いのでしょうか。最新のデータをもとにひも解いてみましょう。

ひと口に「地震に強い町」といっても、いろいろな切り口があります。揺れにくさや液状化への耐性といった「地盤そのものの強さ」のほかに、揺れや火災に対する「建物の強さ」「救助のしやすさ」「ライフラインの復旧の速さ」などが挙げられます。これは予測が難しいですが、地震そのものが起きにくい町も地震に強いと言えるでしょう。

## ◎地震に対する地盤の弱さ

図1～4は地震に対する地盤の弱さ、つまり揺れの大きさ（表層地盤増幅率）を表した地図です。

地震は深さ数kmから数百kmの深い地盤の中で発生します。震源付近の断層がずれ動くことによって地震波が生じ、地下深くの硬い岩盤を伝って地表面に届くのですが、岩盤よりも柔らかい（＝密度が低い）土壌に入ると波長が短くなり、振幅が大きくなります。硬い岩盤の上端から地表までの間に地震波の振幅が何倍になるかを表したものが「表層地盤増幅率」で、浅いところの土壌の種類や厚さによって異なってきます。

全体的に、山地ほど増幅率が低く、平地ほど増幅率が高くなっています。

首都圏を拡大してみましょう（図5）。

荒川、江戸川、利根川流域の赤黒いエリアがぱっと目を引きます。

- 後背湿地（過去に繰り返した洪水によって泥がたまった場所）
- 三角州（川の河口にあり、上流から運ばれた砂や粘土が堆積した土地）

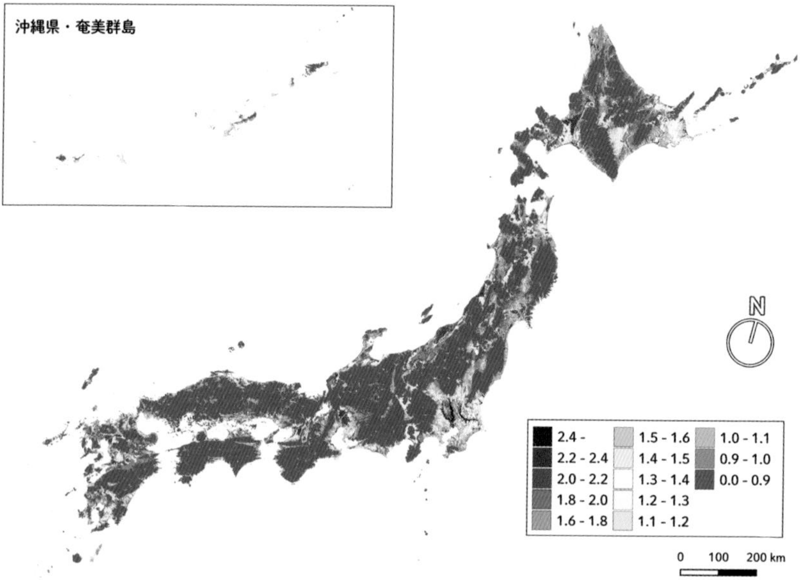


図1 表層地盤増幅率(全国)
平野部と山間部で揺れやすさに大きな違いがある。

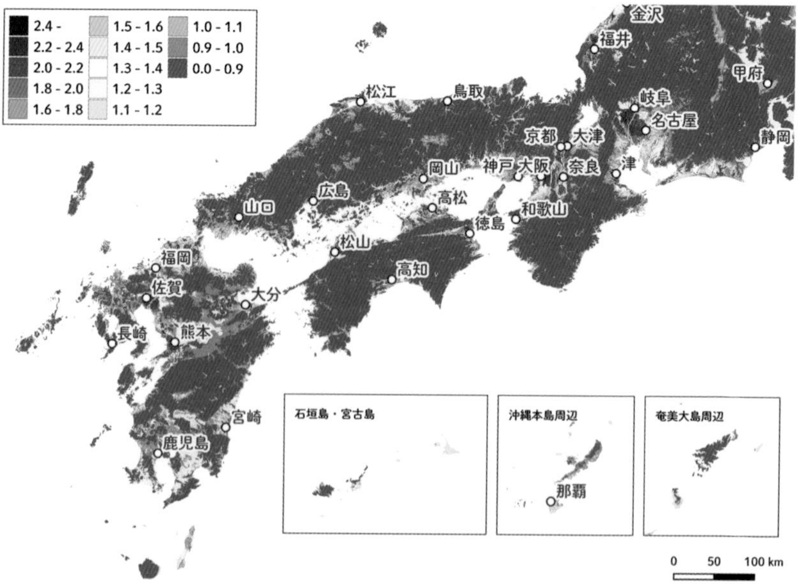


図2 表層地盤増幅率(九州～近畿)
佐賀県、熊本県、徳島県などにも揺れやすい地域が見られる(海岸低地、後背湿地)。

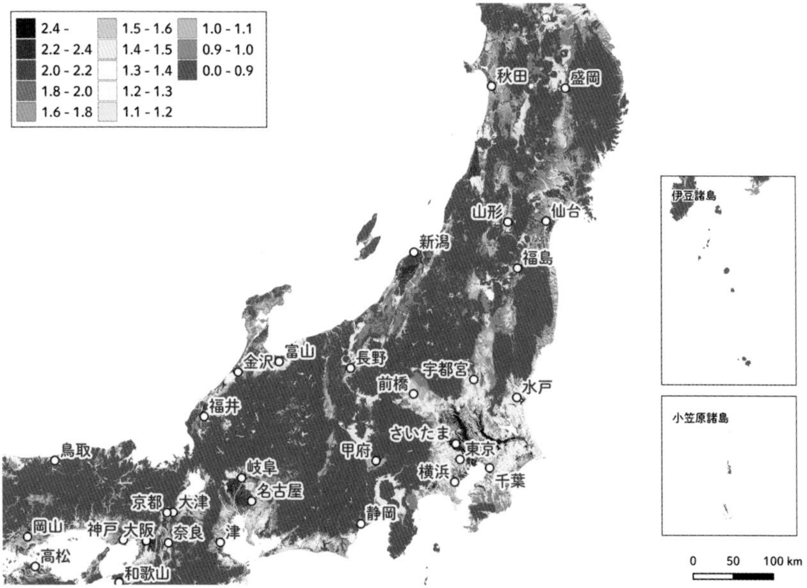


図3 表層地盤増幅率（中部～東北南部）
河川で運ばれた土砂が堆積している地域で、特に揺れやすい傾向がある。

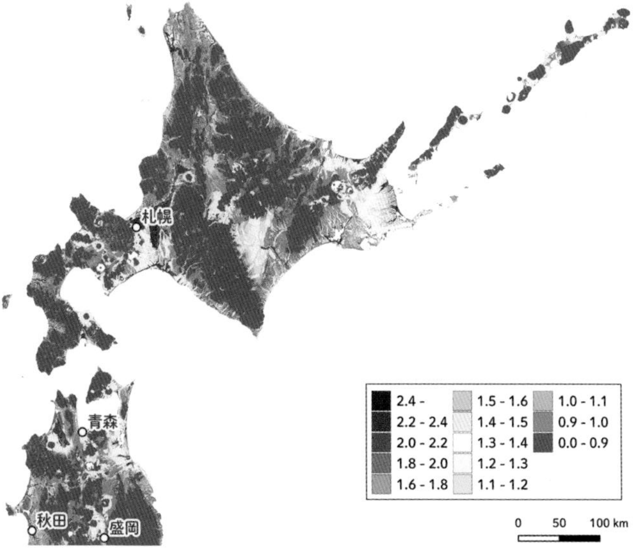


図4 表層地盤増幅率（東北北部～北海道）
2018年の北海道胆振東部地震では、札幌市北部でも震度6弱を観測した。

・海岸低地（海水面の低下によって陸地になった平坦な土地）

・旧河道（かつて川が流れていた場所で、周囲よりわずかに低いくぼ地）

これらの土壌は柔らかくて水はけが悪いため、地震の揺れが増幅されやすくなります。表層地盤増幅率は2.4～3.6前後、これは日本アルプスの強固な地盤（0.6前後）の2～3倍にあたります。震度にすると1.2～1.6の差です。

かつて、このような土地は水田として利用されていましたが、近年では宅地開発が進み、2020年には日本の人口の2割にあたる約2,580万人が住んでいます（国勢調査より推計）。

東京の海沿いに目を向けると、23区の湾岸（港区、中央区の海沿い）より東部（荒川、江戸川沿い）のほうが揺れやすくなっています。これは地表近くの地盤の違いもありますが、気候の変化による海面変動も大きく関係しています。

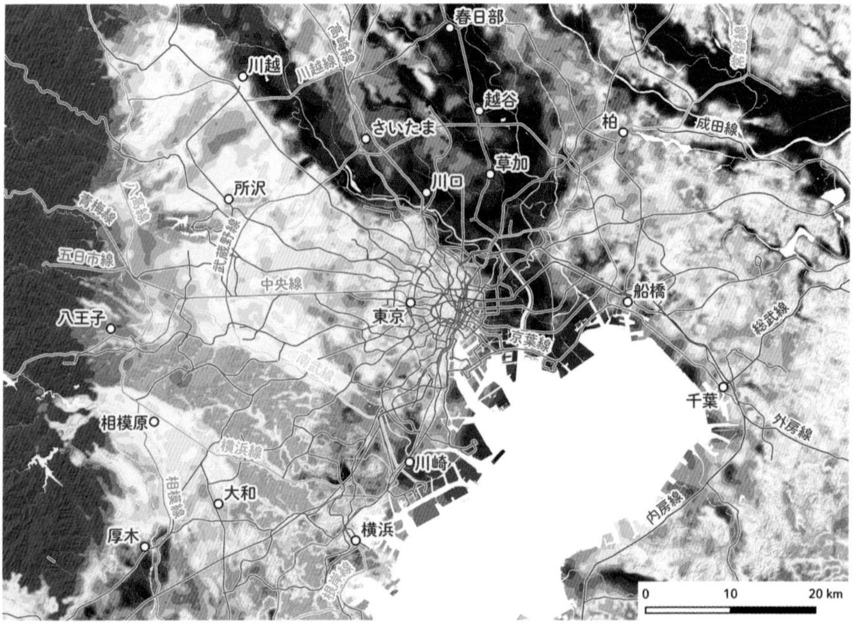


図5 表層地盤増幅率（首都圏）

武蔵野台地と荒川、江戸川沿いで違いが歴然。ただし台地の上にも揺れやすいところがある。

最終氷期のピークである約2万年前、地球の気温は現在より6～8℃ほど低く、東京湾の海岸線は三浦半島付近まで後退していました[※1]。現在の荒川の下流には、河川の侵食作用によって深い峡谷ができましたが、1万年前の間氷期にこの地域が海に沈むと、かつて谷だったところに柔らかい砂や泥がたまっていきました。こうした隠れ谷（地質学の世界では埋没谷、谷埋め地層と呼ばれます）では地震の波が増幅されやすくなるため、一見して似たような地形でも震度が大きくなります。

2011年の東北地方太平洋沖地震では、中央区勝どきでは震度5弱でしたが、隠れ谷のある荒川下流域（川口市、板橋区から江東区、浦安市にかけての地域）で、震度5強を観測しています（図6）。

※1：「ヴュルム氷期」とも呼ばれます。この時代の日本列島はドラえもんの映画『のび太の日本誕生』の舞台になっていて、劇中でも日本が大陸にくっついていました。

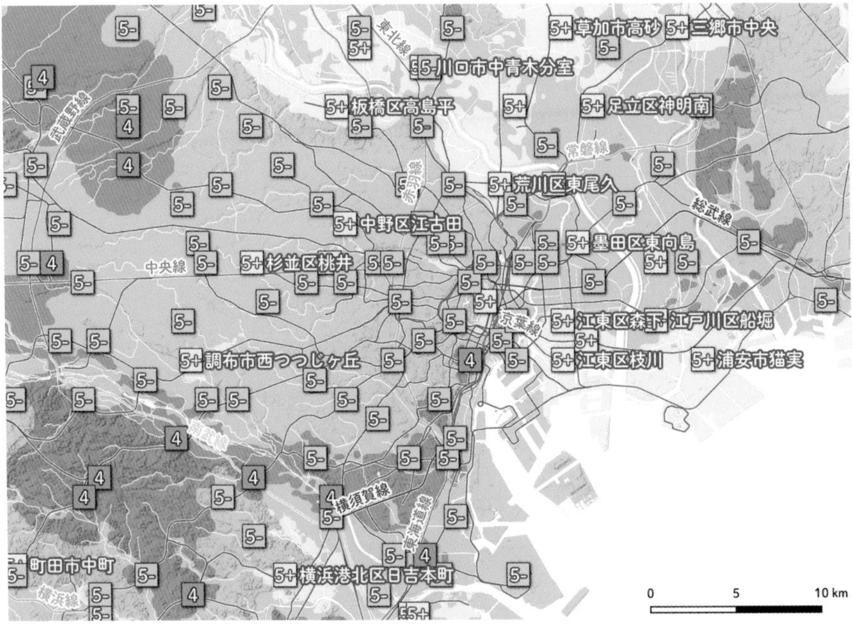


図6　2011年東北地方太平洋沖地震の震度分布（気象庁・防災科学技術研究所）
23区南西部の丘陵地と荒川、江戸川、鶴見川沿いでは、震度0.5～1の差がついた。

## ◎武蔵野台地

東京の西側、武蔵野台地が意外と揺れやすいのもポイントです。武蔵野台地は、多摩川によってつくられた扇状地（河川が山地から低地に出るところに土砂がたまってできた土地）が隆起し、その上に火山性の物質や軽石が降り積もることで形成されました。火山性の地層は目が細かくて密度が高いため、一般的には地震の揺れが増幅されにくいのですが、約13万年前の間氷期にできた古い隠れ谷が埋まっていたり、川沿いの谷や窪地に柔らかい土や枯れた植物が積もったりすることで、ところどころに揺れやすい「ホットスポット」が生じているのです。

## ◎東京都西部から三浦半島

東京都の西部から三浦半島にかけて、青い地域が続いています（図5）。これは多摩、三浦丘陵です。約70万～200万年前につくられた古い地層からなり、長年かけて雨水や河川に削られることで、たくさんの谷が形作られてきました。このエリアは地盤が固く、遠く離れたところの地震であれば比較的揺れにくいのですが、立川断層帯（東京都多摩地方）や三浦半島断層群（神奈川県東部）でマグニチュード6.5～7前後（最大震度6弱～6強）の直下型地震が心配されているので、油断は禁物です。これらの丘陵地には急傾斜地が多く、平成に入ってからも地震や大雨で土砂災害が発生しているので、ハザードマップをしっかり確認したいところです。

## ◎近畿圏

近畿圏の揺れやすさはどうでしょうか（図7）。

大阪平野は、淀川などの河川によって運ばれた大量の土砂によってできています。全体的に地盤が軟弱ですが、大阪都市圏の北部に広がる千里丘陵や、大阪市街地の東側を南北に貫いている上町台地では、表層地盤増幅率が小さくなっています。

例えば、2018年6月18日に発生した大阪府北部地震（マグニチュード6.1）では、梅田駅に近い大阪市北区茶屋町の震度計で震度6弱を観測しましたが、上町台地にある大阪管区気象台では震度4にとどまりました（図8）。

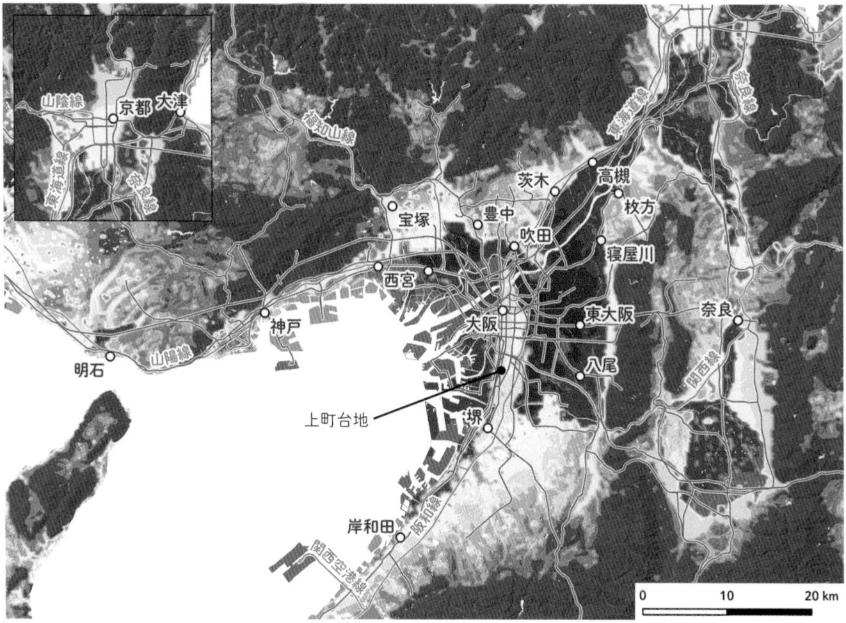


**図7**　表層地盤増幅率（近畿圏）
堺市から大阪市にかけての上町台地では、地震の揺れの増幅度がやや低い。

1995年1月17日の兵庫県南部地震（マグニチュード7.3）でも、四つ橋ランプ[※2]とJR新大阪駅[※3]で震度5強相当（非公式記録）、大阪管区気象台[※3]で震度5弱相当（当時設置されていた地震計によるもので、体感震度による公式記録は4）と差がつきました。

続いて中京圏も見てみましょう（図9）。

名古屋市の中心部に位置する熱田台地や、その東側に広がる尾張丘陵、知多丘陵では地盤が安定しています。

※2：大阪管区気象台、新大阪駅の計測震度。境有紀・纐纈一起・神野達夫（2003）：建物被害率の予測を目的とした地震動の破壊力指標の提案、日本建築学会構造系論文集、No.555、85-91.

※3：四つ橋ランプの計測震度。山口直也・山崎文雄（1997）：1995年兵庫県南部地震の建物被害率による地震動分布の推定、土木学会論文集、No.612、Ⅰ-46、325-336.

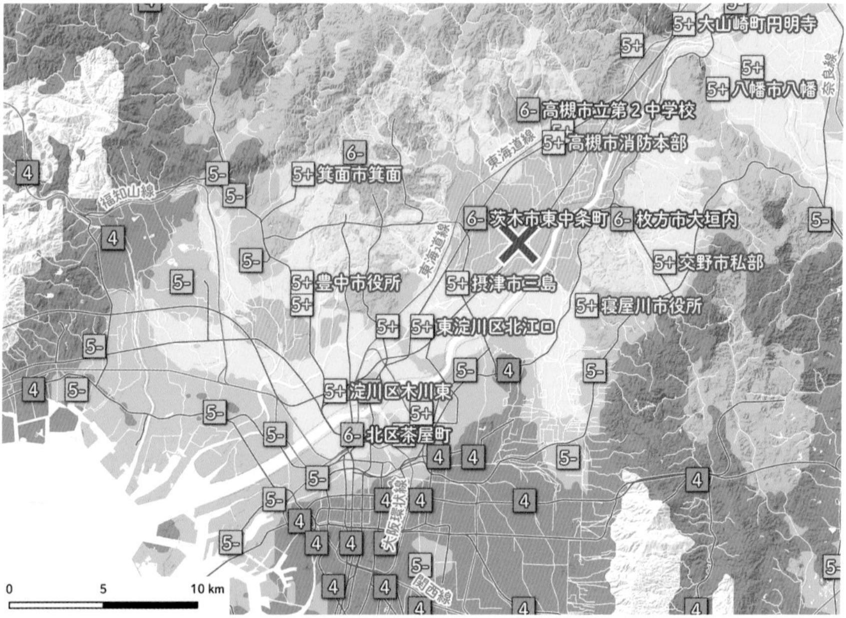


図8 2018年大阪北部地震の震度分布

震度分布が同心円状にならず、地盤の強弱に左右されていることがわかる。

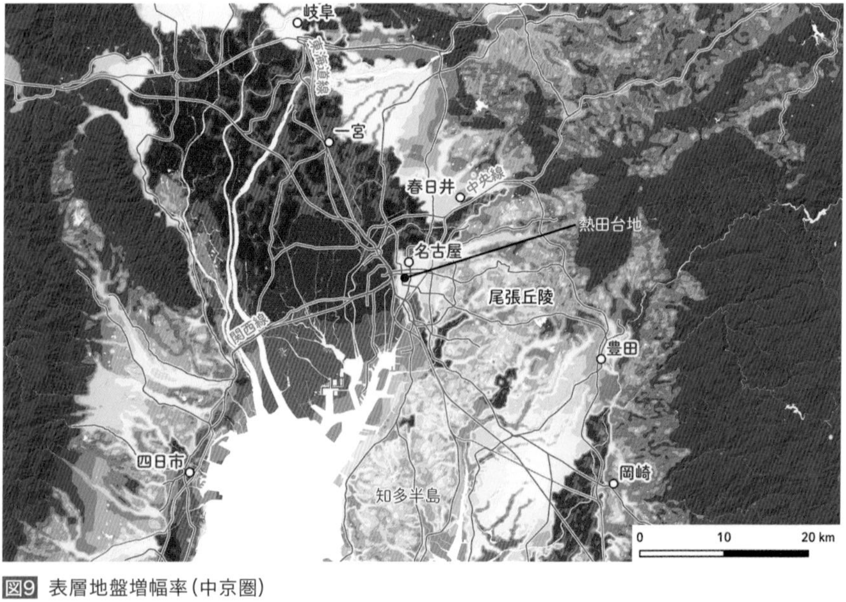


図9 表層地盤増幅率（中京圏）

濃尾平野と尾張丘陵、知多半島の地盤の違いが目立つ。

## ◎長周期地震動や液状化現象にも要注意

大きな地震が発生すると、ガタガタという周期の短い揺れのほかに、「長周期地震動」と呼ばれる周期の長いゆっくりとした揺れが被害をもたらすことがあります。例えば、2011年の東北地方太平洋沖地震では、仙台市内や首都圏で、高層ビルの家具や什器が倒れて負傷者が出ていますし、大阪市内でもエレベーターに人が閉じ込められたり、内装材や防火扉が破損するなどの被害が発生しています。

また、総務省消防庁の調べによると、石油タンクの中の液体が振動する「スロッシング現象」によって、10都道県、64か所で浮き屋根の破損や火災などの被害が出ています。

もし、1923年の大正関東地震（関東大震災の原因となった地震）とまったく同じ地震が再発した場合、首都圏や群馬県などの広い範囲で長周期地震動階級「3」、つまり高層ビルの中では立っているのが困難になるような揺れが予想されています（図10）。

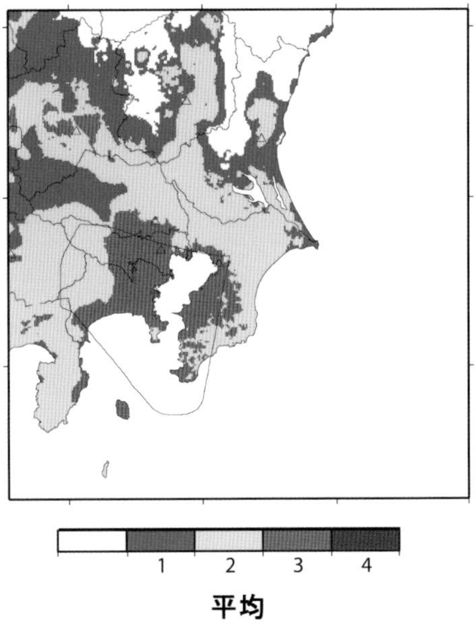


図10　大正型関東地震における長周期地震動予測マップ
地震本部『長周期地震動評価 2016年試作版—相模トラフ巨大地震の検討—』図4.10「長周期地震動階級の分布」より引用。

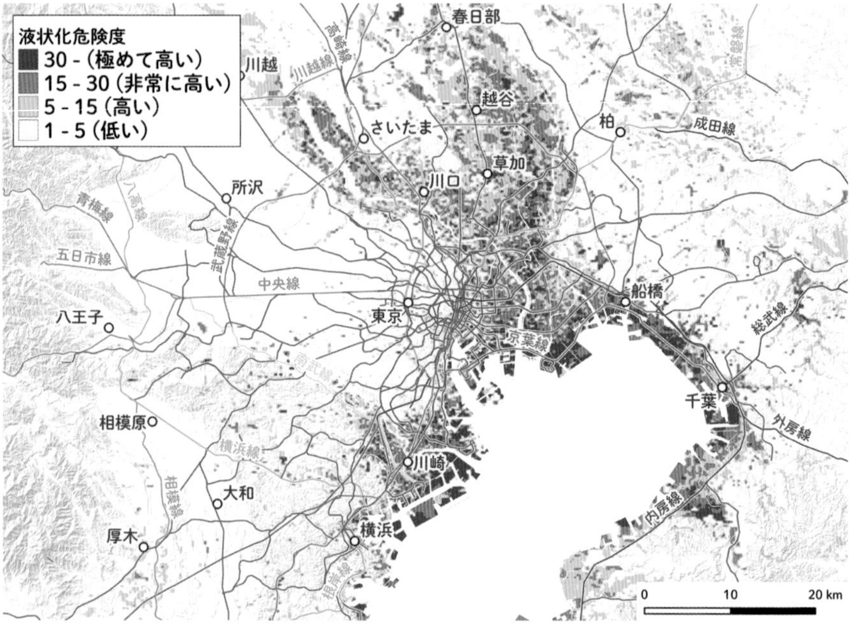


**図11** 大正型関東地震における液状化予測マップ

液状化現象は自然堤防、旧河道、埋立地などで発生しやすい。

現在のところ、長周期地震動によって堅牢な高層ビルが倒壊することはないと考えられていますが、家具に挟まれるなどの人的被害や、石油コンビナートでの大規模火災が心配されています。

また、地震の揺れによって土の粒子の結合がなくなり、地盤全体が液体のような状態になってしまう「液状化現象」も懸念されています。2011年の東北地方太平洋沖地震では東京湾岸や荒川、利根川沿いで、液状化によって家が傾くといった被害が発生していますし、首都圏でマグニチュード7クラスの大地震が発生した場合、2011年よりも広い範囲で液状化現象が生じると考えられています（図11）。

ここまでいくつかの観点で地盤の強さ、弱さを見てきましたが、単純に「海沿い、川沿いはすべて危険」「内陸は安全」とは言い切れないことがおわかりいただけたのではないでしょうか。土地の歴史を知り、どのような

“種類”と“規模”の被害が想定されるのかを知っておけば、災害に対してより効果的な備えができると思います。

参考①：防災科研『地震ハザードステーション（地盤情報）』(https://www.j-shis.bosai.go.jp/download)

参考②：総務省消防庁『東日本大震災を踏まえた危険物施設等の地震・津波対策のあり方に係る検討会 報告書』(https://www.fdma.go.jp/singi_kento/kento/kento236.html)

参考③：地震本部『長周期地震動予測地図』(https://www.jishin.go.jp/evaluation/seismic_hazard_map/lpshm/)

4-10

# なぜ「災害予測エリアの人口」が増えている？

「日本国民の30％以上が床上浸水のリスクがあるところに住んでいる」——と聞いたら、皆さんはどう感じるでしょうか。

図1～4は、国土交通省のWebサイト「国土数値情報」で公開されている主要河川のデータ※1をもとに、「1000年に一度の大雨が降った場合に50cm以上の浸水が想定される地域と、そこに住む人たちの総人口に占める割合を可視化したもの」です。大きな川沿いに限らず、平地の多くに色がついていることがわかると思います。この地図を2020年国勢調査の結果と重ねて分析した結果、浸水リスクのあるところに約4,030万人もの人々が住んでいることがわかりました。

拡大図（図5～7）を見ると、大きな川のそばだけでなく、平野や盆地の広い範囲に色がついていることがわかります。赤い色は想定される浸水の深さが3m以上のエリアで、もし本当にこの深さまで水がくれば、マンションの1階は完全に水没し、一戸建ては建物ごと流されるかもしれません。このような赤いエリアにも全人口の10％近くの約1,210万人が住んでいます（図8～10）。

首都圏では浸水の深さが50cm～3m未満の黄色いエリアが毛細血管のように広がっていますね。これらは武蔵野台地を流れる中小河川です。埼玉、東京、神奈川の内陸に広がる武蔵野台地では、地下を流れてきた水があちこちで湧き水となって流れ出て、迷路のような河川網を形づくってきました。

※1：2015年に水防法が改正され、国と都道府県が管理する2,203河川を対象に「洪水浸水想定区域（想定最大雨量）」の指定が義務付けられました。2023年3月までに1河川を残して指定が完了しましたが、インターネットでのデータ公開は道半ばで、愛知県、京都府、奈良県ではやむを得ず2012年の古いデータ（100～200年に一度の雨を想定したもの）を使用しました。また、浸水想定の計算が義務付けられていない小さな河川もたくさんあります。冒頭に浸水リスクエリアの人口は「30％以上」と書きましたが、実際にはもっと多くの人が浸水リスクと隣り合わせなのかもしれません。

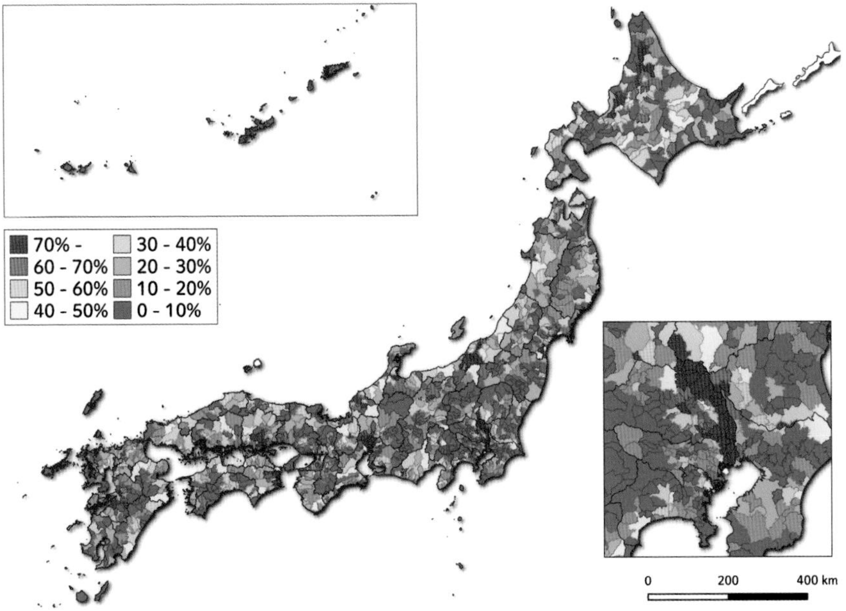


図1　1000年に一度の大雨が降った場合に、50cm以上の浸水が見込まれる地域の人口割合（市区町村別）。

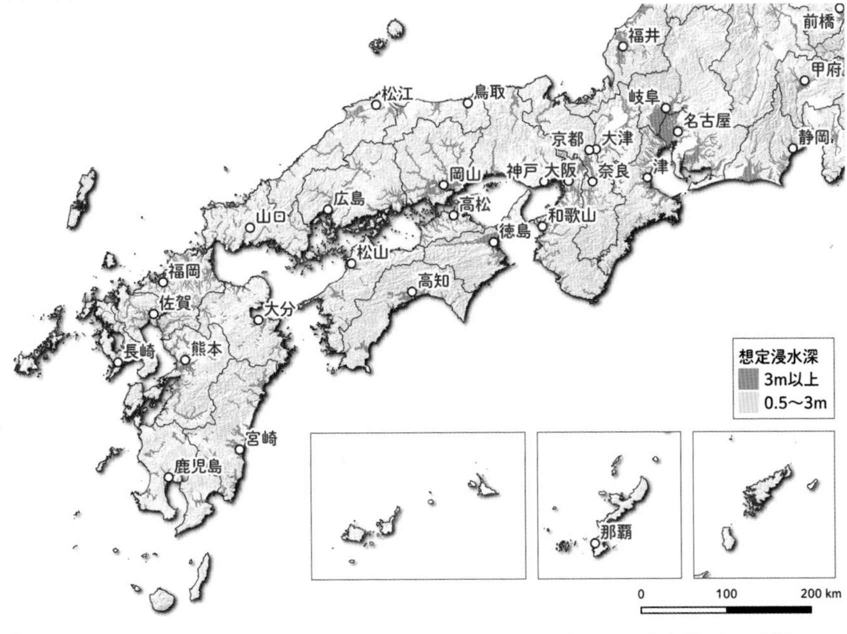


図2　1000年に一度の大雨が降った場合に50cm以上の浸水が想定される地域（九州～近畿）

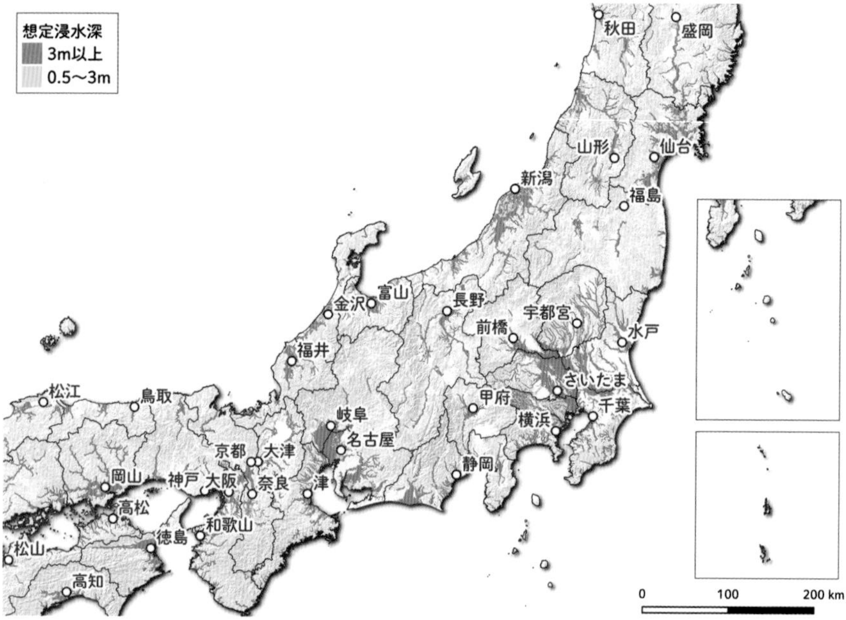


図3 1000年に一度の大雨が降った場合に50cm以上の浸水が想定される地域（中部〜東北南部）

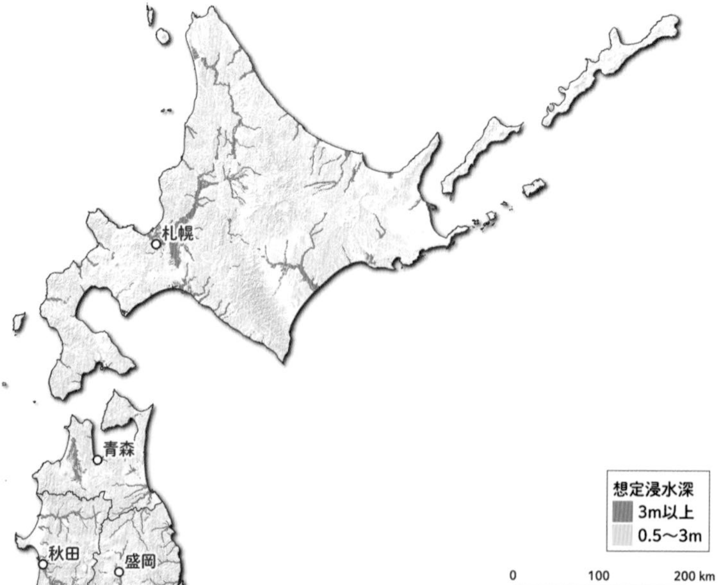


図4 1000年に一度の大雨が降った場合に50cm以上の浸水が想定される地域（東北北部〜北海道）

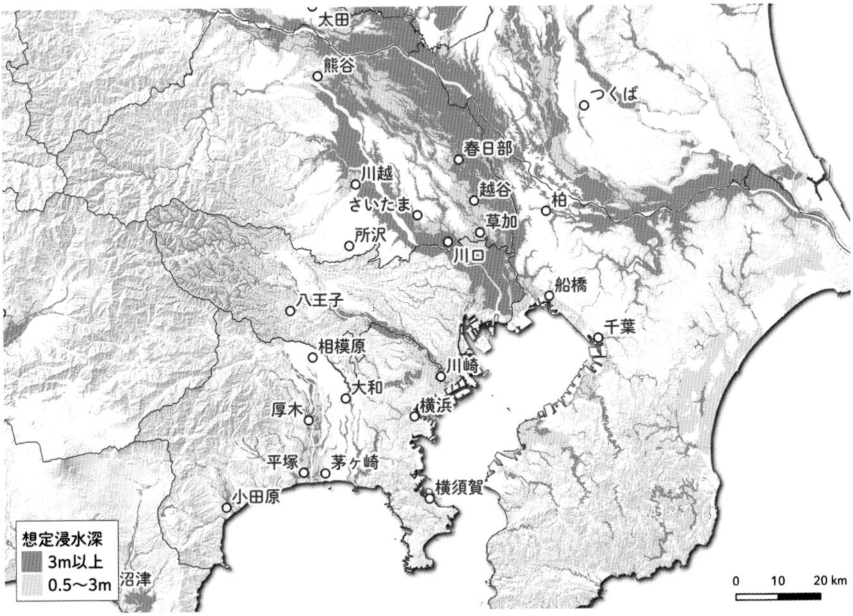


図5　1000年に一度の大雨が降った場合に50cm以上の浸水が想定される地域（首都圏）

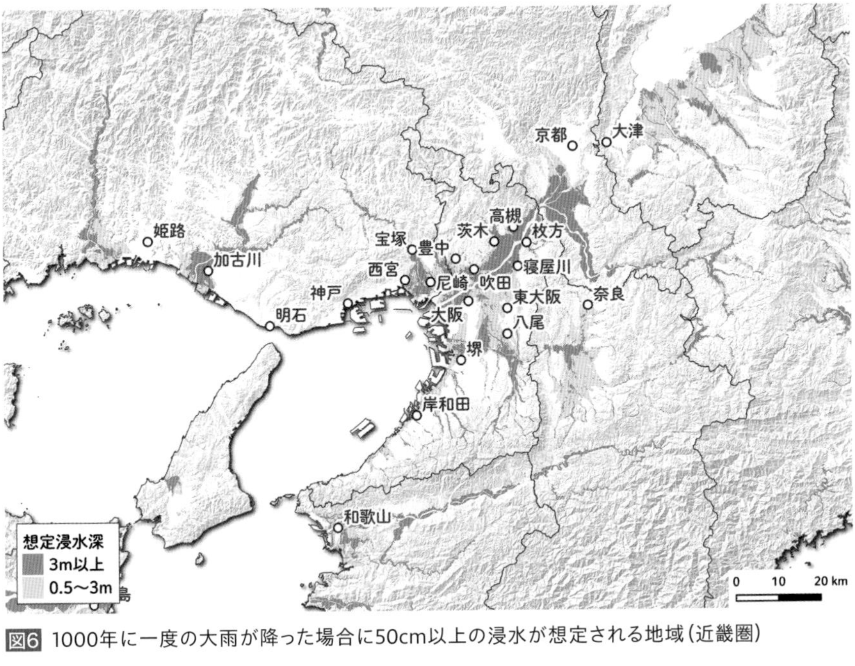


図6　1000年に一度の大雨が降った場合に50cm以上の浸水が想定される地域（近畿圏）

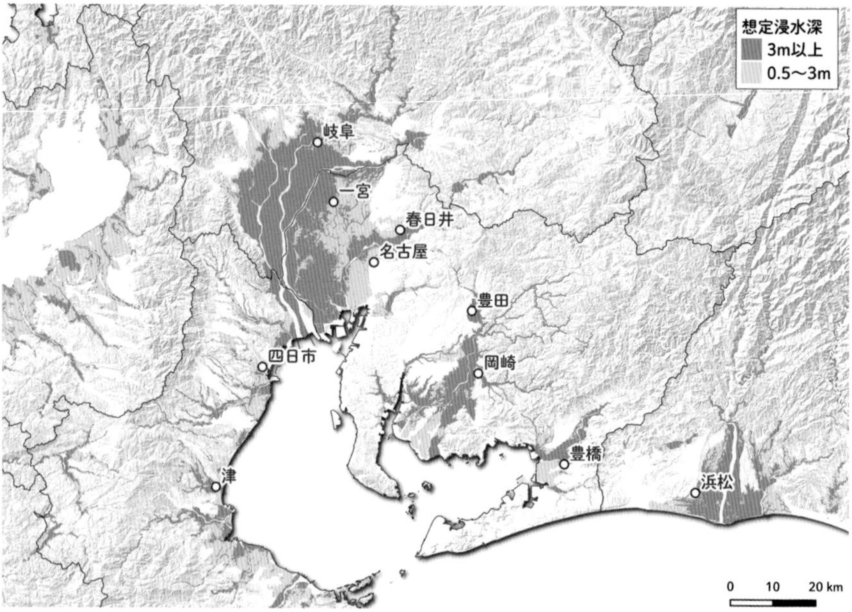


図7 1000年に一度の大雨が降った場合に50cm以上の浸水が想定される地域(中京圏)

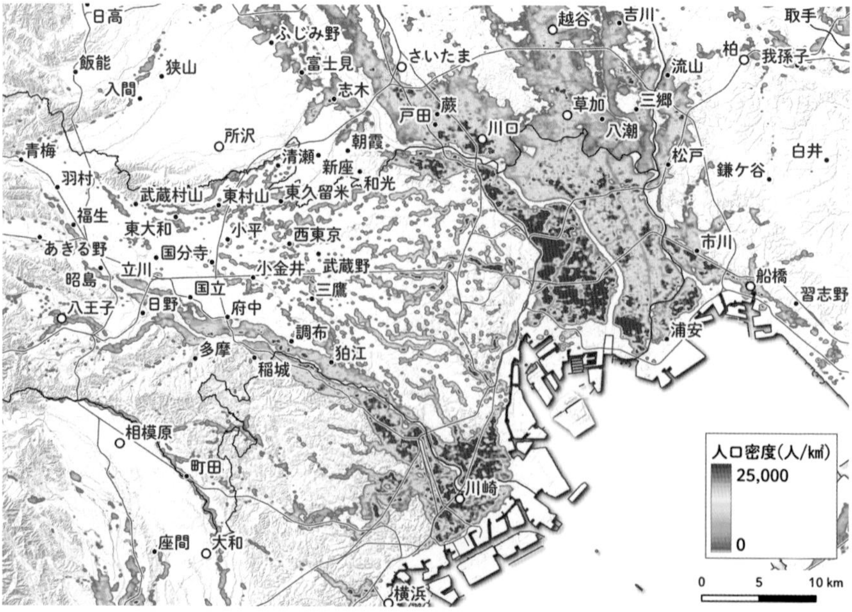


図8 1000年に一度の雨で50cm以上の浸水が想定される区域の人口(東京)

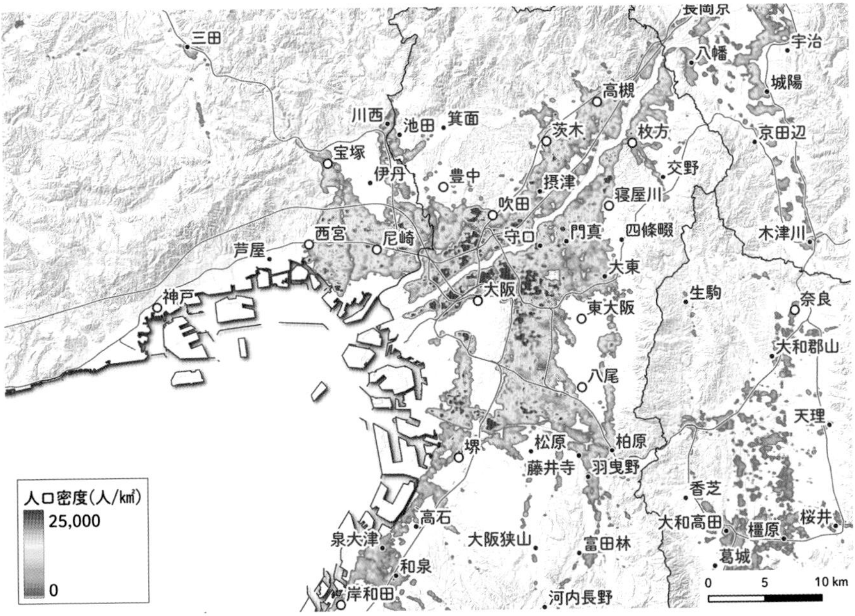


図9 1000年に一度の雨で50cm以上の浸水が想定される区域の人口（大阪）

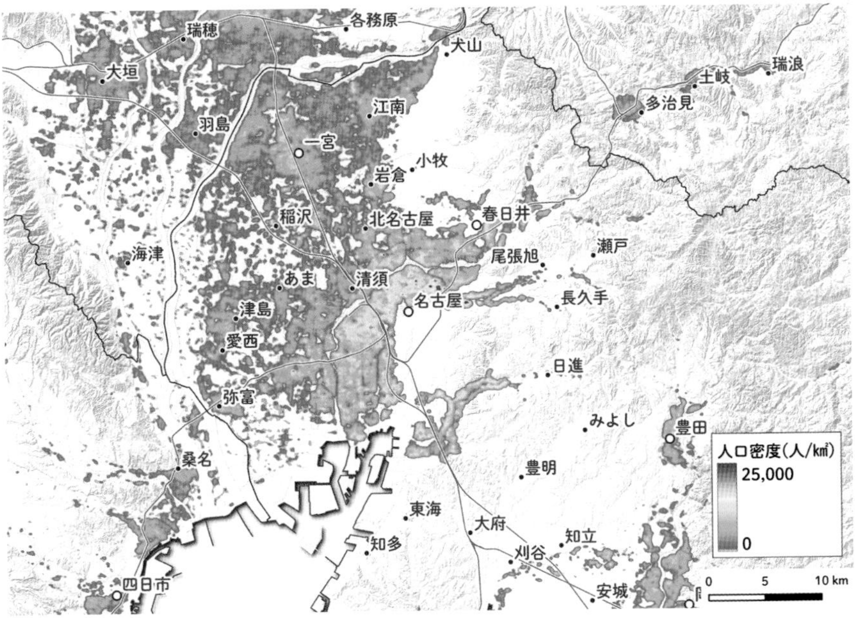


図10 1000年に一度の雨で50cm以上の浸水が想定される区域の人口（名古屋）

いまでは暗渠《あんきょ》（川に蓋をすること）化されているところが多いのですが、いざ大雨が降ると周辺から大量の水が集まってきて浸水被害が出ることがあります。

1999年8月には、東京23区の西部で1時間あたり100mm前後の記録的な大雨が降り、目黒川沿いの低地や、台地の上の小さな谷あいで5,000棟以上が浸水してしまいました。

その後、目黒川の下流では大雨を地下に流す調整池が整備されたものの、中流、上流部の小さな川や暗渠の近くでは地形の関係で水が集まってくることが避けがたく、本格的な対策は難しい状況です。

なお、今回紹介したマップでは埼玉、神奈川の台地や丘陵地がスカスカですが、油断は禁物です。都道府県によって計算方法や計算対象の川が異なっており、東京都と同じ基準でくわしく計算すると、浸水の深さが50cm以上の黄色い谷がたくさん現れるのではないかと思います。

## ◎「浸水リスクエリアの人口」が増えている

今度は浸水リスクエリア[※2]の人口を2015年と2020年で比べてみました。図11～14は「50cm以上の浸水が見込まれるエリアの人口を市区町村別に表したもの」で、円の大きさが「エリア人口」、色が「増減」を示しています。

日本の総人口は2008年をピークに減少しはじめていて、2015年から2020年の5年間で86万人減っているのですが、想定浸水深50cm以上のエリアに住む人は約30万人、3m以上のエリアに限っても約10万人増加しています。特に首都圏では増加のペースが速く、東京、埼玉、千葉、神奈川の一都三県では約36万人（3.1%）、東京23区に限れば約21万人（4.9%）も増加しました。これは浸水リスクエリア外よりも早いペースです。

都市部で浸水リスクエリアに住む人が増加している理由のひとつが、不

※2：本項では便宜上、1000年に一度の大雨が降った場合に50cm以上の浸水が見込まれる地域を「浸水リスクエリア」と呼ぶことにします。50cm未満の浸水でも、大きな被害が出る場合があります。

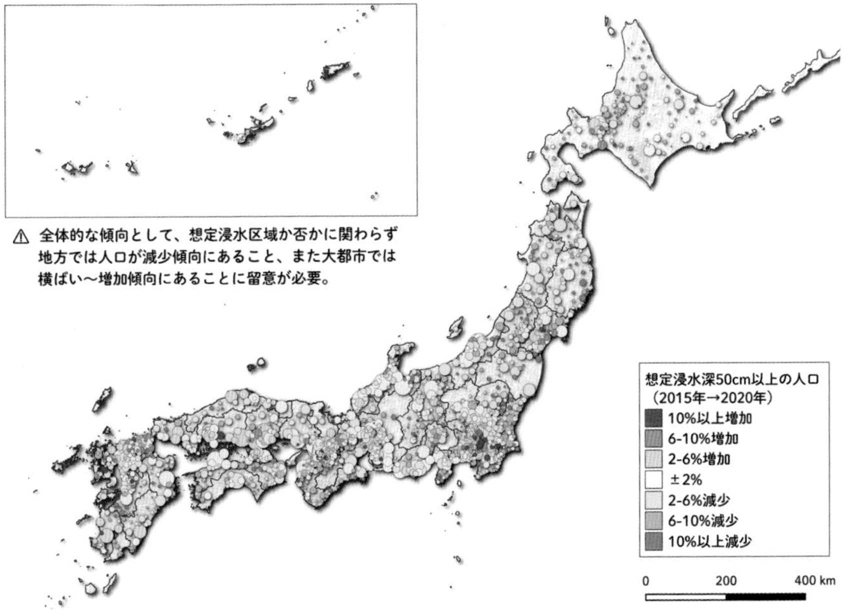


図11　浸水リスクエリアの人口と人口増減（全国）

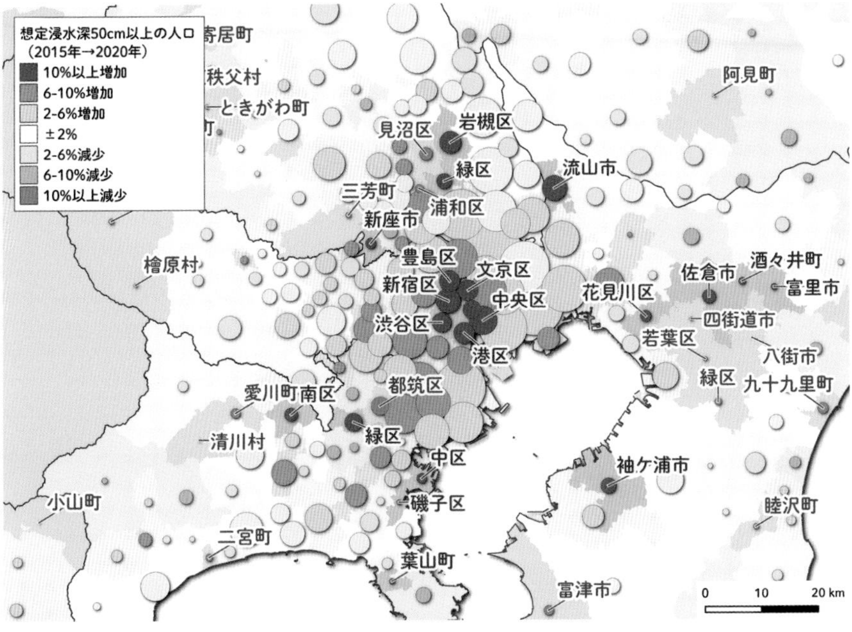


図12　浸水リスクエリアの人口と人口増減（首都圏）

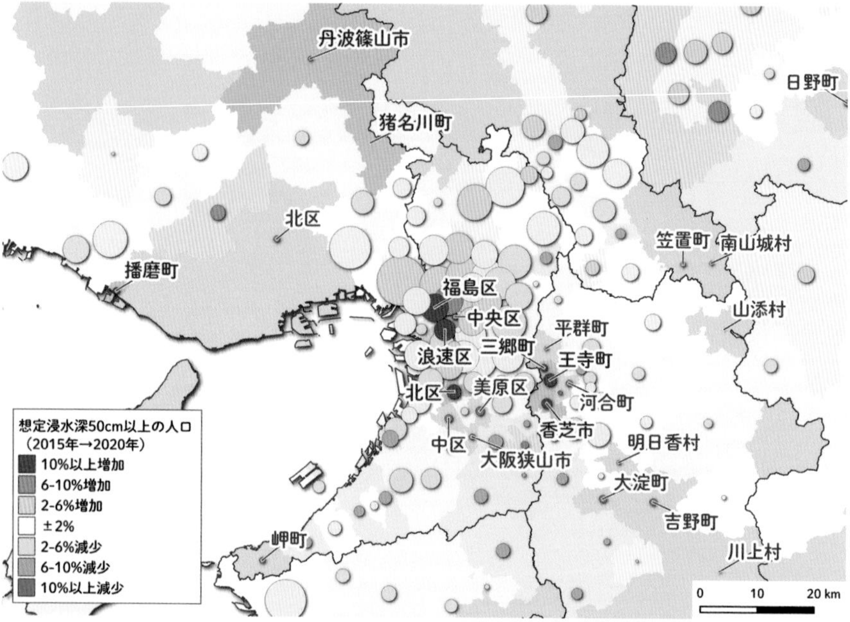


図13 浸水リスクエリアの人口と人口増減（近畿圏）

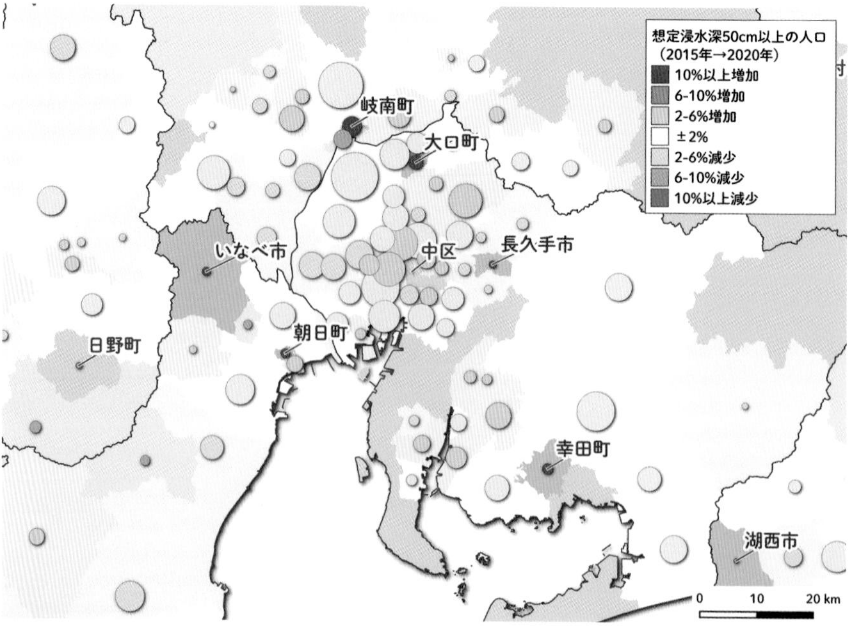


図14 浸水リスクエリアの人口と人口増減（中京圏）

況や産業構造の転換とともに大きな工場や倉庫が移転し、跡地の再開発が進んでいることです。そのほか、埼玉県越谷市の「越谷レイクタウン※3」や、さいたま市の浦和美園のように水田を再開発したところもあります。

荒川や江戸川、多摩川などの流域では、今後も工場跡地や農地の宅地化が進むものと考えられます。市街化が進む前からたびたび水に洗われていた地域で、農家の方々はその都度悲しい思いをされたことと思いますが、宅地化され、多くの人が住むようになると、洪水被害が財産だけでなく人命にも直結するようになります。

本章で見てきたように、川から離れたところや内陸の台地でも水に浸かりやすい場所があるので、住まい探しのときには先入観にとらわれず、自治体のハザードマップを確認しておくことをお勧めします。

※3：越谷レイクタウンでは浸水被害への対策として大きな調整池がつくられ、北側に流れる暴れ川（元荒川）の水を引き込みつつ、洪水の後に東側の大きな川（中川）に排水する仕組みが整えられました。低地にあるため、利根川が氾濫した場合には1m程度の浸水が想定されているものの、調整池によって地域全体としての浸水被害を軽減するように設計されています。

参考①：国土交通省『国土数値情報（洪水浸水想定区域（1次メッシュ））』
参考②：国土交通省『国土数値情報（洪水浸水想定区域（河川単位：ポリゴン））』

Column ⑦

# 水害は増えているのか？

「気象災害が年々増えている」と言われることがありますが、実際のところ、昔と比べてどれぐらい変化しているのでしょうか。

結論としては、大雨の降る頻度は以前よりも高まっています。1時間あたり80mm、あるいは3時間あたり200mm以上の猛烈な雨の発生回数は、過去45年間で2倍になりました（図1）。

人的、物的被害は戦後、やや減少傾向にありましたが、2010年代から再び増加に転じています（図2、3）。豪雨災害が徐々に激甚《げきじん》化《か》（災害の規模が大きくなること）し、日本の治水史が新たなフェーズに入ろうとしています。

参考①：気象庁『大雨や猛暑日など（極端現象）のこれまでの変化』
参考②：国土交通省『令和2年水害統計調査』

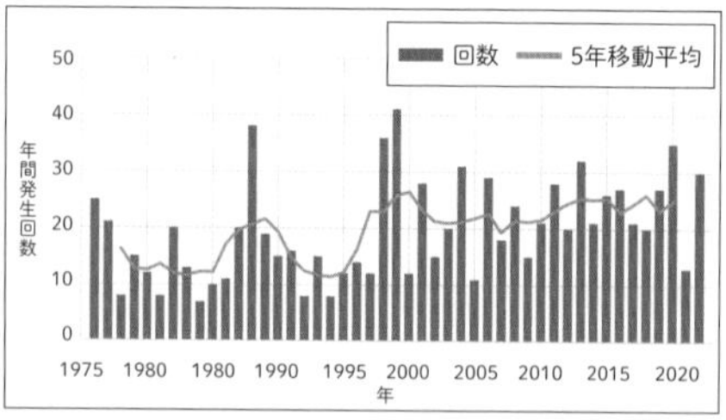


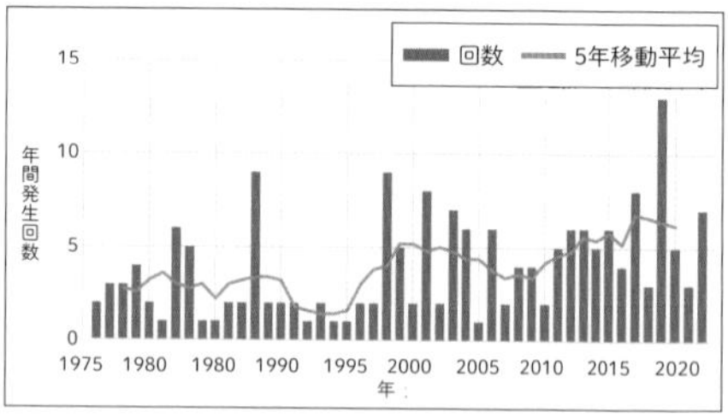


図1 1時間あたり80mm以上、3時間あたり200mm以上の大雨の年間発生日数（1,300地点あたりに換算した値）

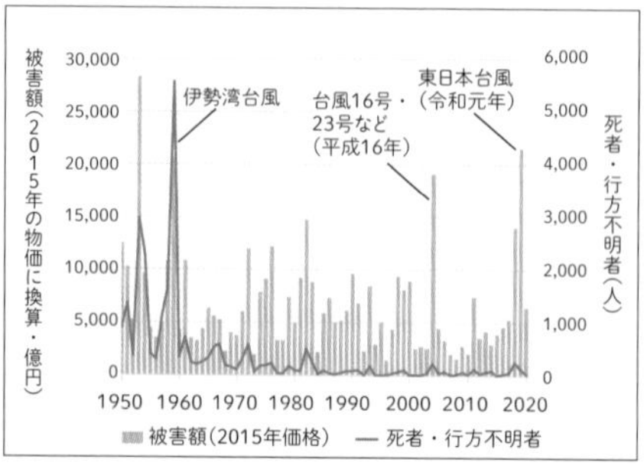


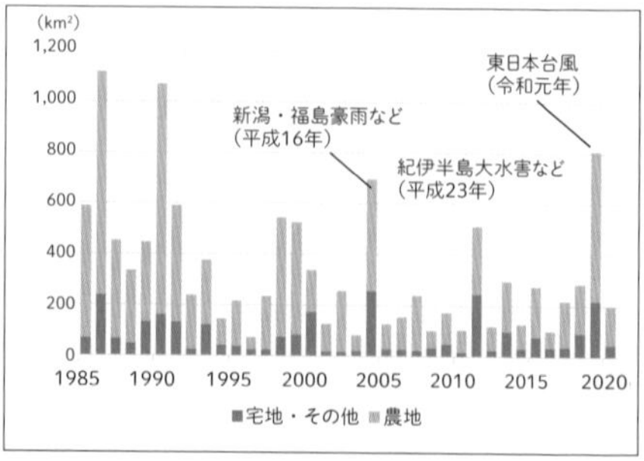


図2 水害による被害額・死者（1950～2020年）

図3 水害区域面積（1985～2020年）

第5章

# 人口を可視化！

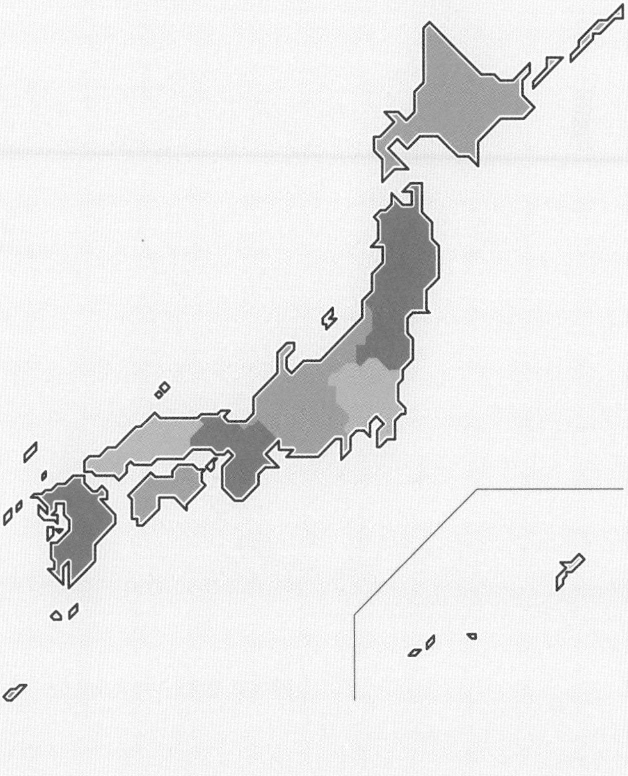

## 5-1 日本人の半分以上は国土のわずか「2.1%」に住んでいる！

図1の「赤い地域（人口密度5,000人/km$^2$以上）」に、日本の総人口の何%が住んでいるかわかりますか？　答えは54%です。日本の国土は約37.8万km$^2$ですが、そのわずか2.1%にあたる0.8万km$^2$（静岡県より少し大きく、兵庫県より少し小さいぐらいの面積）に、人口の半分が集まっているのです。このクイズを出すと、たいていの方は「10%」や「20%」といった数字を答えるのですが、想像以上に狭い地域に人々がひしめき合っているのが日本列島です。

赤い地域は人口密度が5,000人/km$^2$以上、つまり1km四方に5,000人以上が住んでいる地域※を表しています。東京、名古屋、大阪の三大都市圏の

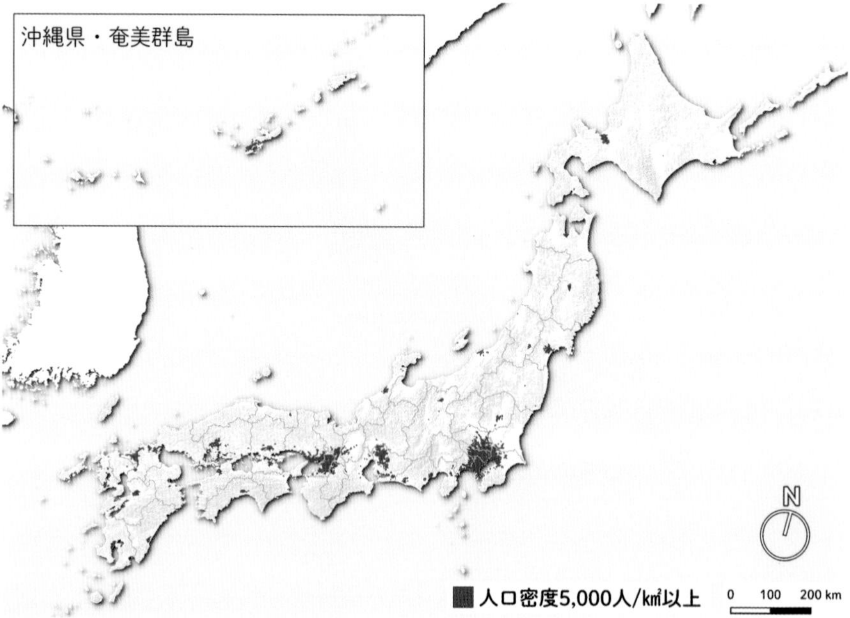


図1 人口密度5,000人/km$^2$以上の地域
九州から関東までの地域が、赤い帯のようになっている（いわゆる太平洋ベルト）。

ほか、各地方の主要な都市（札幌、仙台、広島、福岡など）が赤くなっているのがわかります。おおむね「都会的な地域」といってもよさそうです。

今度は「市区町村ごとの人口密度」を眺めてみましょう（図2）。三大都市圏（首都圏、中京圏、近畿圏）の中心部は5,000人/$km^2$以上、そのまわりは2,000～5,000人/$km^2$といったところ。日本で一番人口密度が高いのは東京都豊島区で、1km四方に23,182人が住んでいます。地方圏（三大都市圏以外）では、政令指定都市のほか、沖縄本島の人口密度の高さが目立ちます。沖縄といえば日本屈指のリゾート地のイメージがありますが、沖縄県庁のある那覇市は県の行政、商業の中心地として栄え、人口密度は7,668人/$km^2$を数えます（埼玉県朝霞市、兵庫県神戸市垂水区などに匹敵）。

※：国土交通省が定めた「人口集中地区」の中でも、人口密度が5,000人/$km^2$以上の地区に色をつけました。人口集中地区は統計データに基づいて都市的地域を定めたもので、人口密度や学校、研究所、工場、官公庁などの立地状況をもとに、5年に1度、設定されています。

参考：総務省統計局『令和2年国勢調査 人口等基本集計』

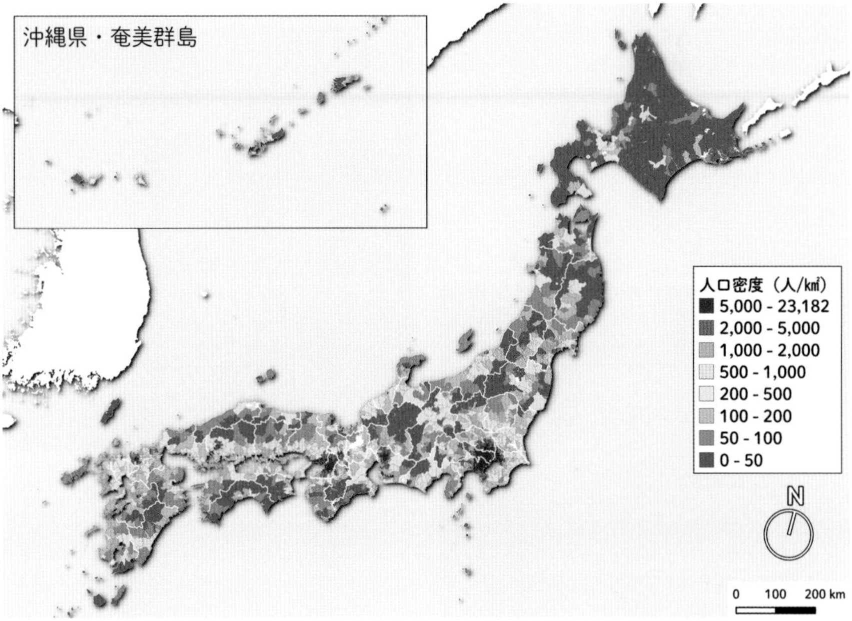


**図2** 市区町村ごとの人口密度

福島県檜枝岐（ひのえまた）村や北海道幌加内（ほろかない）町、奈良県上北山（かみきたやま）村の人口密度は1人/$km^2$台。

Column ⑧

# 「人口密度感」を養うと街をイメージできるようになる

「人口密度5,000人/$km^2$」とは、どれぐらいの密集度なのでしょうか？大まかな目安としては「住宅地と学校、公園、墓地、田畑、森林などが半々」ぐらいのイメージです。図1は横浜市南部の航空写真ですが、緑に覆われた部分も多く、**都会とも田舎とも言えない中間的な景色**が想像できるのではないでしょうか。

そのほかの人口密度もいくつか紹介します（図2～5）。いずれも国土地理院『地理院タイル 全国最新写真（シームレス）』より引用しています。

図1 横浜市南部（人口密度5,000人/$km^2$）
きれいに整備された新興住宅地と、昔ながらの里山が同居している。住宅地の裏山には清流が流れ、ホタルやカエルを観察できる。地形の起伏を再現しているため、1km四方を示す赤枠が歪んで見える。

図2 横浜市北部（人口密度1,000人/$km^2$）
市街化される前の農村的な風景。市道に沿って民家が立ち並んでいる。倉庫や資材置き場も目立つ。

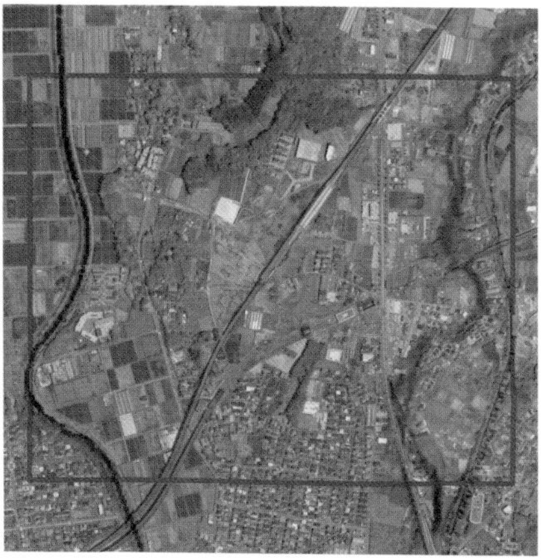

**図3** 横浜市西部（人口密度2,000人/$km^2$）
農地と住宅地が混在している。ここは、相鉄線「ゆめが丘駅」周辺で、2024年にかけて再開発が予定されている。

**図4** 横浜市南部（人口密度10,000人/$km^2$）
一戸建てやマンションが立ち並んでいるが、道路の幅には少しゆとりがある。ところどころに畑や工場などが点在している。

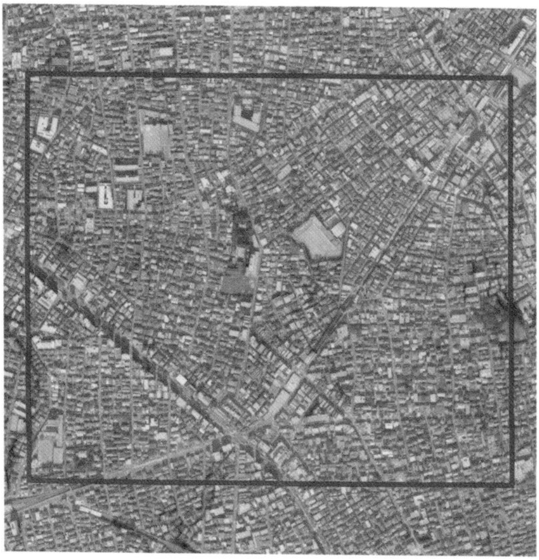

**図5** 東京都目黒区、大田区（人口密度20,000人/$km^2$）
木造住宅がぎっしりと密集している。道幅も2～5.5mと狭いところが多く、緊急車両の通行が困難なところも。

# 5-2 「人が住んでいる場所」を光らせたら意外な場所が明るい！

「人が住んでいる場所」を光らせてみました。出典は2020年の国勢調査で、「約250m四方に1人以上住んでいる場所」が光っています（図1）。

日本全国を見渡してみると、人口が密集する平野部と、人の少ない山間部との違いが際立ちます。関東から関西、そして瀬戸内海沿岸から九州北部にかけて、光の帯が連なっていますが、これがいわゆる「太平洋ベルト」です。

一方、東北や北海道では、仙台や札幌周辺に明るい地域があるものの、東京以西と比べると全体的に暗い感じがします。どうしてこのような違いが生まれたのか、探ってみましょう。

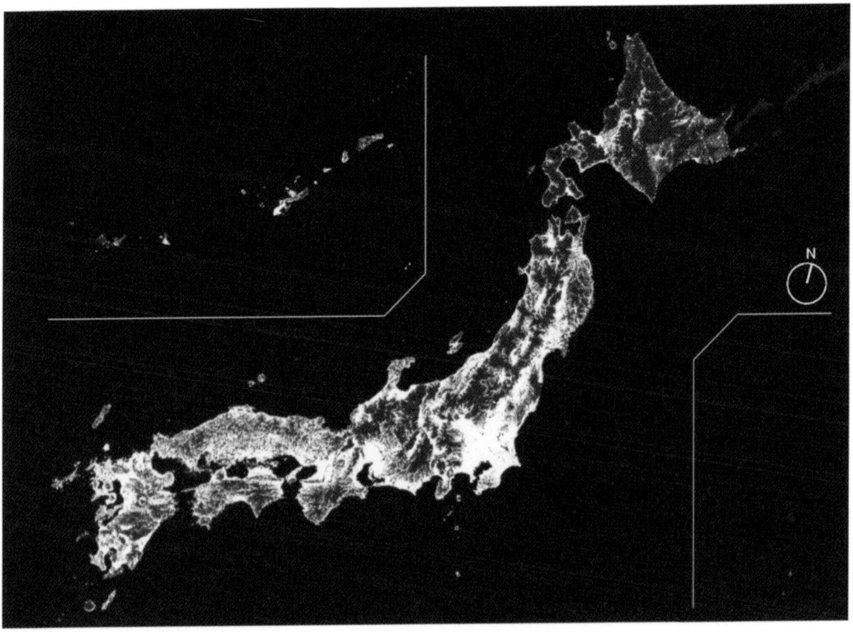


**図1** 人が住んでいるところ
平地と山地のコントラストがくっきり。ちなみに、北方四島と竹島にも定住者がいるが、国勢調査の対象外となっている。

## ◎なぜ中国地方は山奥まで人が住んでいるのか？

各地域を拡大してみましょう。

まず、九州から四国、中国、近畿地方（図2）。京阪神をはじめとして、各地方の主要な都市圏が明るく輝いています。よく見ると鹿児島の桜島の外周や、阿蘇山のカルデラ（阿蘇谷）が丸く光っていて、現地を見たことのある方であれば「あぁ、あの形か！」とピンとくるかもしれません。

全体的に平野部ほど人が多く、山間部では「明かり」がまばらになってきますが、中国山地では、山奥のほうまで筋状に光が連なり、霜降り肉のようです。実際に中国自動車道や一般国道を走ってみると、標高数百mの山々に囲まれたゆるやかな谷あいに、数軒から数十軒の家々が集まり、小さな集落を形成する……そんな景色が延々と続いています。その理由に花《か》崗岩《こうがん》が関係していると聞いたら、驚くでしょうか？

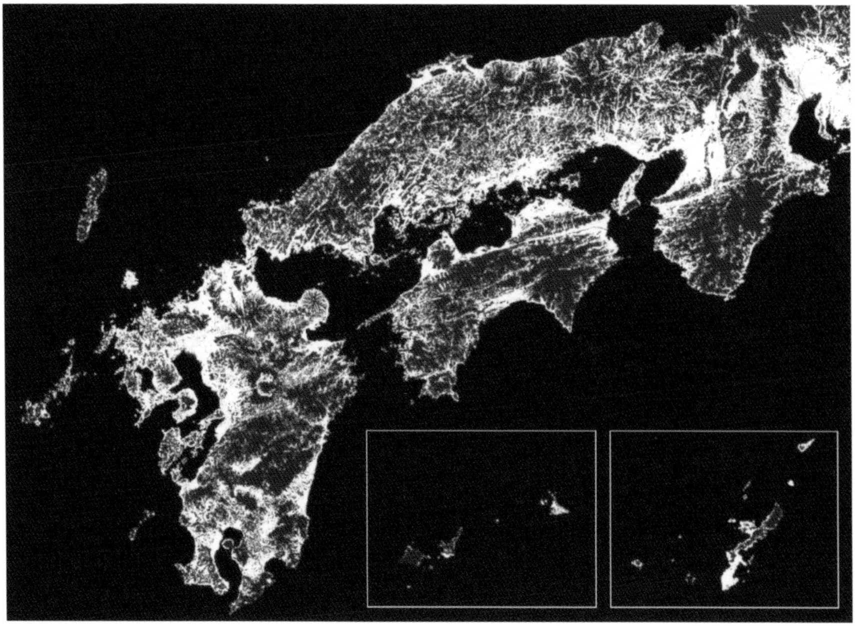

**図2**　西日本

平地という平地に人が住んでいる。ここでは中国山地に注目したい。

中国地方は中生代（約2億4,500万年～約6,500万年前）に、何度かの造山運動で隆起し、陸地となりました。このときに上昇したマグマが冷えて花崗岩質の岩石がつくられています。中国地方に現在のような山地が生まれたのは約2,000～1,000万年前のことですが、花崗岩のもろく崩れやすい地質が影響して、全体的になだらかな地形が広がっているのが特徴的です。

日本列島に人が移り住んできて以来、この地形と比較的温暖な気候が幸いして、山地の奥深くまで小集落が点在することとなったのです。有史以降、江戸時代にかけて、中国山地では製鉄が主要な産業でした。日本には古墳時代（3～7世紀）に中国から製鉄技術が伝来したのですが、中国山地では風化した花崗岩から鉄の原料となる磁鉄鉱が多く採れたため、たくさんの製鉄技術者が移住してきたと言われています。

戦後、中国地方の中山間部※では過疎化、高齢化が急速に進み、廃村となった集落も増えてきています。数十年後に同じ地図を描いたらどのような姿になるのか、今から気になるところです。

## ◎本州のど真ん中に広がる「空白地帯」

次に、中部地方から関東甲信越を眺めてみましょう（図3）。

中部地方では、先ほどの中国山地と異なり、内陸部に人の住んでいない地域が広がっているのがわかります。日本アルプスや越後山脈といった2,000～3,000m級の山々です。これらの山脈は地形が極めて険しく、農業や工業などの経済活動に適していないことから、中国地方のような中山間集落が、あまり発達しませんでした。

一方、「山あり、谷あり、平地あり」と、地形のコントラストが豊かなのもこの地方の特徴です。長野県の長野盆地、松本盆地、伊那盆地（伊那谷）、山梨県の甲府盆地は、それぞれ20～60万人の人口を抱え、内陸の都市圏として発展しています。JR中央線で東京から甲府方面に向かうと、勝沼ぶどう郷駅（甲州市）のあたりで、向かって左側に甲府盆地の絶景が開けてき

※：まとまった平地が少ない、平野の外側から山間部にかけての地域です。多くは農業や林業が盛んです。

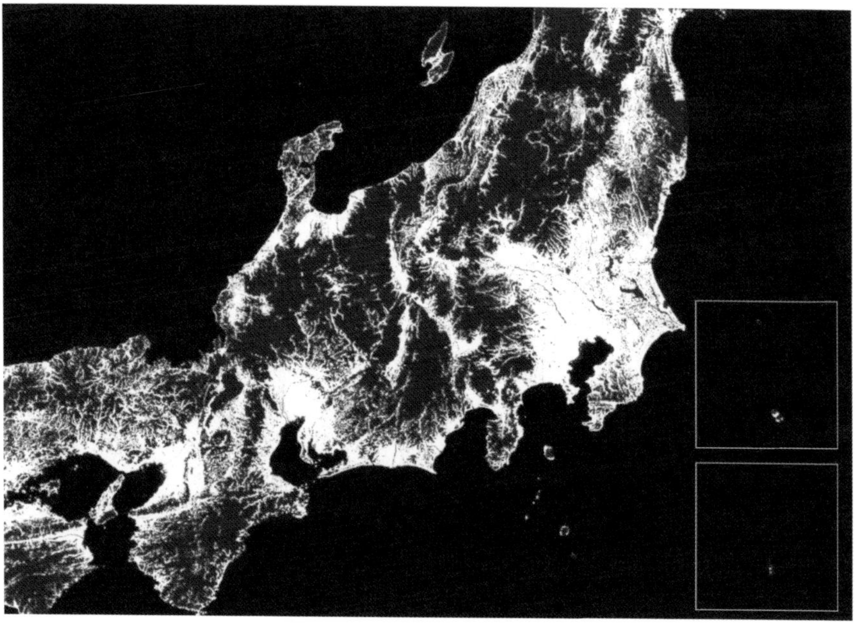

図3　中部、関東甲信越
山地と平地のコントラストが印象的。三大都市圏では、平地を埋め尽くすかのように人が住んでいる。

て感動します。車窓から日本列島を眺めているような、不思議なスケール感がやみつきになります。

山地と平地のコントラストという意味では、富山市街から望む立山連峰、六甲山（兵庫県）や生駒山（奈良県、大阪府）から望む神戸、大阪の街並みも素敵です。広大な関東平野に住んでいるとなかなか実感しにくいのですが、この地図で光と闇を眺めていると、人間という生き物が、山と海に囲まれたわずかな土地に寄り集まって生きていることを実感します。

## ◎北海道の輪郭線

ちょっと異色なのが北海道です（図4）。

札幌などの主要都市が煌々《こうこう》と輝いていますが、それ以外の地域はずいぶんと暗くなっています。北海道の総人口は522万人（2020年国勢調査）ですが、半数以上の272万人が札幌、旭川、函館、苫小牧の4市に集中しています。

北海道の都市化の歴史は比較的浅く、1869年（明治2年）の人口は、わずか6万人。その後、屯田兵や民間の開拓移民により計画的に移住が進みました。なかでも札幌市は、北海道の政治、経済の中心地として大きく発展し、1970年（昭和45年）には人口が100万人を突破します。

石狩平野や十勝平野、根釧台地には、人が住んでいる場所がドットパターン（点を打って描いた模様）のように広がっていますが、これは大規模畑作や酪農が盛んな地域に見られる姿です。北海道の農家1戸あたりの耕地面積は、東京ドーム6.6個分にあたる30.2ha（『北海道データブック2021』の「農業」）で、全国平均の13.7倍。格子状に区切られた広い平地に点在する家々が、まるで模様のように見えるというわけです。アメリカ（ミシシッピ川流域）やカナダ南部で同じ地図を描いてみると、似たような模様が見られます。

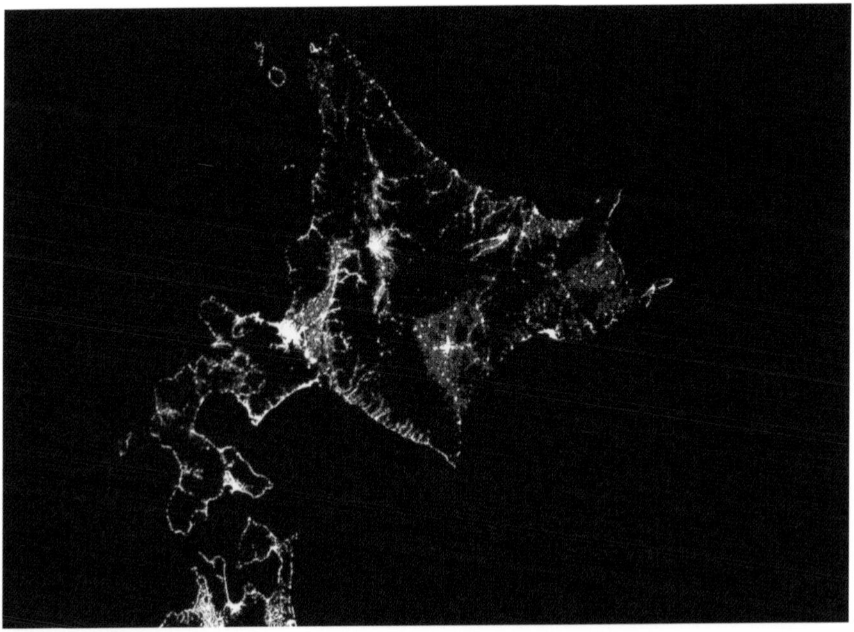

**図4** 北海道（北方四島を除く）
最大都市・札幌が煌々と輝いている。十勝平野や根釧台地のドットパターンがきれい。

図5はアメリカ航空宇宙局（NASA）などが打ち上げている地球観測衛星「ランドサット」が捉えた根釧台地の衛星写真に、人が住んでいるところを重ねたものです。

土地を四角く区切っている緑色の帯は格子状防風林で、主に明治～大正期に整備されました。防風効果を備えるとともに、動物たちの住処や移動の経路としても役立っています。格子状防風林の様子は中標津町の北西部にある開陽台（標高270m）から眺めることができますし、スペースシャトルからもはっきり見えるほどのスケールです。その広大な牧草地帯に散らばるひとつひとつの「明かり」に、酪農家の暮らしが息づいています。

参考①：地域・交通データ研究所（代表・西澤 明氏）『令和2年簡易100mメッシュ人口データ』（https://gtfs-gis.jp/teikyo/）
参考②：国土地理院『地理院タイル（全国ランドサットモザイク画像）』

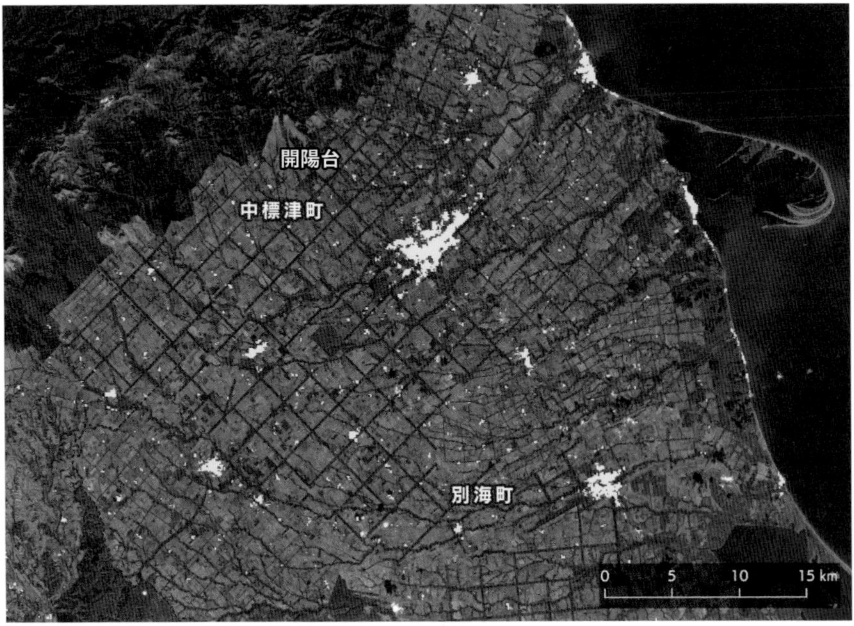


図5　根釧台地の衛星写真に「人が住んでいるところ」を重ねた地図
格子状防風林によって、広大な台地が約3km四方に分けられている。

5-3

# 地域の特徴がわかる「昼夜間人口比率」を可視化

ひと口に「人口」と言っても、さまざまな指標、数え方があります。

例えば、東京駅のある東京都千代田区は人口6万7,000人足らず（2020年国勢調査）で、伊豆高原などの観光地を抱える静岡県伊東市や、鹿島アントラーズのホームタウン、茨城県鹿嶋市と同じぐらい……と聞くと、大都会の印象とは裏腹に、少なく感じないでしょうか？

一方、携帯電話の匿名位置情報を集計したデータ※によると、2021年11月の平日日中の、千代田区内の平均滞在者数は約112万人で、居住者数の16.8倍もの人が滞在。他の市区町村から約109万人が訪れていました。

通常、市区町村の人口は、住民基本台帳（住民票を取りまとめたもの）や国勢調査（5年に1回行われる、国の最も重要な統計調査）の集計結果が用いられます。これは、「その土地に住んでいる人数」という意味で、「常住人口」「夜間人口」とも呼ばれます。

夜間人口の対義語が「昼間人口」ですが、これは夜間人口から「別の市区町村に通勤、通学する人（流出人口）」を差し引き、「その市区町村に通勤、通学してくる人（流入人口）」を加算したものです。こちらの指標では、仕事や学業で外からやってくる人数が考慮されているので、夜間人口と比べて地域経済の発展度合いを推し量ることができます。

## ◎位置情報がより正確な数字を割り出す

「昼間人口」の弱点は、私用や出張での来訪者数がわからないことですが、近年、携帯電話の位置情報を活かした人口推計技術の発達で、曜日別、時間別の滞在者数を、ある程度、正確に把握できるようになりました。

例えばNTTドコモでは、携帯電話の基地局のエリアごとに所在する携帯電話を周期的に把握していて、契約者情報と掛け合わせることで、市区

※：国土交通省『全国の人流オープンデータ（市区町村単位発地別）』

町村や約500m四方といったサイズで年代、性別、居住地ごとの滞在者数を推計するサービス『モバイル空間統計』を展開しています。

また、匿名のGPS位置情報や施設内の人流センサーをもとに、約50m〜125m四方という細かいサイズで、時間別の滞在者数を推計するサービスも増えています（Agoop『メッシュ型流動人口データ』やunerry『リアル行動データ』など）。

## ◎昼夜間人口比率

昼間人口と夜間人口（常住人口）の比を昼夜間人口比率と言います。

一般的に、オフィス街や工業団地など、外から働きに来る人が多い地域では昼夜間人口比率が1より大きく（昼間人口＞夜間人口）、大都市近郊の住宅地では1未満（昼間人口＜夜間人口）となります。

図1、2は、市区町村ごとの昼夜間人口比率をまとめたものです。大都市

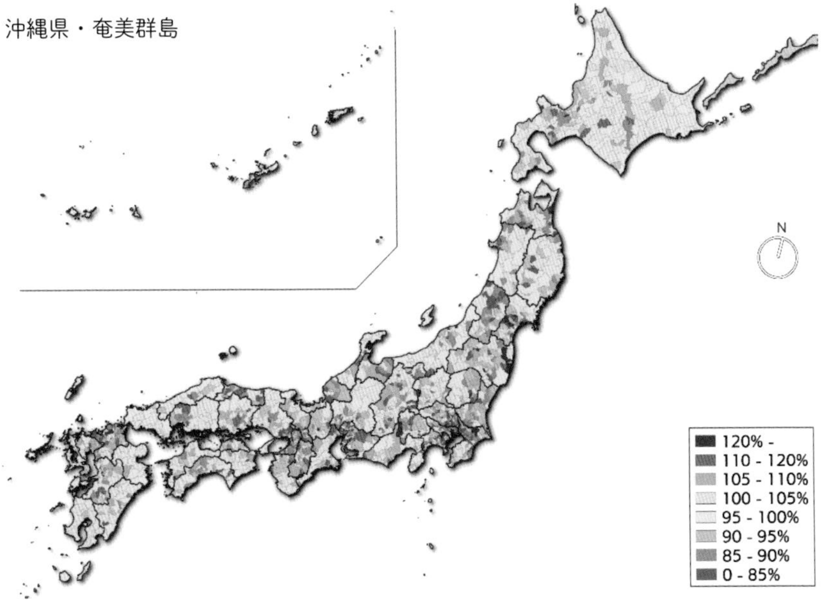


図1 各市区町村の昼夜間人口比率（全国）
福岡や大阪などの大都市中心部で、昼夜間人口比率が高くなっている。

図2 各市区町村の昼夜間人口比率（中部〜関東）

大都市圏以外にも、昼夜間人口比率の高い市区町村がある。その理由を考えたり調べたりするのも楽しい。

圏の中心部のほか、2011年の原発事故で町の一部が帰還困難区域に指定されている福島第一原発周辺の町村でも高くなっています。

愛知県西部、伊勢湾に面する常住人口4,400人の飛島《とびしま》村でも昼夜間人口比率が3倍に迫っていますが、これは村の南部に工業地帯が整備され、火力発電所や鉄鋼関連事業所、物流倉庫などが約1万人の雇用を生んでいるためです。

村の北部は江戸時代から明治初期にかけて開拓された新田で、水稲、麦を中心とした良好な農地が広がっています。村全体としてこれ以上の宅地開発は難しいことから、今後も昼夜間人口比率の高い状態が続きそうです。

## ◎携帯電話の位置情報で「都心」が浮かび上がってくる

携帯電話の位置情報を使って、もっとクローズアップしてみましょう。

図3は2021年11月の平日昼間の推計滞在者数（$1\mathrm{km}^2$あたり）を示したものです。平日昼間には東京都心をはじめ、横浜市やさいたま市、千葉市などの中心部に、$1\mathrm{km}^2$あたり3万人以上の地域が広がっています。東芝の府

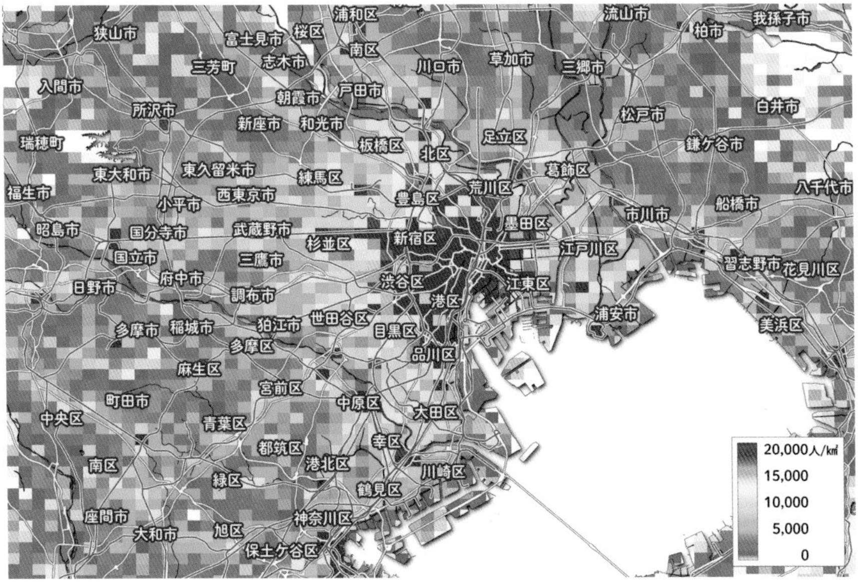


**図3**　首都圏の1km²あたり滞在者数（2021年11月、平日昼間）

1km²あたり2万人以上の地域が都心（千代田区、中央区、港区）やその周辺に広がっている。

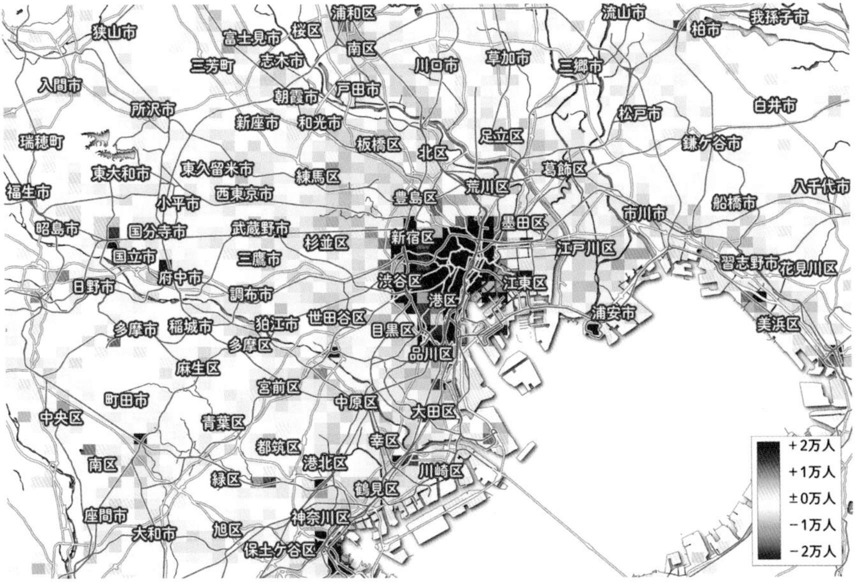


**図4**　首都圏の昼間と夜間の滞在者数の差（2021年11月）

暖色系の地域は「昼夜間人口比が1より大きい」。郊外にもオレンジや赤のエリアが見られる。

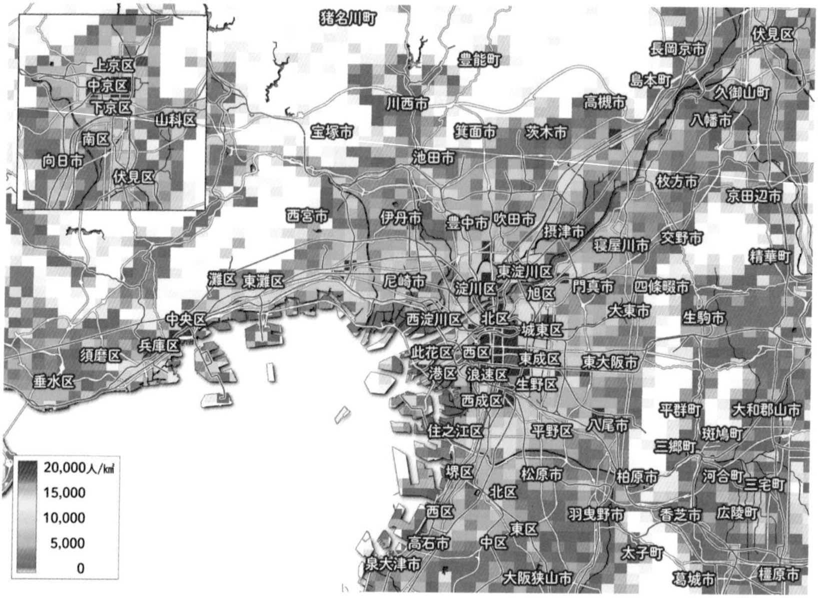


**図5** 近畿圏の1km²あたり滞在者数（2021年11月、平日昼間）
人口密集地の範囲が首都圏よりも一回り小さい。

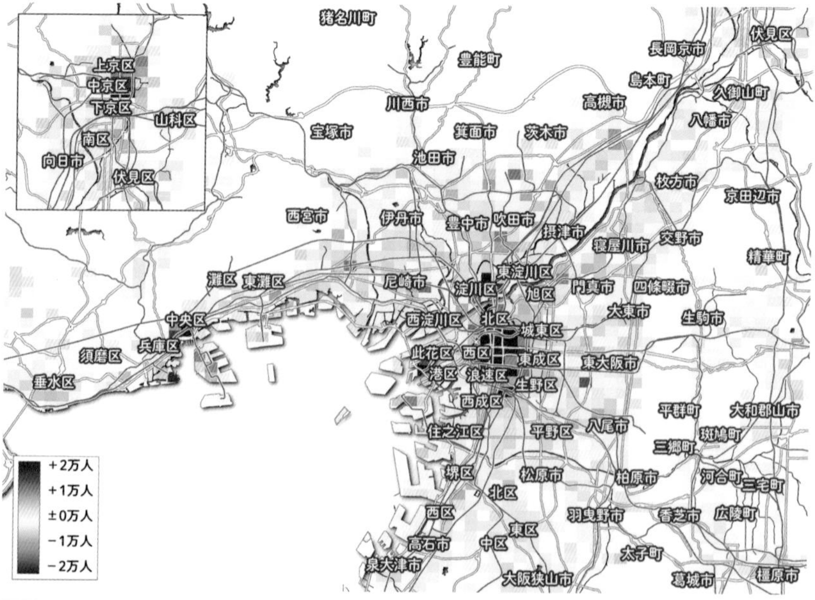


**図6** 近畿圏の昼間と夜間の滞在者数の差（2021年11月）
京都と神戸の求心力が垣間見える。大阪市此花（このはな）区の濃い赤色はユニバーサルスタジオジャパン。

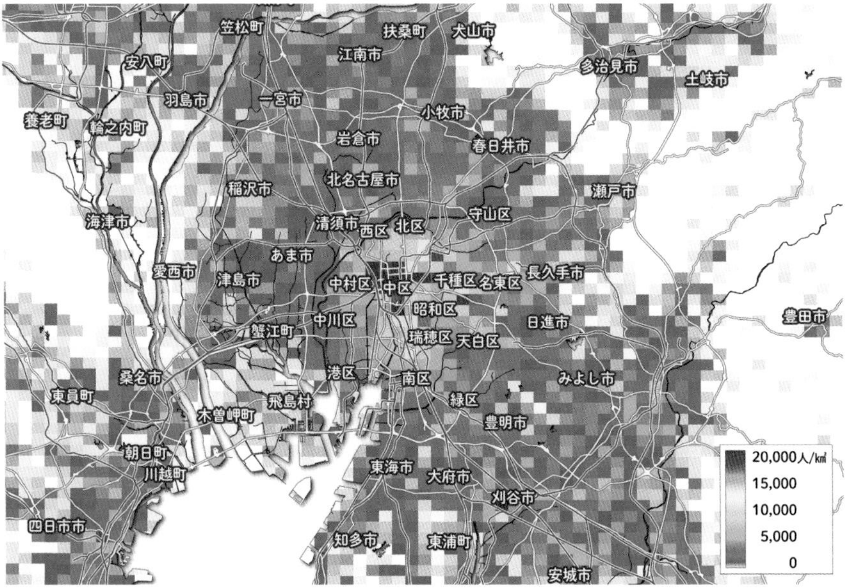


図7　中京圏　1km$^2$あたり滞在者数（2021年11月、平日昼間）
都心と呼べる地域は3〜4km四方に凝縮されている。

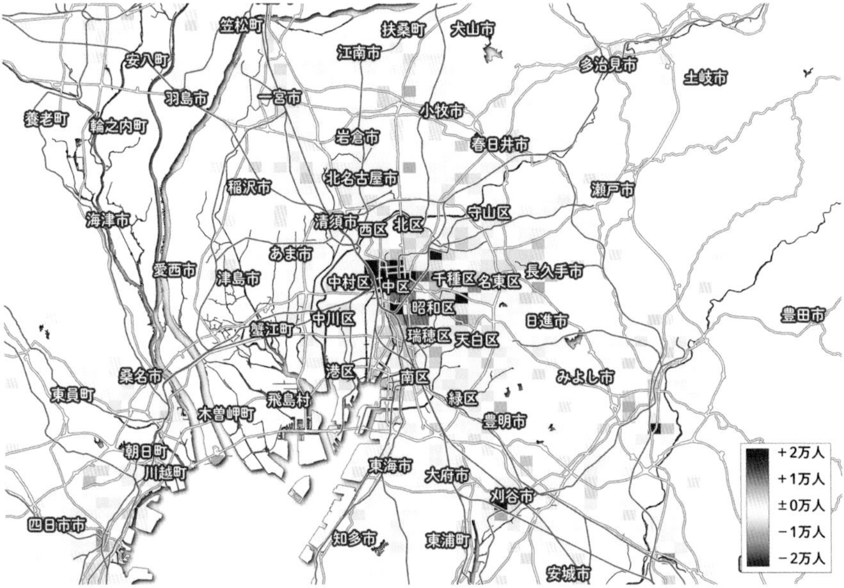


図8　中京圏　昼間と夜間の滞在者数の差（2021年11月、平日昼間）
豊田市や刈谷市の自動車工場が見える。三重県長島町には遊園地、長島スパーランドがある。

中事業所（府中市）など、郊外の生産、研究開発拠点も目立ちますね。浦安市の海沿いには東京ディズニーリゾートがあります。

図4は昼間と夜間の滞在者数の差です。都心から10〜30km圏には寒色系のエリアが広がっています。これらの地域では夜間より昼間のほうが人口は少なく、東京や横浜、さいたまなどに勤める方々のベッドタウンとして機能していることがうかがえます。図5〜8には近畿圏と中京圏の地図も掲載しましたので、ぜひ見比べてみてください。

参考①：総務省統計局『令和2年国勢調査 人口等基本集計』
参考②：国土交通省『全国の人流オープンデータ（1kmメッシュ）』（https://www.geospatial.jp/ckan/dataset/mlit-1km-fromto）

Column ⑨

# 千代田区は治安が悪い……ホントかウソか？

「東京都心では犯罪件数こそ少ないが、人口あたりの犯罪発生率は高い。ゆえに治安が悪い」といった記事がときどき話題になります。例えば、ネットメディアの『Smart FLASH』（2023年4月20日配信）は、千代田区の治安について次のようにまとめています※。

> 「なんと23区のなかで治安ワーストなのが千代田区だ。居住人口は6万6786人と東京23区で最も少ないにもかかわらず、犯罪発生件数は1856件。犯罪発生率は2.78％だ（23区の平均犯罪発生率は0.59％）。2％超えは千代田区だけで、渋谷区（20位）や新宿区（21位）より治安が悪い」

確かに千代田区では、常住人口1人あたりの犯罪発生件数（刑法犯認知件数）が多いのですが、その内訳を見ると、事務所やお店、自転車などを狙った窃盗が多く、住宅への空き巣は0件でした。

さらに千代田区では外から通勤、通学する方が非常に多く、昼間人口は常住者数の16.8倍にもなります。こうした点を考えると、**都市部で犯罪率を見るための指標としては、常住人口よりも昼間人口や企業数、店舗数のほうが適切**と考えられます。

例えば、昼間人口1人あたりの犯罪発生件数は、台東区（0.83％）、豊島区、墨田区と続き、千代田区は23位（0.24％）です。また、事務所やお店に対する侵入窃盗の件数を1事業所あたりに直すと、渋谷区（0.13％）、新宿区、台東区が高く、千代田区は12位（0.07％）です。

何か極端なデータを見たときには、どういった尺度で整理された数字なのか、また、その尺度が分析のテーマに照らして適切なのかを考える癖をつけると、「数字にだまされない」リテラシーが自然についてきます。

※：「さんま、住んでる千代田区は「何十年も犯罪がない」と胸を張るも…実は「犯罪発生率」23区でワースト1位」、https://smart-flash.jp/entame/231870/1/1/（参照：2023/4/20）、『Smart FLASH』、光文社

5-4

# 高卒生の「現役進学率」「就職率」の地域差を探る

2022年度の大学への現役進学率を可視化してみました（図1）。高校所在地の都道府県別にまとめたものです。

全国平均は55.2％です。地図には表示されていませんが、現役以外（浪人合格者）を含めると60％を超えます。もし皆さんが「平均的」な進学実績のある学校にいるとしたら、40人のクラスのうち22人が現役で大学に進み、10人が短大や専門学校等に進学し、6人が就職、残り2人が浪人するということになります。

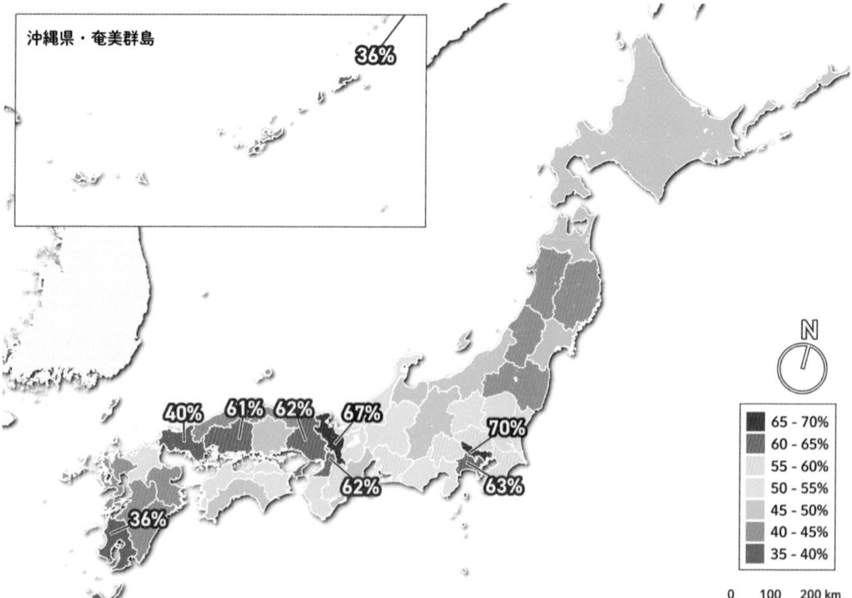


**図1** 大学への現役進学率（高校所在地の都道府県別）

東京都(69.7%)、京都府(67.2%)を筆頭に、三大都市圏で55～70%ぐらい。大都市圏と地方圏で差が大きい。

同じ都道府県の中では、都市部のほうが進学率は高くなっています。図2は、高校のある市区町村ごとに、大学、短大に現役で進学する人の割合を示した地図です（データの都合で短大も含まれています）。

なお、市区町村ごとの地図は、ひとつひとつの高校の進学実績に大きく影響されるのでご注意ください。日本の高校は、一市区町村あたり平均3.1校しかないからです。

市区町村で進学率が一番高いのは、埼玉県嵐山町と京都市下京区（94%台）ですが、私立大学の付属校が多いためだと考えられます。都市圏全体の傾向を大まかに見ながら、「外れ値（進学率が周囲よりも高い、または低い市区町村）」にどんな高校があるのか調べるのもいいですね。

次に、高校を卒業した人の就職率を見てみます（図3、4）。三大都市圏では5～10%（40人のクラスに2～4人）、地方圏では15～20%（クラスに6

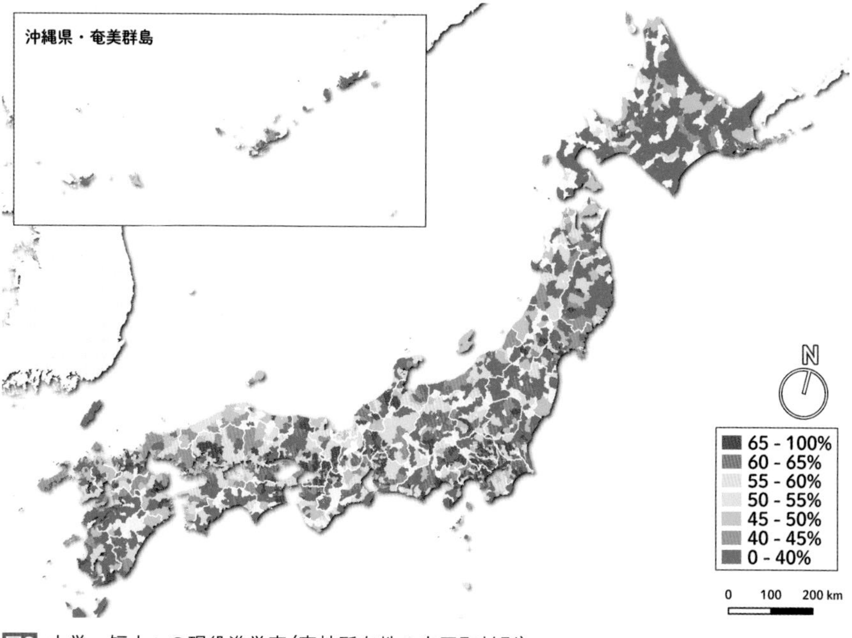


図2　大学、短大への現役進学率（高校所在地の市区町村別）
地方都市圏よりも大都市圏、郊外よりも都心のほうが進学率が高い。

〜8人）が就職しています。市区町村ごとのデータを見ると、50％以上が就職している市区町村もたくさんあります。

ところで、高校卒業生は地元に残るのでしょうか？　それとも県外に出る傾向が強いのでしょうか？　高校卒業後の進路について、県外の大学や企業への進学、就職率を地図にまとめてみました。

図5は、県外の大学に進学する高校卒業生（浪人生などを含む）の割合を示しています。県外進学率の全国平均は56.2％。40人のクラスに例えると、24人の大学進学者（現役、浪人）のうち13人が他県に進学することになります。

図6は、県外の企業に就職する高校卒業生の割合を示しています。県外就職率の全国平均は18.1％と低めですが、首位の佐賀県（21.5％）と最下位

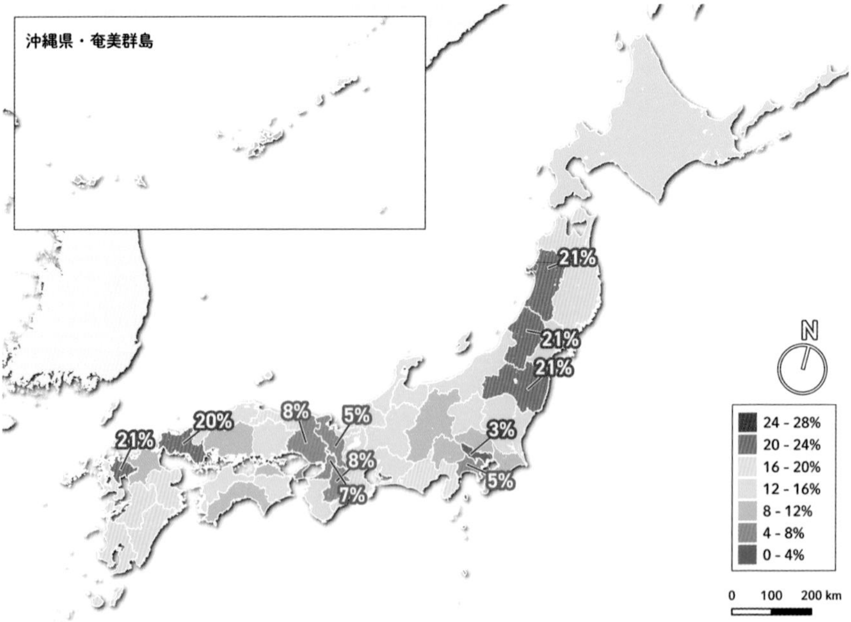


図3　高校卒業者の就職率（高校所在地の都道府県別）
東北地方や九州地方で高卒就職率が高め。沖縄県では就職率が低く、大学進学者のほか、専門学校への進学者（20％）や仕事につかない人（13％）も多い。

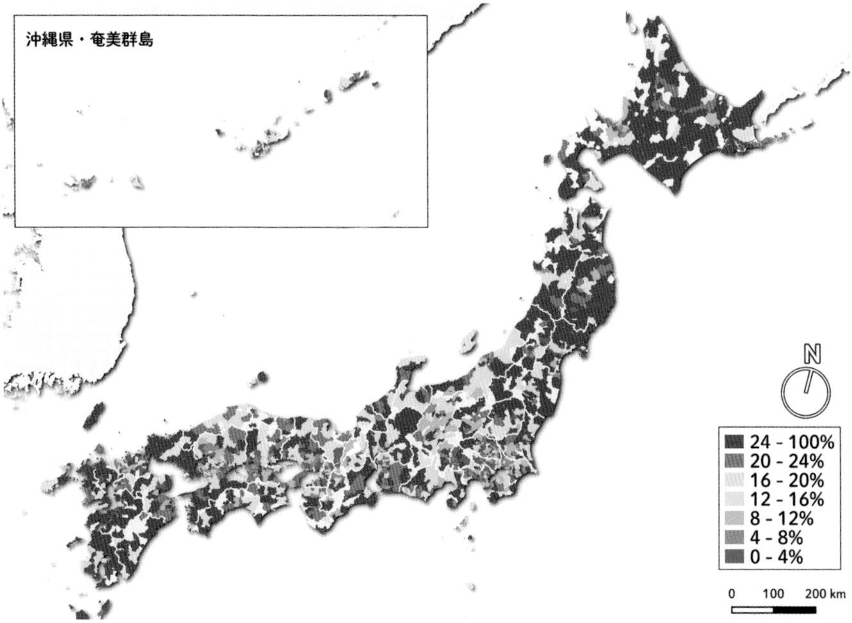


図4　高校卒業者の就職率（高校所在地の市区町村別）
赤い市区町村には工業、観光業などの雇用が豊富なところや、就職を前提とした農業、工業、商業高校の卒業生が多いところがある。

の東京都（3.5％）では6倍以上の差がついています。

地方圏では、「地方圏は大都市圏と比べて自分のキャリアに関する選択肢、つまり教育環境や就職機会が限られている」という認識が一般的です。また、給与水準の高さや娯楽、文化の多さにあこがれて、大都市圏を目指す若者も少なくありません。

鳥取県とっとり元気戦略課が行った「高校生、大学生等の進学、就職等意識調査」（2015年）によると、県外に進学、就職したいと答えた人の理由としては、

①希望する学部学科がない（33.8％）
②県内に魅力ある施設がない（15.2％）
③県外進学が就職に有利（12.9％）

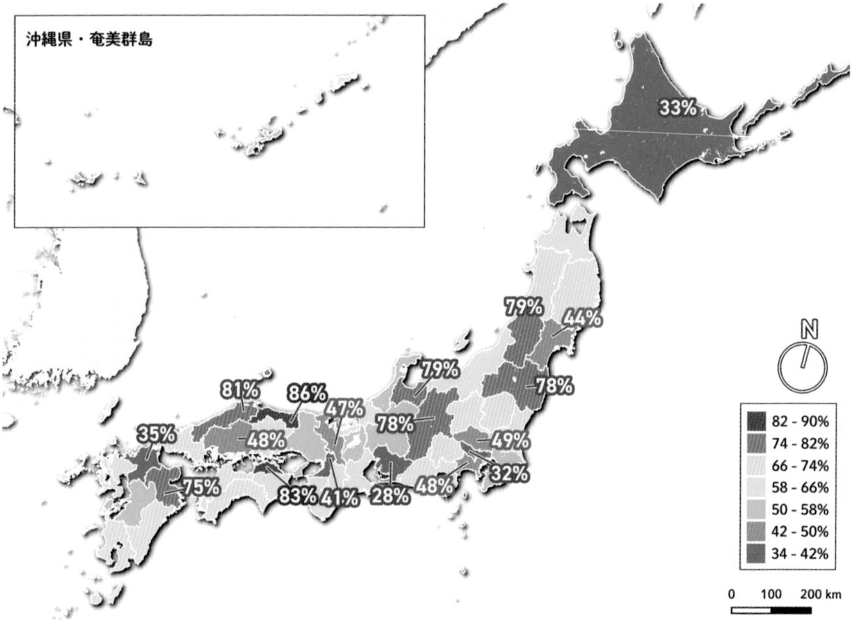


図5 大学進学者の県外への進学率（高校所在地の都道府県別）
地方圏では他県への進学率が高くなっている。鳥取県（85.9%）、香川県（82.6%）など。

が上位を占めました。また、公立鳥取環境大学（2022年）によると、212件あった就職内定のうち、鳥取県内に本社がある会社からの内定は35件（16.2%）しかありませんでした。

文部科学省などは、地方に先端的な研究機関をつくったり、奨学金（地方創生枠等）で地元に残る人を支援したりするなど、地域に若者を定着させるための取り組みを進めています。

また近年では、技術系の仕事を中心に、テレワークを前提とした雇用形態も生まれています。近い将来、地元への進学、就職が当たり前となる時代が来てほしいと願っています。

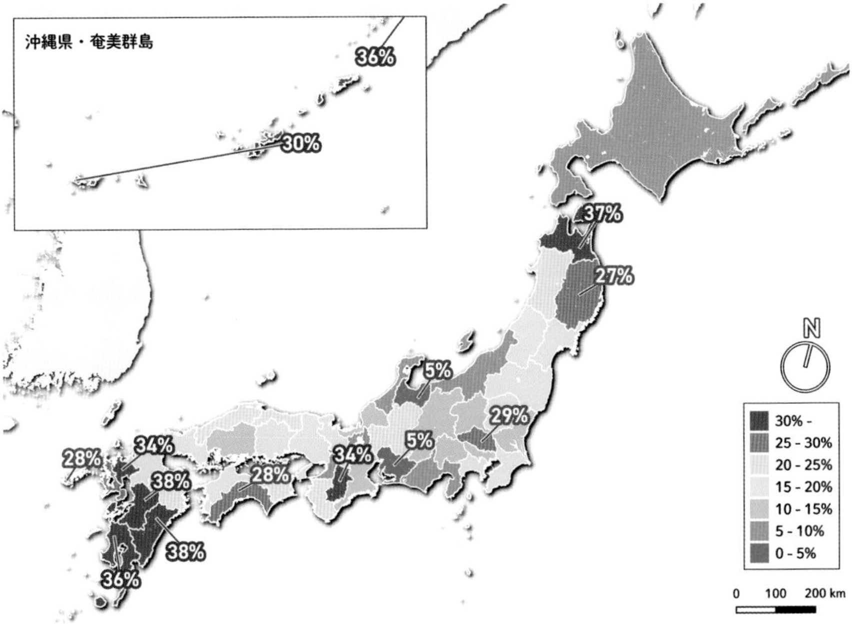


図6　高卒就職者の県外への就職率（高校所在地の都道府県別）
東北北部や九州南部のほか、大都市に隣接する県で高くなっている。富山県、愛知県などは高校卒業者の働き口が多く（自動車、医薬品工業など）、地元就職率が高い。

参考①：文部科学省『学校基本調査』（2022年）
参考②：鳥取県とっとり元気戦略課『高校生・大学生等の進学、就職等意識調査』（2015年）（https://www.city.tottori.lg.jp/www/contents/1585023259736/simple/shiryou2-2.pdf）
参考③：公立鳥取環境大学『就職・進学実績』https://www.kankyo-u.ac.jp/employment/career/（2023年10月14日閲覧）

5-5

# 県外に出た高卒生は「どこへ行く」のか調べてみた

前項では、若者の県外流出を可視化してきました。それでは、高校を卒業して県外に進学、就職する若者たちは、どこへ向かっているのでしょうか。

## ◎どこの大学へ行くのか

まず、大学に進学する人たちの動向を見てみましょう。図1は、「各県から大学に進学する人が最も多く行く県」を色分けした地図です（現役以外の合格者も含まれています）。

この地図からわかるのは、東京、愛知、大阪などの大都市にある大学が、

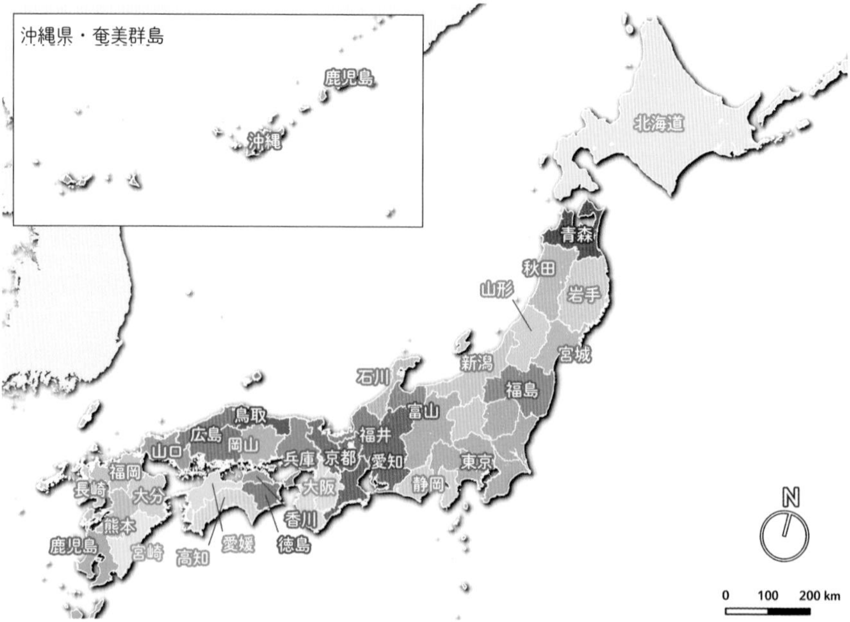


**図1** 進学先1位の都道府県（高校所在地の都道府県ごとに集計）
地方から大都市を目指す動きと、大都市から東京を目指す動きが見られる。

全国から若者たちを引き寄せていることです。また、「島根から広島へ」「佐賀から福岡へ」というように、近くの県に流れていく様子もわかります（島根県には4年制大学が2校しかありませんが、広島県には21校もあります）。

次に、首都圏と近畿圏に進学する若者たちの割合を見てみましょう（図2）。首都圏は東京、埼玉、千葉、神奈川の4県、近畿圏は京都、大阪、滋賀、兵庫、奈良、和歌山の6県です。

全国的には首都圏に進学する若者たちが多いのですが（41% vs. 21%）、西日本では近畿圏に進学する若者たちが多いことがわかります。特に中国、四国や北陸の若者たちは近畿圏の大学を選ぶ傾向が強いようです。つまり、若者たちは東京に「一極集中」しているわけではなく、各地方の主要な都市圏に「多極集中」していると言えます。

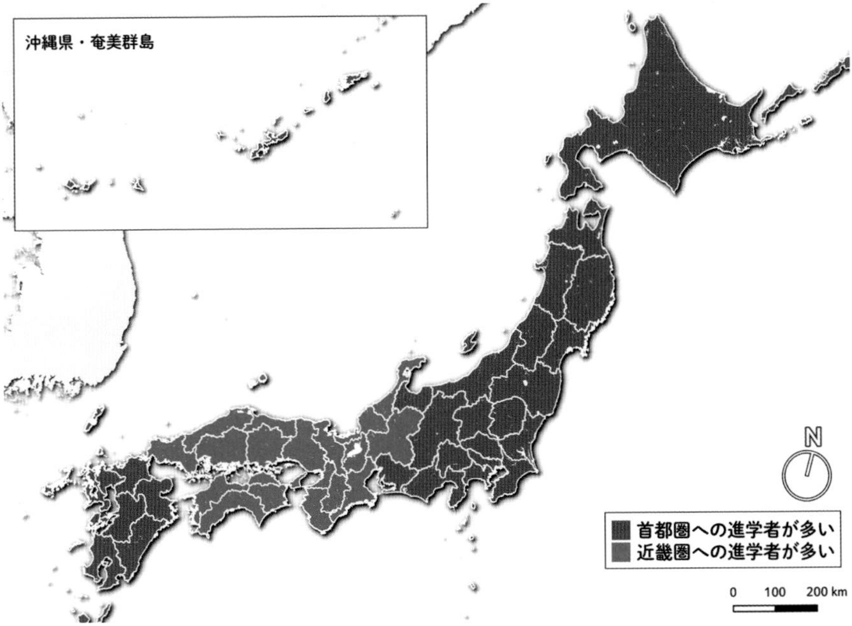


図2　進学先は首都圏と近畿圏、どっちが多い？（高校所在地の都道府県ごとに集計）
岐阜県あたりに首都圏と近畿園の分かれ目がある。九州と沖縄では首都圏への進学者のほうが多い。

## ◎どこに就職するのか

それでは、高校卒業後に働き始める若者たちはどこに行くのでしょうか。先ほどの図1、2と同じ要領で高校卒業者の就職先をまとめてみました（図3、4）。

これらの地図からわかることは、愛知、大阪、宮城、広島、福岡など、大都市をかかえた府県が近隣の府県から人を集めていることです。その一方で、これらの大都市からは（近隣の府県ではなく）東京に就職する人が多いこともわかります。進学だけでなく就職においても、各地方の主要な都市圏への「多極集中」の構図があります。

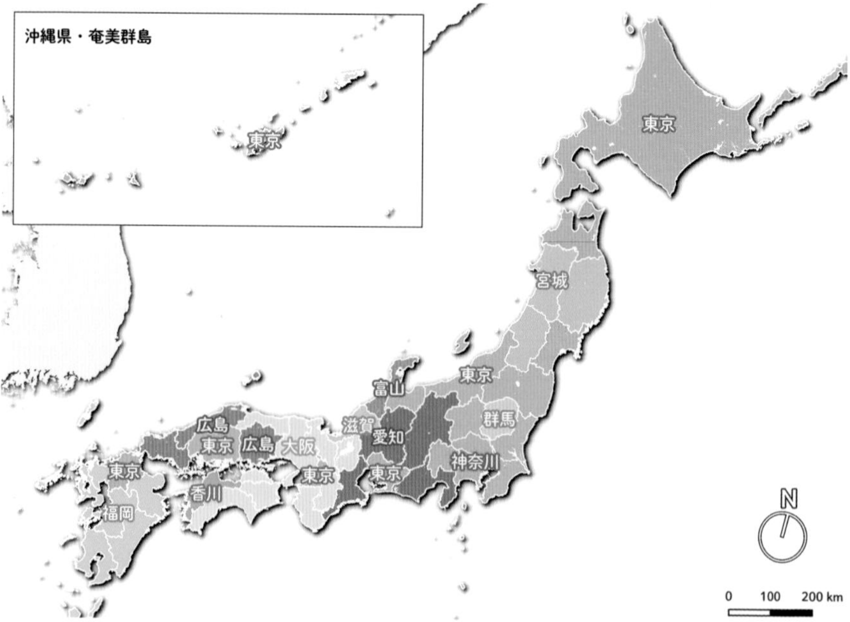


**図3** 県外就職先1位の都道府県（高校所在地の都道府県ごとに集計）
進学先と異なり、どの都道府県でも県内就職者が圧倒的に多いため、「県外への就職」に絞ってデータを集計した。

このように、高校卒業生の進路に関するデータを見ると、18歳（〜20歳ごろ）という大切な時期に、若者たちがどのような進路を選び、どこからどこに移動しているのかが見えてきます。それぞれの若者にはそれぞれの物語がありますが、毎年100万人近くの若者たちの選択が集まって、人の流れをつくります。その結果として、大都市圏への人口集中という社会現象が起こっているのです。

参考：文部科学省『学校基本調査』（2022年）

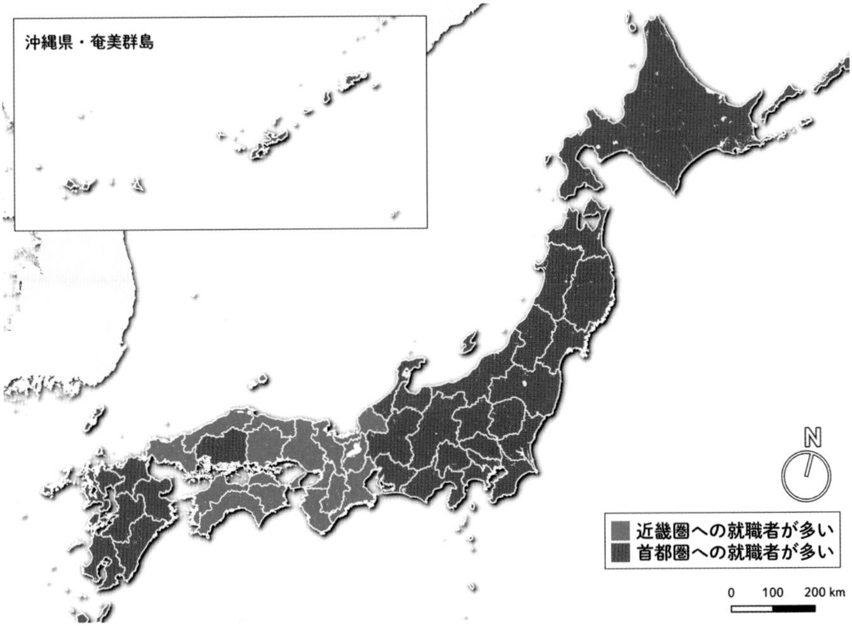


図4　就職先は首都圏と近畿圏、どっちが多い？（高校所在地の都道府県ごとに集計）
図2（進学先）の東西対決と似たような傾向。

## 5-6 首都圏に集中している「業界」、集中していない「業界」

突然ですがクイズです。

東京、埼玉、千葉、神奈川の一都三県に、ある業界で働く人の62.5%（160万人中100万人）が住んでいます。

いったいどんな業界でしょうか？

答えは「IT業界」です（図1）。

IT業界にはさまざまな定義がありますが、ここでは総務省統計局が5年おきに行っている基幹統計「国勢調査」の産業中分類のうち、通信業、情報サービス業、インターネット付随サービス業を対象としました（図2）。ソフトウェ

| 産業（大分類 - 中分類 - 小分類） | 就業者（全国） | 就業者（首都圏） | 首都圏集中率 |
|---|---|---|---|
| 情報通信業 | | | |
| 通信業 | | | |
| 電気通信業 | 115,230 | 63,960 | 55.5% |
| 電気通信に附帯するサービス業 | 25,350 | 7,080 | 27.9% |
| 放送業 | | | |
| 放送業 | 73,110 | 28,800 | 39.4% |
| 情報サービス業 | | | |
| ソフトウェア業 | 1,159,410 | 739,780 | 63.8% |
| 情報処理・提供サービス業 | 146,260 | 87,510 | 59.8% |
| インターネット付随サービス業 | | | |
| インターネット附随サービス業 | 160,550 | 106,430 | 66.3% |
| 映像・音声・文字情報制作業 | | | |
| 新聞業 | 45,170 | 16,270 | 36.0% |
| 出版業 | 76,780 | 53,250 | 69.4% |
| 広告制作業 | 21,210 | 12,020 | 56.7% |
| 映像・音声情報制作業 | 106,450 | 76,970 | 72.3% |
| 映像・音声・文字情報制作に附帯するサービス業 | 34,600 | 24,620 | 71.2% |

ピンク色：本項で「IT産業」に分類したもの

図1 IT産業で働く人の60%以上は首都圏一都三県に集中している

ア開発の会社を中心に、固定電話や携帯電話、インターネット接続サービスを提供する会社、不動産や交通、気象などの情報を提供する会社、ポータルサイトや音楽、映像配信サービスを提供する会社などが含まれます。

首都圏に近畿圏、愛知県、福岡県を加えた一都二府六県への集中率は80.5%（160万人中129万人）。「ITの仕事は場所を選ばない。ITで地方創生」と言われるようになって久しいですが、彼らのビッグユーザーである大企業の本社、管理部門や官公庁が大都市に集中していること（需要）や、人材の確保が容易なこと（供給）、大規模なオフィスや高速な通信回線を調達しやすいこと（環境）といった要因から、実態としては一極集中から脱せない状況が続いているのです。

これは海外でも似たような傾向で、アメリカのIT団体「CompTIA」のレポート（2023年）によると、全米のIT人材916万人のうち、約41%にあたる373万人が、カリフォルニア、テキサス、ニューヨーク、フロリダ、バージニアの5州に集中しています。

ただし、近年はこれまで覇権を握っていたシリコンバレー（カリフォルニア州のサンフランシスコ、ベイエリア）が徐々に勢いを落としていて、テキサス州のヒューストンやフロリダ州のマイアミなどに人材が流出しつつあります。日本でも福岡市が「国家戦略特区（福岡市グローバル創業・雇用創出特区）」としてIT企業やスタートアップ企業を誘致していますし、LINE Fukuokaやヌーラボといった地元のIT企業とともに「スマートシティ[※1]」「エンジニアフレンドリーシティ[※2]」の取り組みを進めているところです。この勢いで福岡がIT業界における「第二の東京」に育ってくると、おもしろいことになりそうです。

※1：まちづくりの課題を最先端の技術によって解決しようという取り組み。福岡市ではハンドルのない自動運転バスの実証事件や、LINEを使った公共サービスや病院予約サービスの提供などが進行中。

※2：エンジニアが集まる、活躍する、成長する街、福岡を目指してコミュニティの形成や企業間連携を進めています。起業家の相談所や、スタートアップが集まるシェアオフィスなども。

## ◎首都圏に集中している仕事はITだけではない

首都圏（東京）に一極集中している業界は、ITだけではありません（図2）。

「学校教育支援機関」とは、大学入学共通テスト（旧大学入試センター試験）や奨学金事業、留学支援などを行う団体を指します。映像・音声情報制作業はテレビ、ラジオ番組や映画、ビデオの制作会社など。興行場は劇場やコンサートホール、その他芸能、スポーツなどを鑑賞できる場所を指していて、そこで出演する人たちのことを興行団と言います（東京ドームは興行場、読売球団は興行団）。

## ◎首都圏に集中していない仕事は？

逆に、首都圏にはあまり見られない業界もあります（図3）。

農林水産業のほか、服飾に関連する産業が挙がっていますね。繊維産業は北陸や北関東、東海、近畿で特に盛んで、織物機械のメーカーとともに発展してきた歴史があります。世界最大の自動車メーカーであるトヨタ自動車は、1926年に愛知県で創業した「豊田自動織機」がルーツですし、四輪車、二輪車で国内2位のスズキも「鈴木式織機製作所」（1909年創業）という社名でした。

| 産業（小分類） | 首都圏集中率 |
|---|---|
| 学校教育支援機関 | 88.1% |
| 映像・音声情報制作業 | 72.3% |
| 映像・音声・文字情報制作に附帯するサービス業 | 71.2% |
| 出版業 | 69.4% |
| 航空運輸業 | 68.2% |
| 金融商品取引業，商品先物取引業 | 67.9% |
| インターネット附随サービス業 | 66.3% |
| ソフトウェア業 | 63.8% |
| 経営コンサルタント業，純粋持株会社 | 61.4% |
| 情報処理・提供サービス業 | 59.8% |
| 興行場（別掲を除く），興行団 | 59.0% |
| その他の専門サービス業 | 57.0% |
| 総数 | 28.4% |

図2 産業（小分類）
首都圏（一都三県）に一極集中している業界

| 産業（小分類） | 集中率 |
|---|---|
| 船舶製造・修理業，舶用機関製造業 | 8.9% |
| 農業（農業サービス業を除く） | 8.6% |
| 製糸業，紡績業，化学繊維・ねん糸等製造業 | 7.9% |
| 染色整理業 | 7.0% |
| ニット生地製造業 | 6.8% |
| 陶磁器・同関連製品製造業 | 5.6% |
| 漁業（水産養殖業を除く） | 5.0% |
| 建設用粘土製品製造業（陶磁器製を除く） | 4.8% |
| 製材業，木製品製造業 | 4.7% |
| 織物業 | 4.3% |
| 林業 | 2.9% |
| 水産養殖業 | 1.4% |
| 総数 | 28.4% |

図3 産業（小分類）
首都圏（一都三県）に一極集中していない業界

## ◎文化の担い手は、どの都市に集中しているか？

業界（どのような会社に勤めているか）ではなく、職業（どんな仕事をしているか）を見ると、また違った発見があります（図4、5）。

リストを眺めてみると、文化・芸術に関する職業の人たちが東京周辺に集中していることがわかります。特に東京の西側の目黒区、世田谷区、杉並区、練馬区への集中度が高く、音楽家や舞踊家，俳優，演出家，演芸家の13～15％（計1.3万人）、著述家とデザイナーの9～10％（計1.2万人）がこの地域に住んでいます。

2023年には感染症による社会の混乱も落ち着き、進学や就職による若者の移動がふたたび活発になってきました。首都圏への一極集中も戻ってきたところですが、IT関連の大企業を中心に、リモートワークと地方拠点への出勤を組み合わせた「住む場所を問わない人事制度」を採用する会社が増えるなど、以前よりも柔軟な働き方ができるようになり、「一極集中問題の風向きが変わってくるかも……？」という期待感が生まれてきました。ここで紹介したランキングが、10年後、20年後にどう変化するのか、今から楽しみです。

| 職業（小分類） | 集中率 |
|---|---|
| 舞踊家，俳優，演出家，演芸家 | 67.4% |
| 航空機操縦士 | 64.3% |
| 音楽家 | 63.8% |
| 公認会計士 | 63.2% |
| システムコンサルタント・設計者 | 62.8% |
| 著述家 | 61.4% |
| 記者，編集者 | 61.4% |
| その他の情報処理・通信技術者 | 61.2% |
| その他の経営・金融・保険専門職業従事者 | 57.3% |
| ソフトウェア作成者 | 56.0% |
| デザイナー | 51.4% |
| 彫刻家，画家，工芸美術家 | 51.0% |
| 総数 | 28.4% |

図4 職業(小分類)
首都圏(一都三県)に一極集中している職業

| 職業（小分類） | 集中率 |
|---|---|
| その他の農業従事者 | 9.2% |
| 農耕従事者 | 8.9% |
| 養畜従事者 | 7.4% |
| 漁労従事者 | 5.4% |
| 船長・航海士・機関長・機関士（漁労船） | 5.1% |
| 砂利・砂・粘土採取従事者 | 5.0% |
| その他の林業従事者 | 4.5% |
| 伐木・造材・集材従事者 | 2.9% |
| 海藻・貝採取従事者 | 2.9% |
| 育林従事者 | 2.7% |
| 水産養殖従事者 | 1.9% |
| その他の漁業従事者 | 1.5% |
| 総数 | 28.4% |

図5 職業(小分類)
首都圏(一都三県)に一極集中していない職業

参考①：総務省統計局『令和２年国勢調査 就業状態等基本集計』
参考②：総務省統計局『令和２年国勢調査 抽出詳細集計』
参考③：CompTIA『State of the Tech Works』APPENDIX A.6 - RANKINGS: NET TECH EMPLOYMENT BY METRO (https://www.cyberstates.org/pdf/CompTIA_State_of_the_tech_workforce_2023.pdf)

# 5-7 あなたの街にはどんな「業界」に勤めている人が多い？

総務省統計局「2021年経済センサス」によると、日本国内には367万社の民間企業があり、さらに公務員を含めると6,240万人以上が働いています。

各市区町村の住民が「どの産業で一番働いているのか」を可視化してみました。就職先の傾向には男女差があるので、性別によって地図を分けてみます。

## ◎男性編

まずは男性から（図1～4）。全国的に見ると、第2次産業（製造業・建設業）

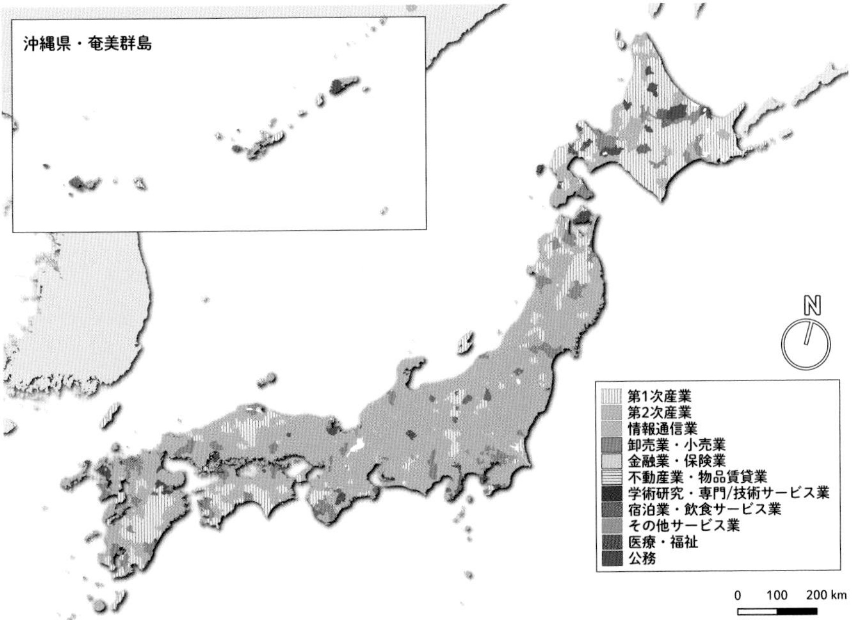


**図1**　最も就業者の多い職業（男性、全国）
青は公務員。自衛隊の基地がある横須賀（神奈川県）、舞鶴（京都府）、江田島（広島県）、佐世保（長崎県）などが青く塗られている。

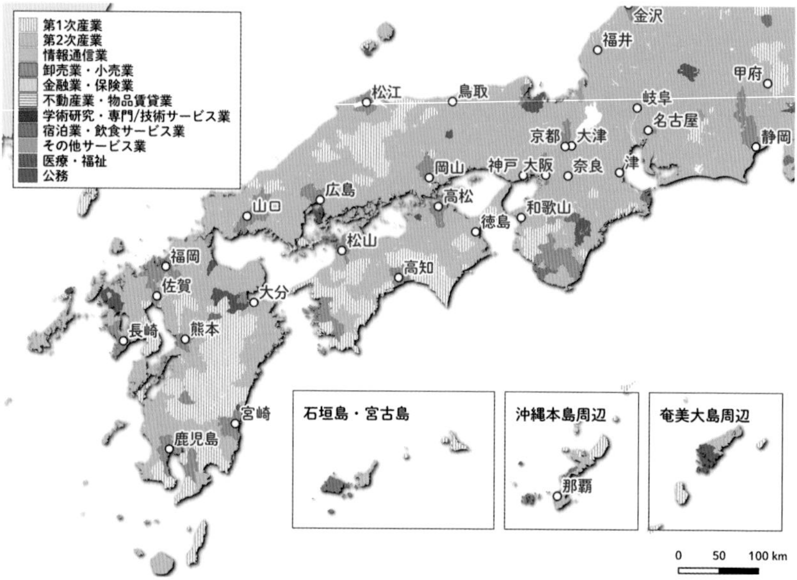


図2 最も就業者の多い職業(男性、西日本)

青色の市町村には自衛隊の基地があることが多い。

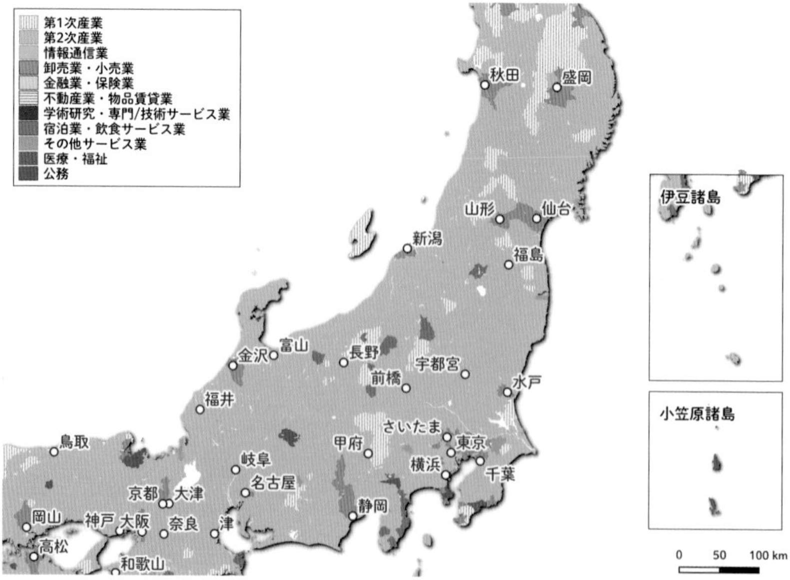


図3 最も就業者の多い職業(男性、中部〜東北南部)

紫は宿泊業・飲食サービス業。観光地に色がついているが、知っている市町村はあるだろうか?

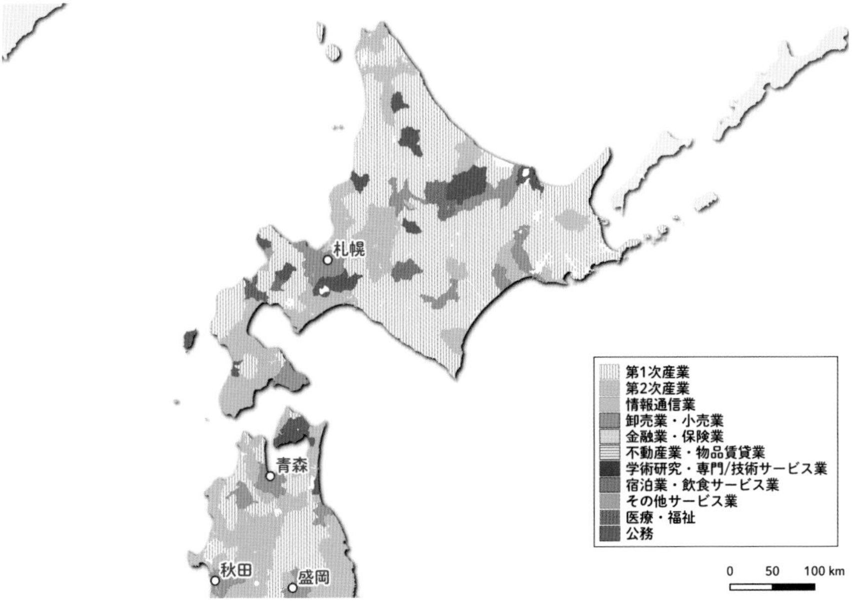


図4 最も就業者の多い職業（男性、東北北部～北海道）
北海道には畜産、酪農が盛んな町村が多い。

で働く人が最も多く、20%を超えています。一方で農山漁村では「農業、林業、漁業」、都市部では「卸売業、小売業」で働く人が多くなります。

東京と横浜には水色に塗られた地域がありますね。これはITやマスコミ、出版などの「情報通信業」です。くわしい統計データを見ると、情報通信業の中でも、システムやWebサービスの企画、開発、運営を行う「情報サービス業」が大半を占めていて、IT産業が東京を支えていることがわかります。

## ◎女性編

女性のほうはだいぶ色合いが違います（図5～8）。医療、福祉の業界で働く女性は全体の約20%。大都市にはピンク色がついていて、卸売業（商社）、小売業（アパレル、スーパー、食料品店、薬局など）に勤める人が多いことが読み取れます。

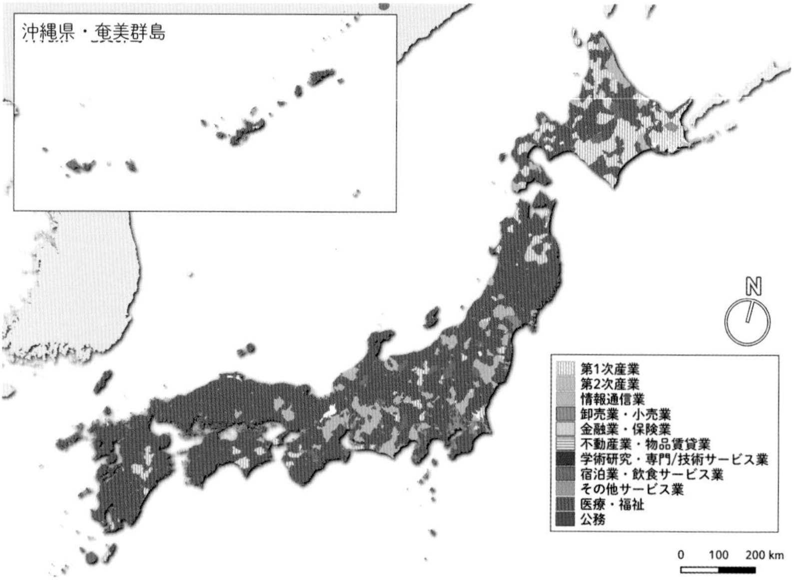


**図5** 最も就業者の多い職業（女性、全国）

働く女性の約22%が医療、福祉の仕事に就いている。地図には表れにくいが、卸売業、小売業も18%、製造業も11%いる。

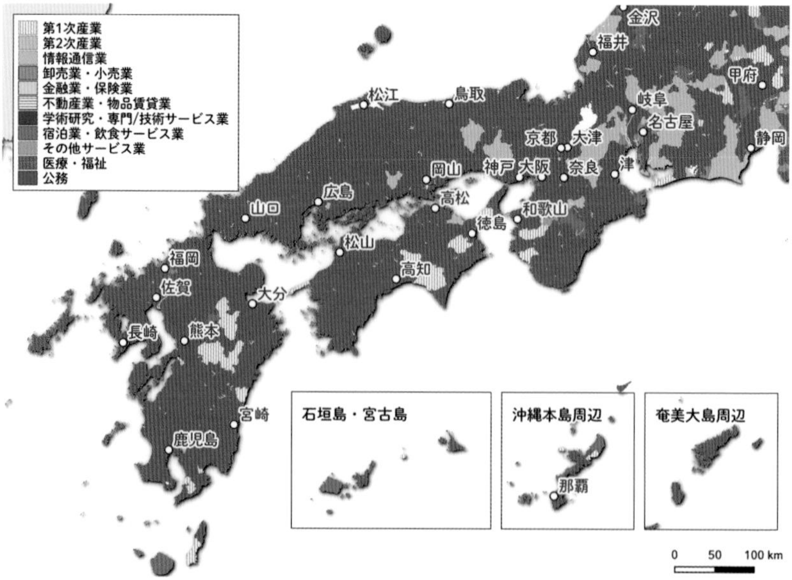


**図6** 最も就業者の多い職業（女性、西日本）

阿蘇の外輪山では農業（高原野菜）や畜産が盛ん。淡路島では玉ねぎやレタスの生産が一大産業。

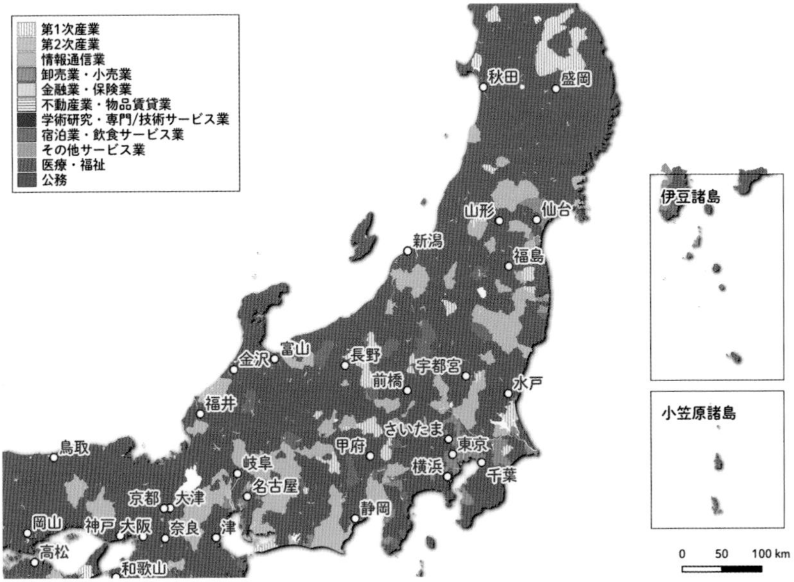


図7　最も就業者の多い職業（女性、中部～東北南部）

内陸の温泉どころに紫色がついている。

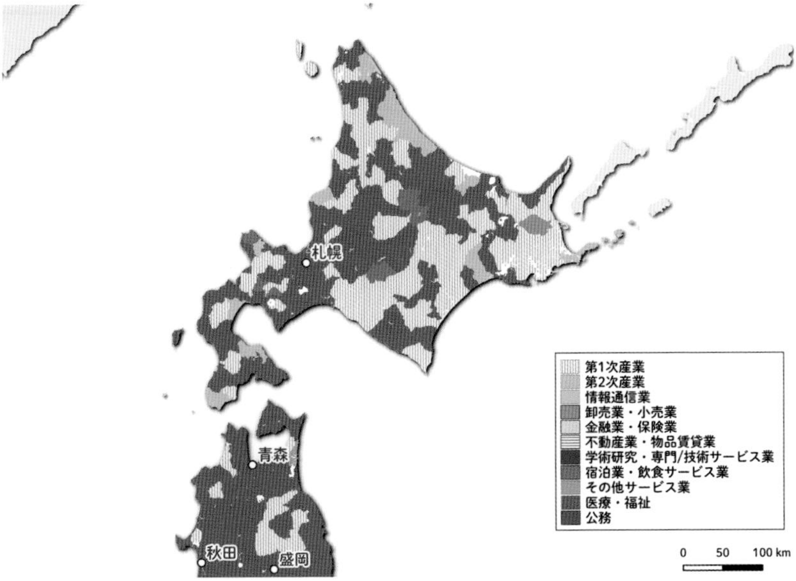


図8　最も就業者の多い職業（女性、東北北部～北海道）

酪農王国・北海道では町村部で働く女性の6人に1人が農業に従事している。

## ◎統計データの解像度を高めると、細かい地域差がわかる

ここまで市区町村ごとの統計データを紹介してきましたが、実際に街を歩いてみると、少し場所が離れただけで建物や通行人の雰囲気が変わってくることに気づくのではないでしょうか。総務省統計局は一部の統計について、市区町村データのほか、町丁目《ちょうちょうもく》や約250m四方の細かいデータを公開しているので、そちらも見てみましょう（図9～12）。

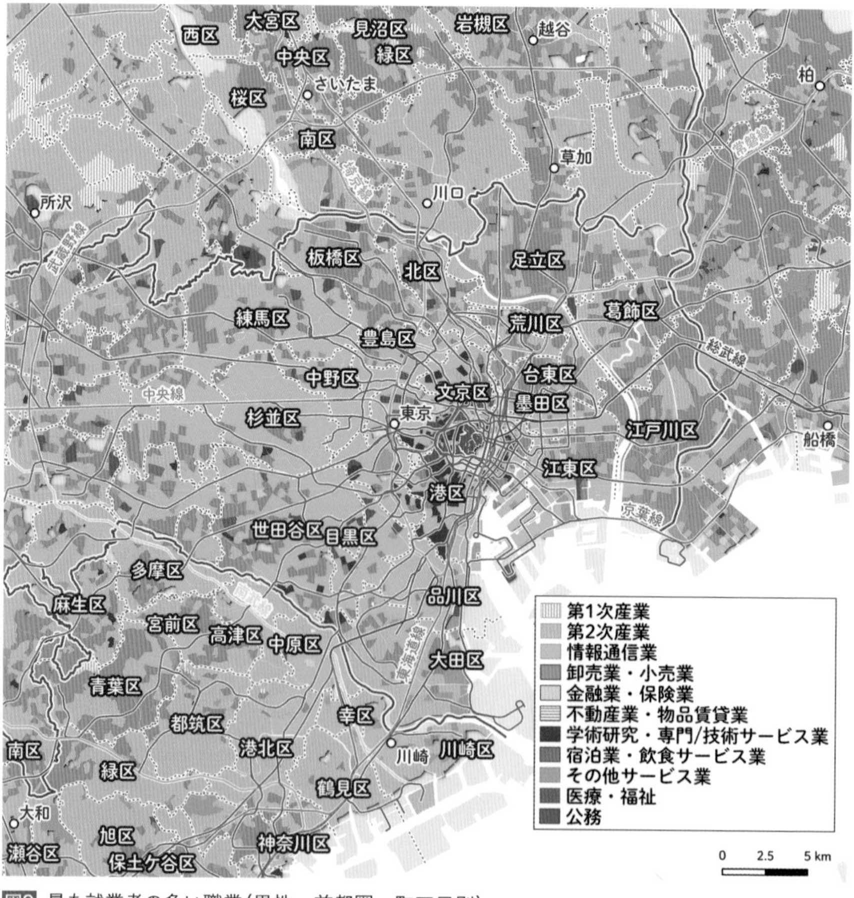


図9 最も就業者の多い職業（男性、首都圏、町丁目別）

おもな鉄道路線に沿って水色（情報通信業で働く人の多いエリア）が広がり、駅や都心から離れるにつれて赤色（卸売、小売業）が見られるようになり、さらに郊外に行くと灰色（製造業）が主流になる。

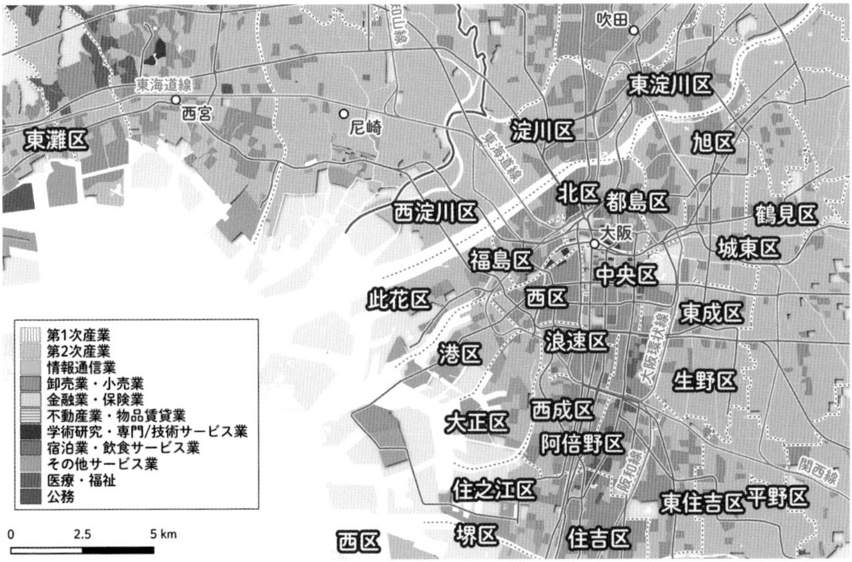


**図10** 最も就業者の多い職業（男性、阪神、町丁目別）

大阪には水色（情報通信業）のエリアがあまり見られない。商都としての大阪の姿が浮かんでくる。阪神エリアや北摂エリアには医師の多い地域も。

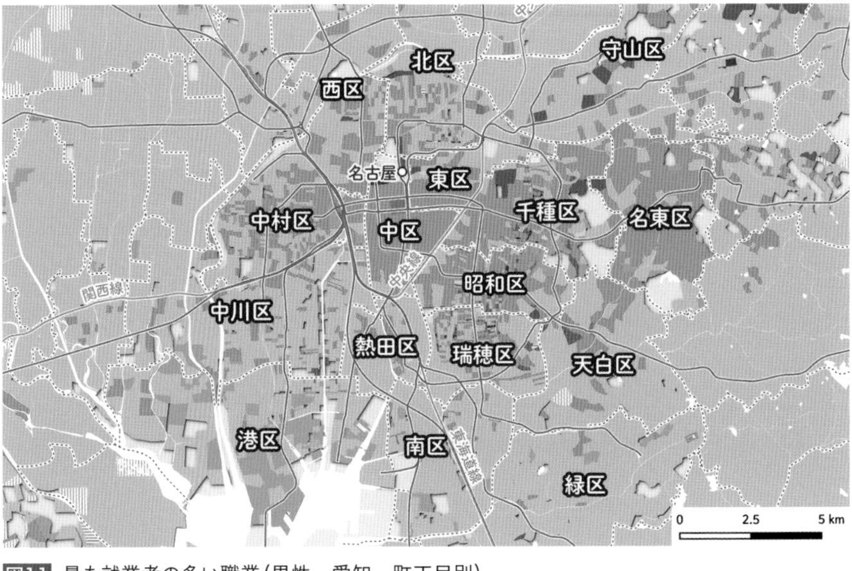


**図11** 最も就業者の多い職業（男性、愛知、町丁目別）

愛知といえばトヨタのイメージを持つ人も多いが、名古屋市の中心部では商業・サービス業などの第2次産業が栄えている。

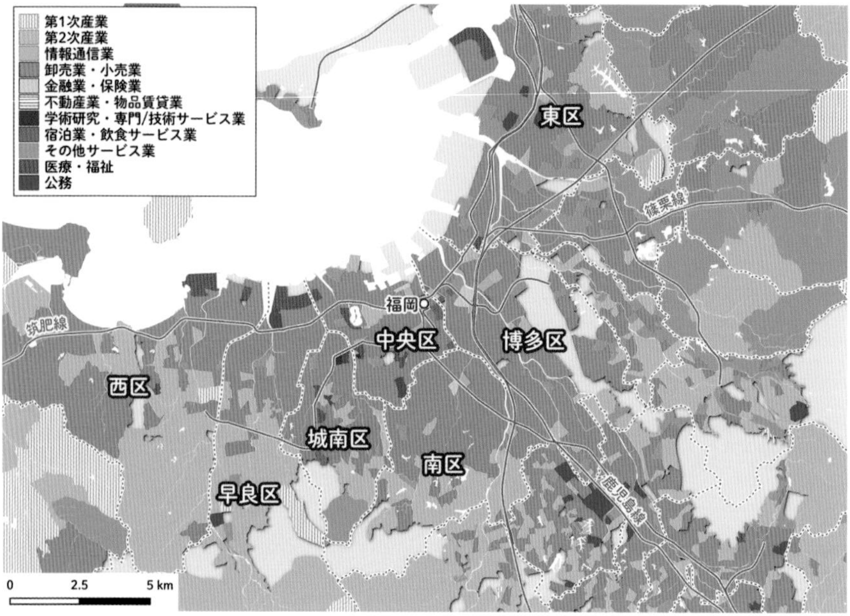


図12 最も就業者の多い職業(男性、福岡、町丁目別)
福岡市は第3次産業の比重が高い。30代前半・男性の約10%が卸売業に従事している(全国の政令指定都市で1位)。

首都圏では、主な鉄道路線に沿って水色(情報通信業で働く人の多いエリア)が広がり、駅や都心から離れるにつれて赤色(卸売、小売業)が見られるようになります。さらに郊外に行くと灰色(製造業)が主流になります。各産業の賃金水準の違いや、職場の立地の違いによって、このような差が生まれています。

また、山手線の内側や東急線沿いの高級住宅地には濃い緑色のエリアが見られます。これらの場所では、弁護士、行政書士、公認会計士といった、いわゆる「士業」の事務所に勤める人が多くなっています。

## ◎夢を与える仕事は職住近接?

今度は女性の拡大版を見てみましょう(図13、14)。日本を代表する飲食店街、銀座、新橋、赤坂のまわりには宿泊業、飲食サービス業で働く人が多

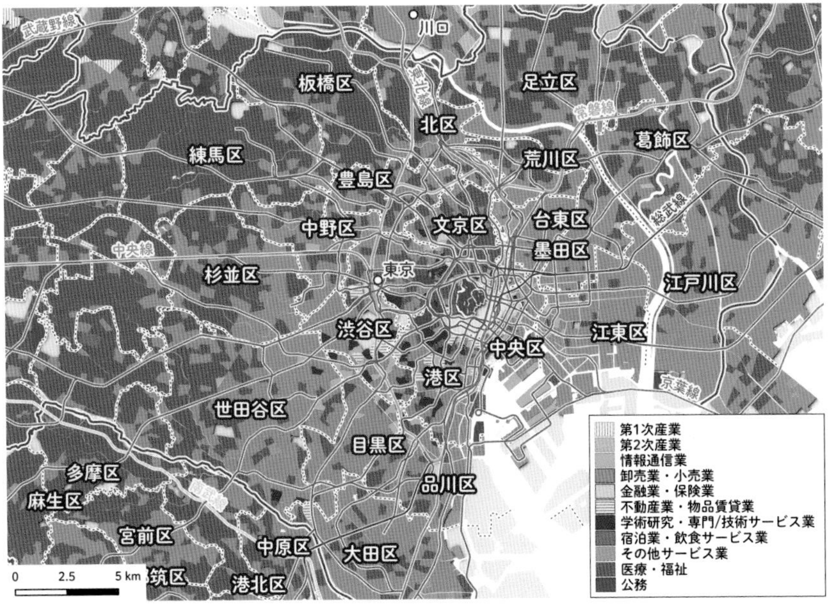


**図13** 最も就業者の多い職業（女性、東京、町丁目別）
港区、目黒区、渋谷区の丘陵地にはIT、マスコミ、士業で働く女性が多く住んでいる。

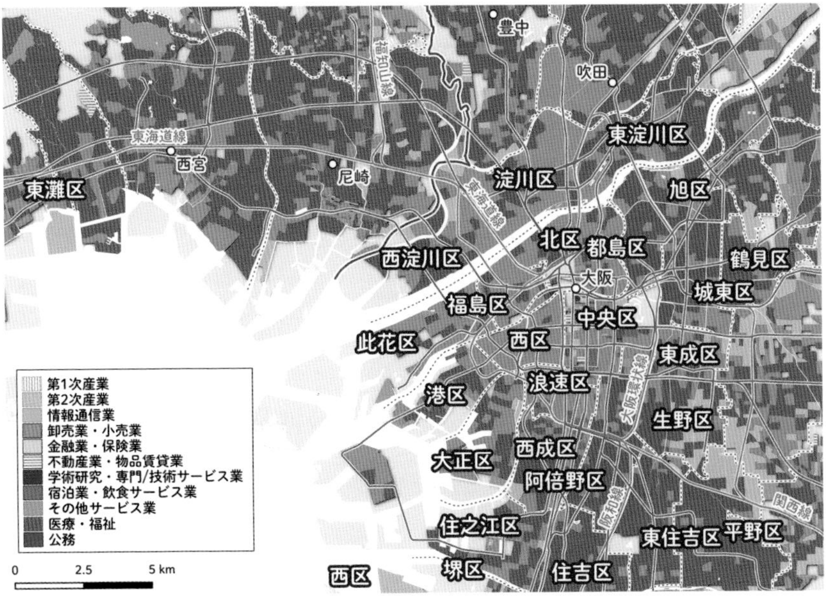


**図14** 最も就業者の多い職業（女性、大阪、町丁目別）
大阪市の東部では工場に勤める女性が多い。ものづくりの町、大阪は健在。

く住んでいます。舞浜（千葉県浦安市）や桜島（大阪府大阪市）などには黄土色（サービス業など）のエリアがありますが、この近くにはどんな施設があるでしょうか？　テーマパークは、大分類「生活サービス関連業、娯楽業」、中分類「公園、遊園地」に属しているのがヒントです。

ここまで見てきたように、住民の職業から街の性格を垣間見ることができます。街の雰囲気は住んでいる人たちによって決まるところが大きいですし、企業は住民のライフスタイルに合わせてお店の出店戦略を練っています。転勤などで知らない町に引っ越すときには、「ご自身と同じ属性の人が多いエリア」から選んでみるのも一案です。

参考①：総務省統計局『令和２年国勢調査 就業状態等基本集計』
参考②：総務省統計局『令和２年国勢調査 小地域集計』

# 5-8 少子化なのに「出生率が回復してきた街」がある!?

全国47都道府県の合計特殊出生率（2013〜2017年の平均）を可視化してみました（図1）。合計特殊出生率とは、「1人の女性が一生のうちに産む子どもの数を簡易的に求めた指標」で、15歳から49歳までの女性の年齢別出生率（ある期間に、1人の女性が平均何人産んだか）を足し合わせることによって算出しています。若くして亡くなる方もいるので、人口を維持するには2.06〜2.07が必要だと言われています。

全国平均は1.43。社会全体が1世代（約30年）歳を取るごとに、子どもの数が約30％少なくなるという計算です。

今度は拡大版です。市区町村別の出生率で塗り分けてみました（図2〜4）。

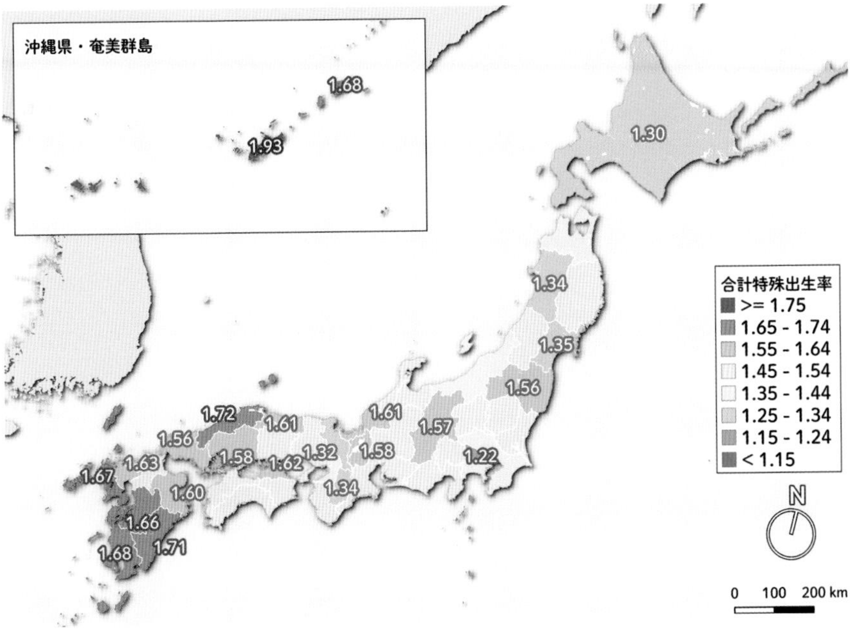


図1　合計特殊出生率（2013〜2017年平均）
全体的に西高東低といった傾向。沖縄、九州、山陰などの西日本各地で高くなっている。

同じ都道府県の中でも出生率にばらつきがあり、都市部より農村、漁村のほうが高くなっています。

例えば、熊本県の合計特殊出生率は1.66ですが、県内1位の球《く》磨《ま》郡《ぐん》錦《にしき》町《まち》は2.26、最下位の熊本市中央区は1.26と大きな差がついています。

熊本市中央区は70万都市・熊本の「都心」といえる地域で、県庁やオフィス街、九州屈指の大型商店街「下通アーケード」などの間を縫うように路面電車が駆け回っています。進学、就職のタイミングで転入してくる若者が多いのですが、住宅事情や道路事情が悪く、ファミリー世代(0歳代と30代)は、周辺の街に転出してしまう傾向があります。

球磨郡錦町は球磨川の中流にある人口約1万人の町で、剣豪「丸《まる》目《め》蔵人《くらんど》」とフルーツが有名です。町内には大手半導体メーカーの工場があり、地域の基幹産業となっているほか、国道沿いには隣の人吉市などで働くファミリー層が住んでいます。子育て世帯が多いので出生率が高くなっています

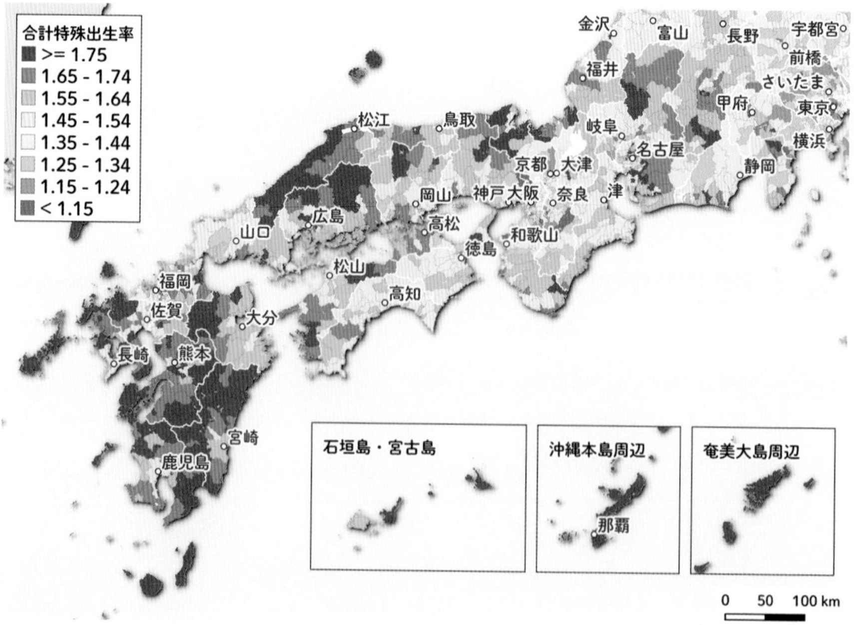


図2 合計特殊出生率(2013～2017年平均)　西日本

九州や沖縄では出生率が高め。人口を維持できる2.06～2.07を上回る市町村も。

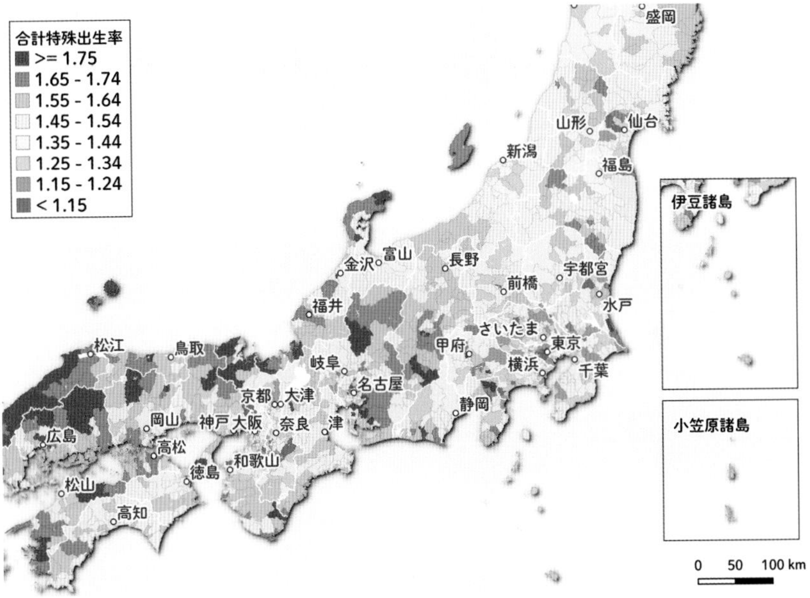


**図3** 合計特殊出生率（2013～2017年平均）　中部～東北南部
近畿圏や首都圏、東北地方で出生率が低くなっている。

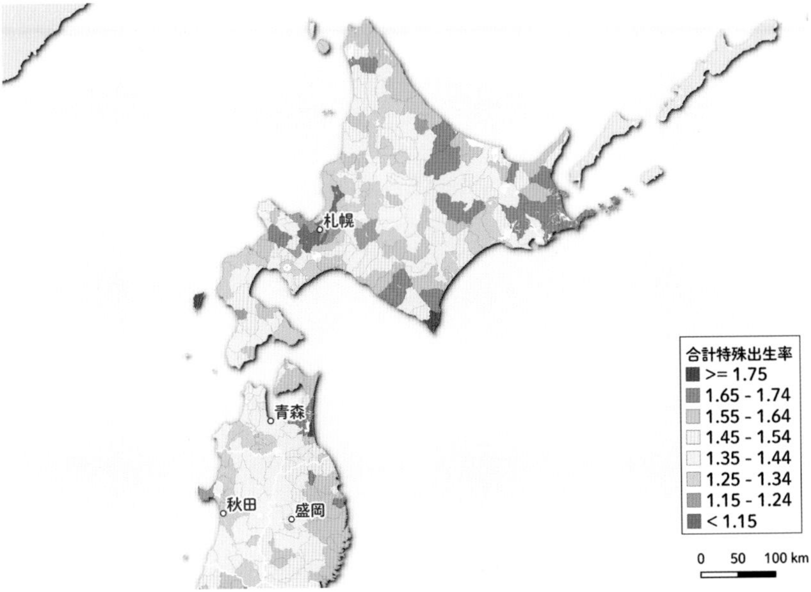


**図4** 合計特殊出生率（2013～2017年平均）　東北北部～北海道
札幌近郊で、出生率の低さが目立つ。

が、ここで産まれた子どもは、高校卒業後に熊本市や県外に引っ越してしまう傾向が強いため、全体としては人口減少が続いています。将来、隣の人吉市などの人口が減っていくと、錦町へのファミリー層の流入も止まってしまうとの予測※がありますが、どうなるでしょうか。

### ◎出生率がV字回復している街がある！

今度は三大都市圏を眺めてみましょう（図5〜7）。首都圏では全体的に出生率が低く、特に東京23区の西側は1.0前後となっています。2000年ごろ（1998〜2002年）には約0.7〜0.9でしたので、当時よりは「改善」しているものの、区外からの転入者なしには人口を保てないような水準です。

首都圏の郊外では出生率1.4前後。流山市（千葉県）やつくばみらい市（茨城県）、戸田市（埼玉県）、川崎市幸区（神奈川県）では1.6前後となっています。これらの都市では2000年代まで少子高齢化が進んでいましたが、東京都心への直通列車「つくばエクスプレス」が整備されたり、工場などの跡地がマンションやショッピングモールに生まれ変わったりしたことで、ファミリーや新婚さんの流入が加速しています。

近畿圏、中京圏でも、都心と郊外で出生率に差がついています。郊外の自治体の中には、手厚い子育て支援を掲げてファミリー層を誘致しているところがあります。

兵庫県明石市では、助成金や医療費、保育料無料化といった支援策を矢継ぎ早に進め、人口減少に歯止めをかけました。特に前市長は隣の神戸市を「驚くほど冷たい街だ」と痛烈に批判するなど、歯に衣着せぬ発言が注目を集めましたが、出生率そのものは神戸市垂水区や播磨灘沿いの近隣市町と大差ありません（この傾向は2018年以降の暫定値でも変わりません）。高校、大学卒業のタイミングで神戸市や大阪市、東京都などに転出してしまう傾向も続いていて、出産を希望するアラサー世代の「転入超過」（他の市町村に転出する人より、転入してくる人のほうが多いこと）によって人

※：内閣府 地方創生＞地域再生＞認定された地域再生計画について＞錦町「にしき・まち・ひと・しごと創生推進事業」
https://www.chisou.go.jp/tiiki/tiikisaisei/dai55nintei_furusato/plan/b452.pdf

口を増やしている状況です。社会全体として「少子化」「大都市への人口集中」が止まらない中、自治体単独の力で出生率、出生数を伸ばすことの難しさが浮き彫りになりました。

経済支援も重要ですが、それよりも①立地条件（地元に仕事があるか、近隣の大都市や工業都市に通勤しやすいか）、②不動産価格（子育てに十分な広さの家を購入できるか）、③女性の就業環境（出産後も仕事を続けられるか）といった複合的な要因によって、子育て世帯の住みやすさが大きく変わってきます。明石市では経済支援に加え、①と②に恵まれていたことで人口増加を実現しましたが、他の町が真似しても成功するとは限りません。

少子化が進む今、ファミリー向けの支援策ばかりが注目されがちですが、高等教育機関や企業の誘致など、「若者が永住したくなる」街づくりにも光が当たってほしいと切に願います。

参考：厚生労働省『人口動態統計特殊報告　平成25～29年　人口動態保健所・市区町村別統計』

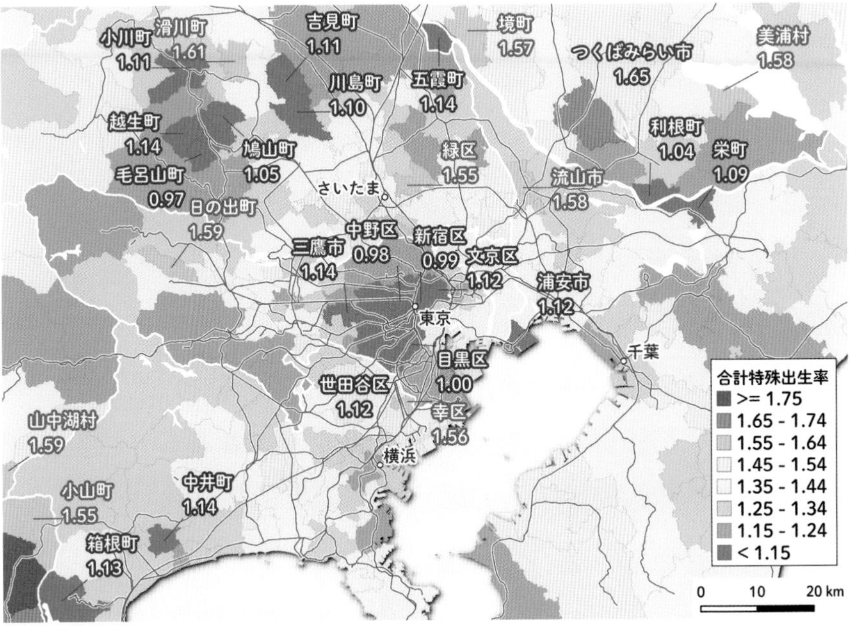


図5　合計特殊出生率（2013～2017年平均）首都圏
つくばエクスプレス沿線の新興住宅地にファミリー世代が流入し、出生率が上昇している。

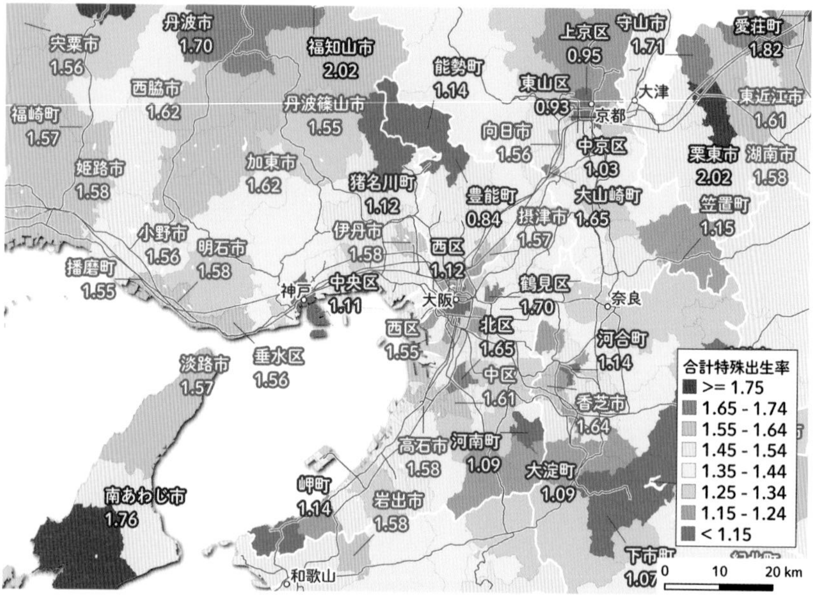


**図6** 合計特殊出生率（2013～2017年平均）近畿圏

京都、大阪、神戸の中心部では出生率が1前後。結婚や出産を機に郊外のベッドタウンに移り住む人も多い。

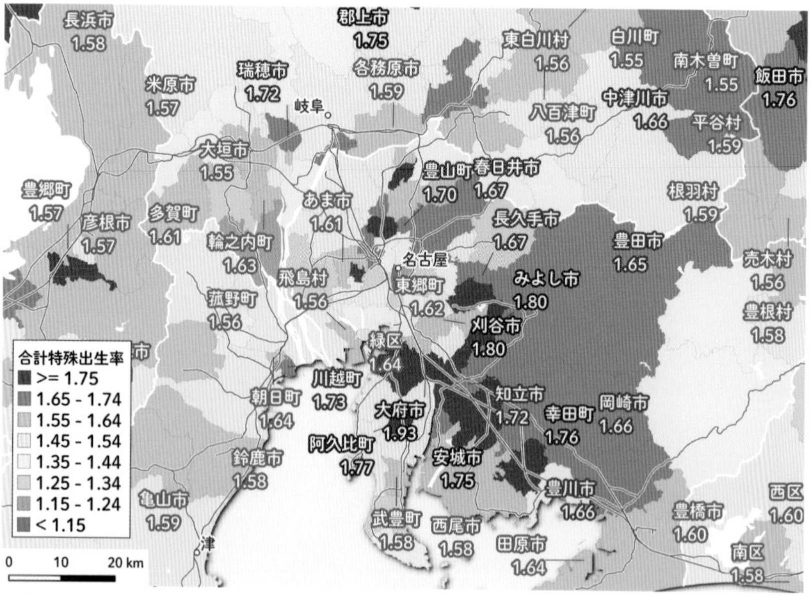


**図7** 合計特殊出生率（2013～2017年平均）中京圏

名古屋を取り囲むベッドタウンや三河地域の工業都市で出生率が高め。

Column ⑩

# 発展途上国も出生率が下がり始めている！

世界各国の**年齢中央値**はどうなっているのでしょうか？　2015年に国連経済社会局がまとめたデータを可視化すると、先進国と発展途上国の違いが浮かび上がってきました（図1）。世界的にはヨーロッパと日本で年齢中央値が高く、おおむね40代が人口ピラミッドの真ん中にいます。

一方、アフリカや西アジア、中央アジア、南アメリカでは年齢中央値が低くなっていて、特に、サハラ砂漠の南端に位置するニジェール共和国では**14.8歳という若さ**です。アフリカのいわゆる「最貧国」では、合計特殊出生率、つまり1人の女性が一生に産む子どもの数が多くの国で4.0を超えていて極めて多産なのですが、亡くなる子どもも多いため、全体としては「子どもや若者ばかり」の人口構成となっています。

これらの「子だくさん」の国でも、女性の地位が向上（児童結婚の減少、女性の就業率の上昇）したり、子どもにお金と時間をかけて育てる価値観が生まれたりすることによって、少しずつ出生率が下がり始めています。2050年の「年齢中央値マップ」は、どうなることでしょうか？

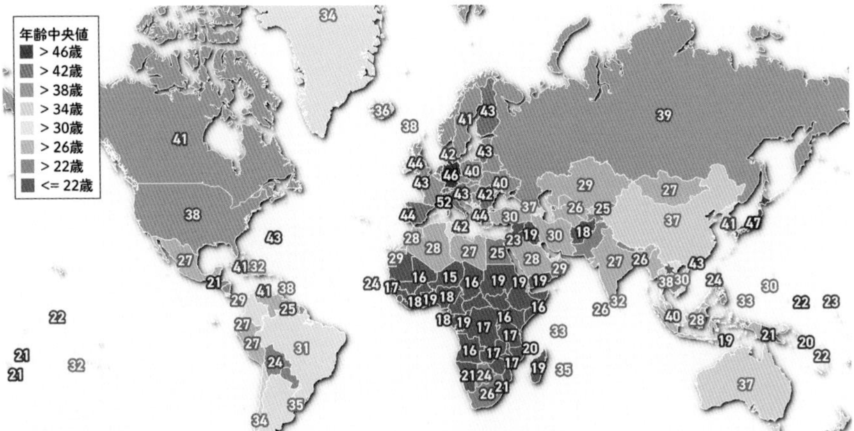


**図1** 年齢中央値（世界）

5-9

# 「3人以上のきょうだい」が多い街には意外な傾向があった

前項では合計特殊出生率、つまり「15～49歳の女性全員が平均何人を産んでいるのか」を見てきましたが、今度は視点を変えて「子どもがいる家庭が平均何人を産んでいるのか？」をまとめてみました（図1）。

全国平均は2.0人。ゆるやかな西高東低の傾向が見て取れますが、最上位の長崎県（2.3人）と最下位の東京都（1.8人）に大きな差はありません。

市区町村別の地図を見てみましょう（図2～4）。西日本では県庁所在地などの都市部で2.0～2.1人、山間部で2.3～2.5人といったところ。東日本

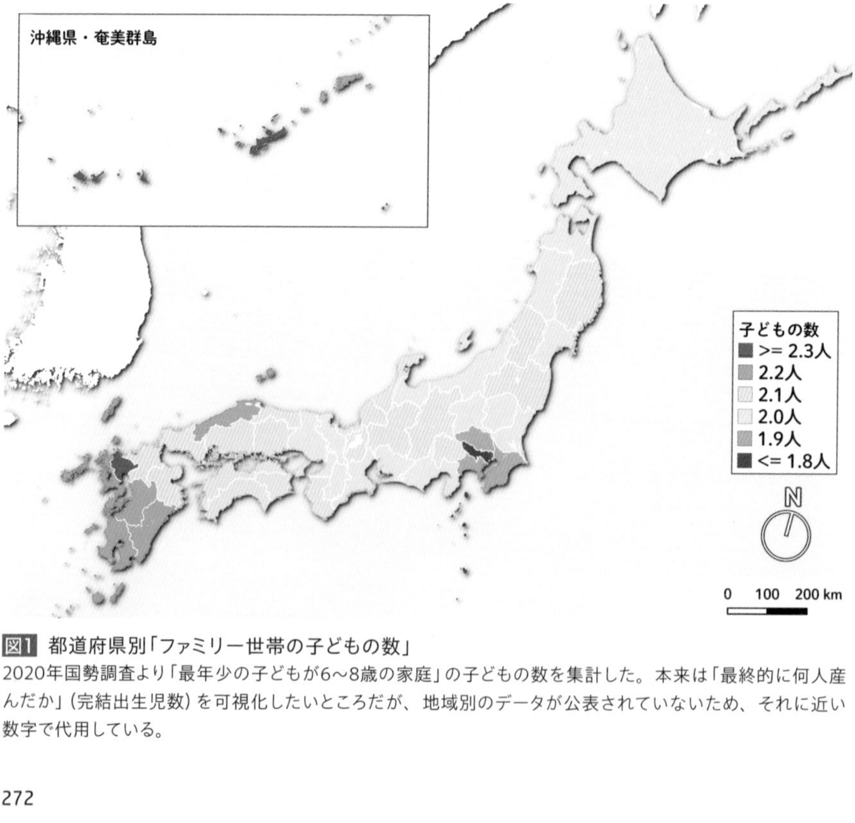


図1 都道府県別「ファミリー世帯の子どもの数」

2020年国勢調査より「最年少の子どもが6～8歳の家庭」の子どもの数を集計した。本来は「最終的に何人産んだか」（完結出生児数）を可視化したいところだが、地域別のデータが公表されていないため、それに近い数字で代用している。

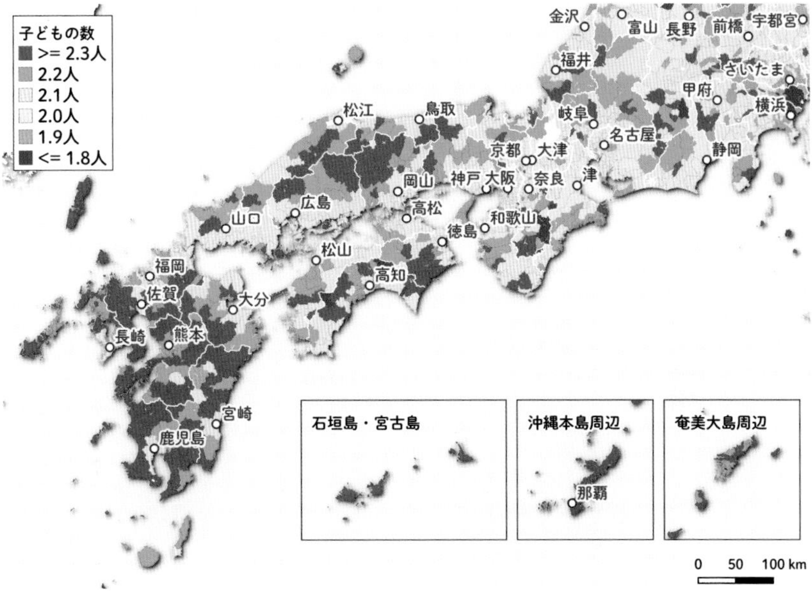


図2　市区町村別「ファミリー世帯の子どもの数」　西日本

九州や山陰では結婚して子どもを持つ人が多いだけでなく、家庭内の子どもの人数も多い。

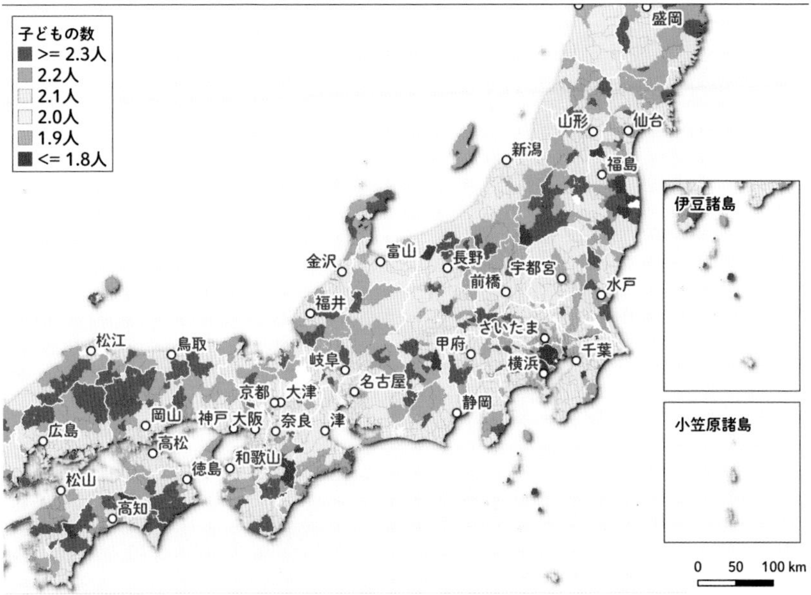


図3　市区町村別「ファミリー世帯の子どもの数」　中部～東北南部

近畿から関東にかけての太平洋側では子どもの数が少なめ。

図4 市区町村別「ファミリー世帯の子どもの数」　東北北部〜北海道
岩手県と秋田県、道東と道央、道南の違いが興味深い。

ではやや少なくなります。ひとつ注意したいのが、人口が少ない地域では「外れ値」が出やすいこと。6〜8歳の末っ子のいる家庭が2〜3世帯しかないような過疎の村では、将来、ある家庭が集計対象から外れると、色が反転するかもしれません。

次に、大都市圏を拡大してみます(図5〜7)。東京23区では1.7〜1.8人、郊外では1.9〜2.0人ぐらい。近畿圏や中京圏でも、都心周辺の家賃の高いエリアで、子どもが少なくなっています。

一人っ子や三人っ子の割合はどうでしょうか(図8、9)？　一人っ子世帯は全国で26%、二人っ子世帯は51%、三人っ子以上の世帯は23%。小学校の30人学級に例えると、それぞれ8人、15人、7人といった割合です。

大都市ほど一人っ子が増える傾向にあり、東京23区では40%前後（30人

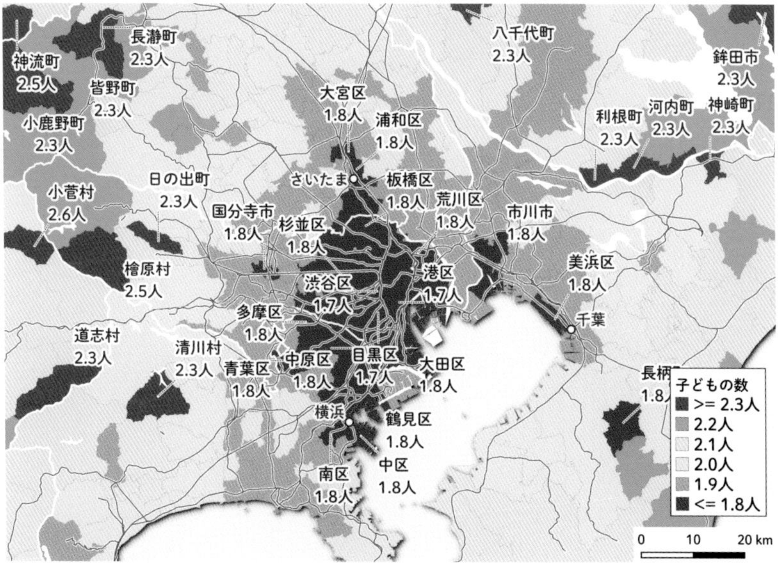


図5　市区町村別「ファミリー世帯の子どもの数」　首都圏

首都圏では子どもの数が2人未満の市区町村が多い。ファミリーが急増している流山や、つくば方面も1.9人台。

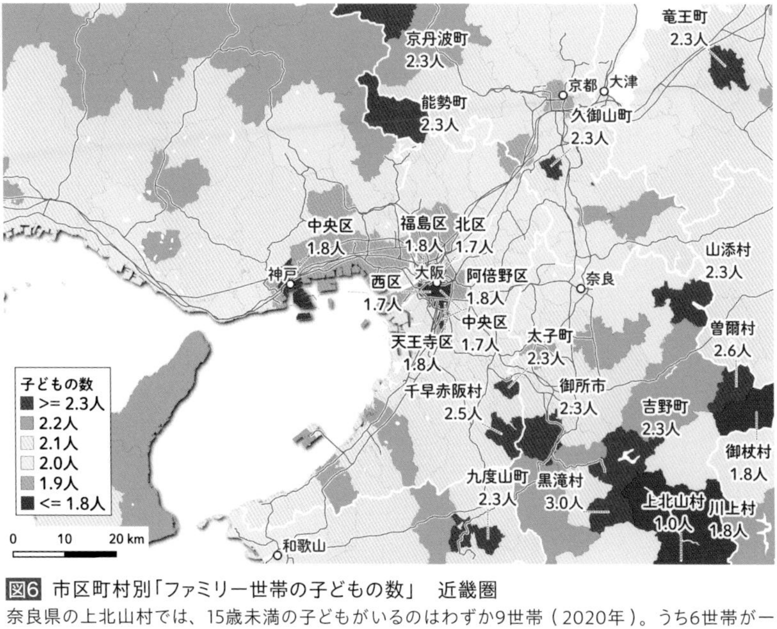


図6　市区町村別「ファミリー世帯の子どもの数」　近畿圏

奈良県の上北山村では、15歳未満の子どもがいるのはわずか9世帯（2020年）。うち6世帯が一人っ子世帯。

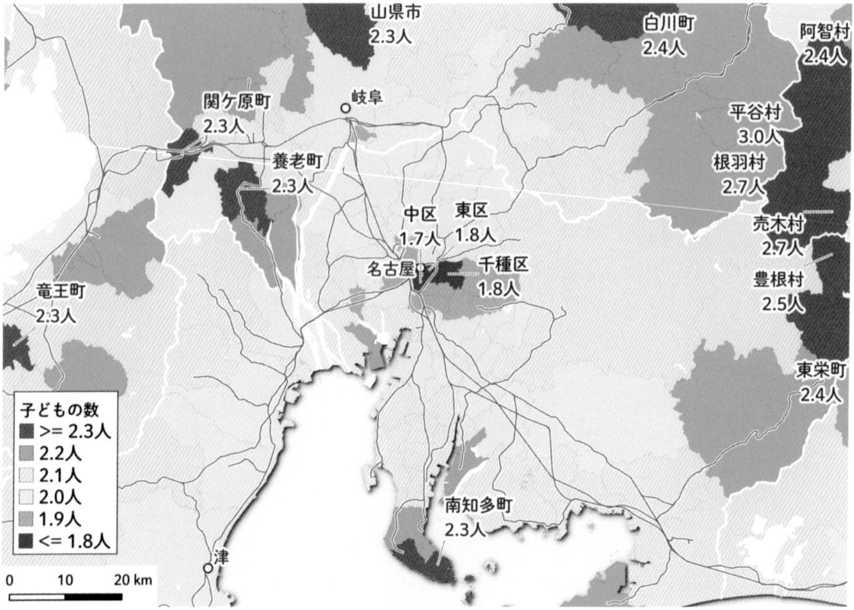


図7 市区町村別「ファミリー世帯の子どもの数」 中京圏
農山漁村では子どもの数が多い。ただし、結婚、出産する前に村を出る人が多いので、人口は急速に減少している。

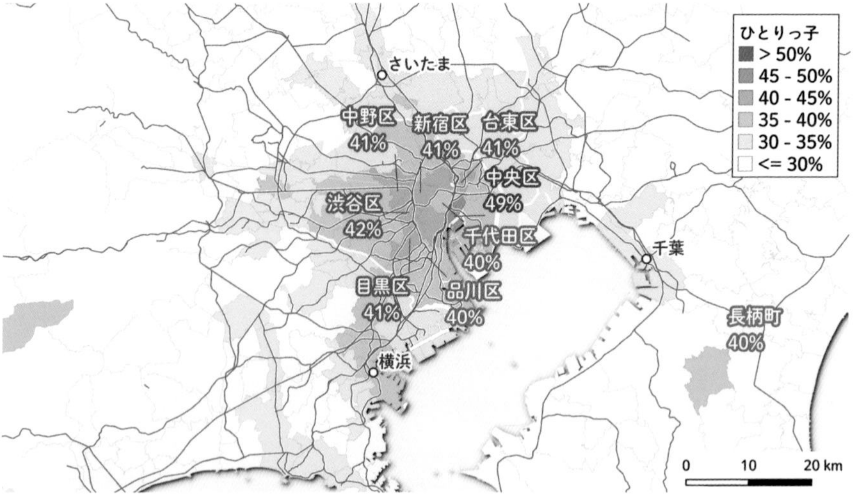


図8 市区町村別「一人っ子世帯の割合」 首都圏
都心とその周辺では40～50%が一人っ子世帯。住宅費が高いため、子どもが増えると郊外に転居するファミリーも多い。

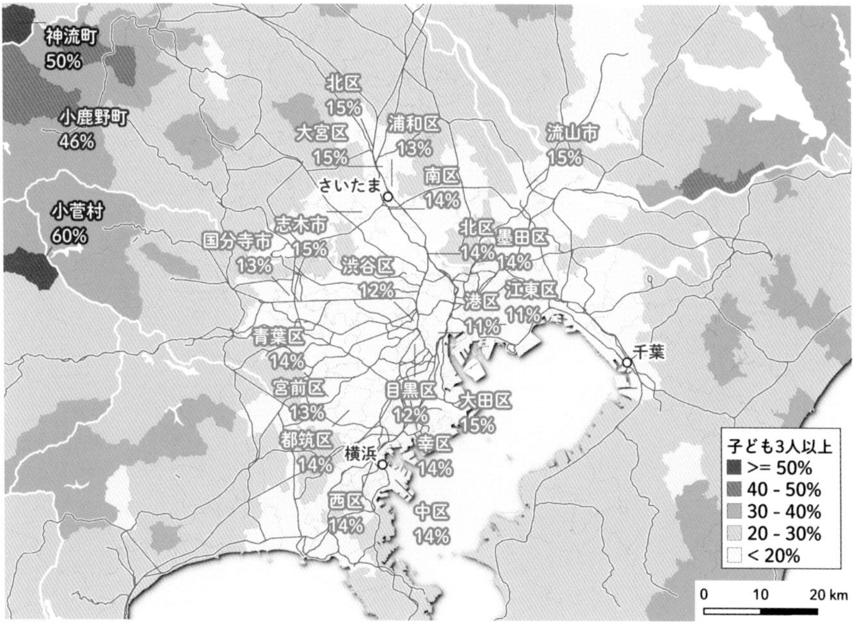


図9 市区町村別「三人っ子以上の世帯の割合」 首都圏
農業、林業、漁業従事者は他の職種と比べて婚姻率や出産率が低いが、祖父母の支援を得やすいこともあり、産み育てる子どもの数は多い。

学級のうち10～15人）にのぼります。逆に三人っ子以上は15％前後（クラスで3～5人）。色が薄い地域は23区のほか、東京、横浜への通勤圏に広がっています。

3人きょうだいが多い街、少ない街の共通点は、①収入水準、②親の学歴、③祖父母との同居の有無です。

図10、11は、横軸に「子育て世帯に占める『年収700万円以上世帯』の割合」、縦軸に「3人以上のきょうだいがいる割合」をとったものです。図12は大学・大学院卒業者の割合と「3人以上のきょうだい」の割合を比べたものです。ファミリー世帯の子どもの数は、世帯年収や親の最終学歴と強い相関があることがわかります。その理由としては、以下の要因があると考えられています。

①高所得者が多い地域（＝都心オフィス街への通勤利便性が高い地域）

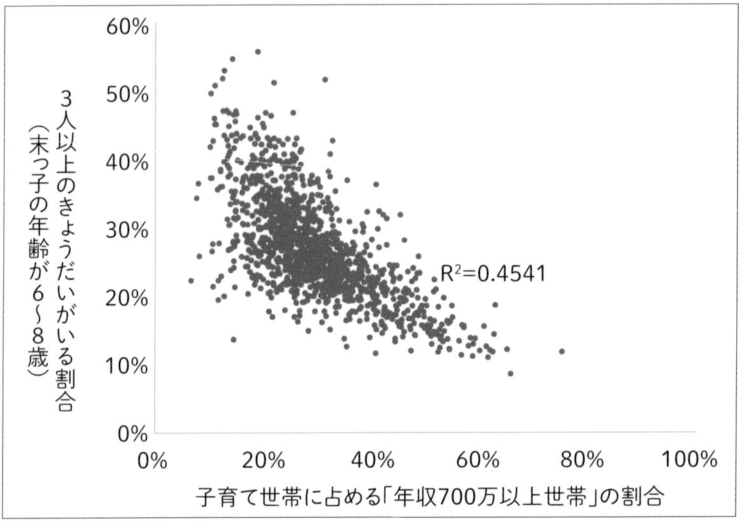


**図10** 世帯年収と「3人以上のきょうだい」の関係
年収700万円以上の世帯が多い地域ほど、3人以上のきょうだいは少なくなる。

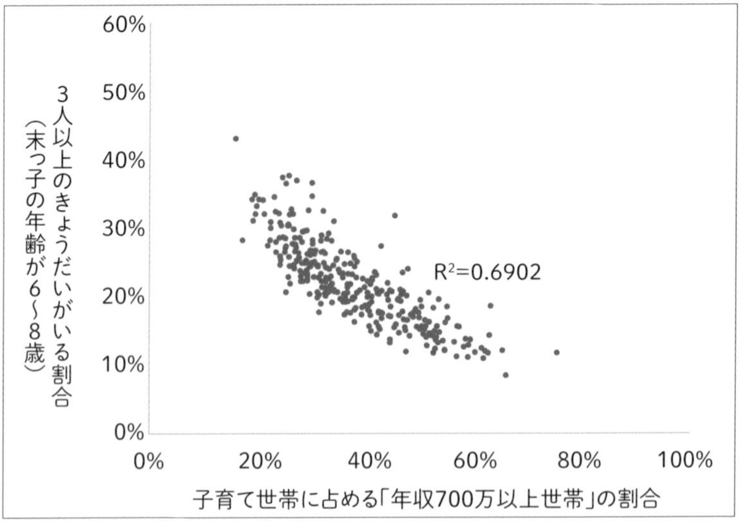


**図11** 世帯年収と「3人以上のきょうだい」の関係（関東地方のみ）
関東地方に限ると、傾向がより鮮明になる。

では、地価が高いので広い家を求めにくいため、子どもの多い家庭が定住・永住しにくいから。

②大卒者は高卒者と比べて社会に出るのが遅く、結婚・出産が遅い傾向があるから。

また、祖父母による援助、支援も見逃せません。祖父母との同居の有無によって、3人きょうだいの割合が8ポイントも変わってきます（同居あり＝30.5%、同居なし＝22.3%）。

このようにいろいろなデータを眺めてみると、現代社会ではさまざまな要因が複合的に関連して、少子化につながっていることがわかります。その中には、大学卒業率の上昇など、政治や行政の力では歯止めをかけられない大きな動きもあります。社会のどこを“刺激”したら子どもが増えるのか、データに基づく政策立案が求められます。

参考①：総務省統計局『令和２年国勢調査 人口等基本集計』
参考②：総務省統計局『平成30年住宅・土地統計調査 住宅及び世帯に関する基本集計』

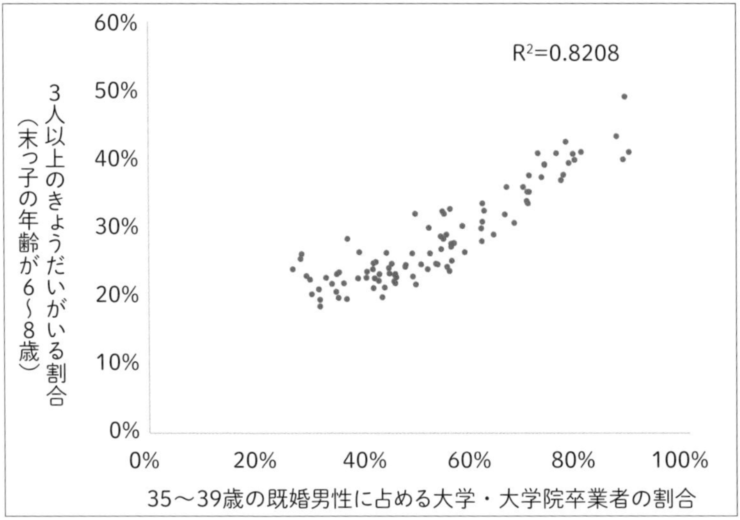


図12　35-39歳既婚男性の大学・大学院卒業率と「3人以上のきょうだい」の関係（都道府県と政令指定都市のみ）
大学や大学院の卒業率が高い地域ほど、一人っ子世帯の割合が高くなる。

5-10

# 「年齢中央値」の可視化で「若返った街」を発見！

市区町村別の年齢中央値を可視化してみました（図1）。年齢中央値とは、「住民を若い順に並べたときにちょうど真ん中に来る人の年齢」です。日本全国では48.6歳。平均寿命が84.6歳なので「中央値は42歳ぐらいになるのでは？」と思いがちですが、少子化によって若い世代の人数が減っているため、「アラフィフ」ぐらいが真ん中になるわけです（図2）。全体的な傾向としては、都市部が40代、中山間地域が50～60代です。

人里離れた山間部には「70歳でも、真ん中より若い」という村もあり、群馬県南牧村《なんもくむら》の年齢中央値は、なんと71.9歳（男性69.5歳、女性75.0歳）（図3）。40歳未満の住民は170人（およそ10人に1人）しかおらず、2014年に民間の有識者団体である日本創生会議が発表した「消滅可能性都市」※では、「消滅可能性の最も高い都市」として話題になりました。

日本で「一番若い」のは大阪市浪速区（中央値38.0歳）。かつては、港湾地域や繁華街で働く単身者が多く住んでいましたが、家賃の安さなどから若年ファミリー層が流入しています。

大都市の中心部も若返りが進んでいます（図4、5）。東京都千代田区、中央区、大阪市北区、中央区などは、地価の高騰、住環境の悪化により人口が減少していましたが、近年ではタワーマンションの建設や、古いオフィスからマンションへの建て替えが進み、30～40代を中心に人口が戻ってきました。

また、都心から少し離れたベッドタウンもファミリー層に人気です。川崎市中原区（40.5歳）、愛知県長久手市（40.9歳）、埼玉県和光市（41.3歳）などです。特に川崎市中原区の武蔵小杉では、平成不況で企業の工場用地が売却されたこと、2010年にJR横須賀線の駅が開業したこと、そして川崎市

※：2010年から2040年までの30年間で、20～39歳の女性人口が半分以下に減少する市区町村のことです。「消滅可能性都市」と定義することで、少子化対策と東京一極集中対策の必要性を訴えました。

の積極的な街づくり政策が合わさって、1万5,000人規模のタワーマンション街が誕生。昭和の工業都市がファミリーの街に生まれ変わりました。

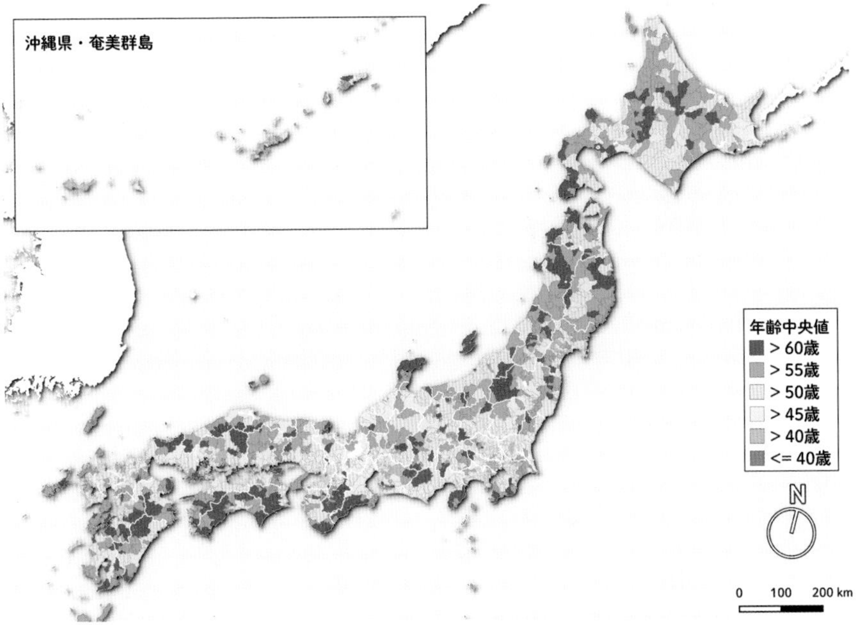


図1　年齢中央値（全国）
全体的な傾向としては、都市部が40代、中山間地域が50〜60代。

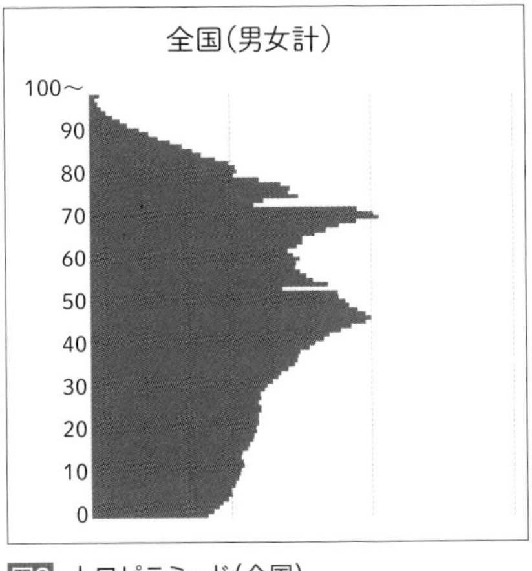


図2　人口ピラミッド（全国）
団塊の世代と団塊ジュニアが突出している。

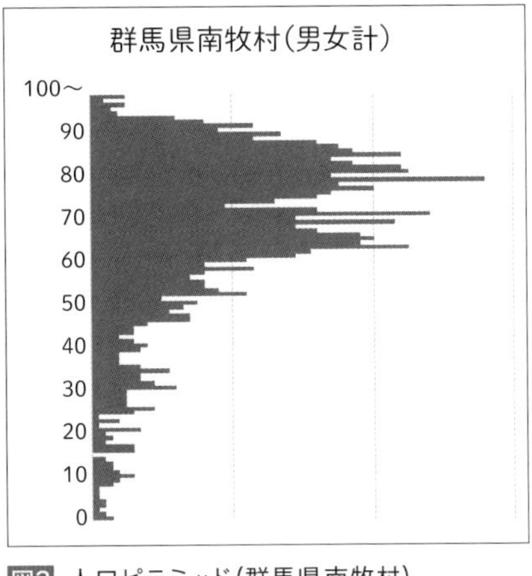


図3　人口ピラミッド（群馬県南牧村）
圧倒的に高齢者が多い。

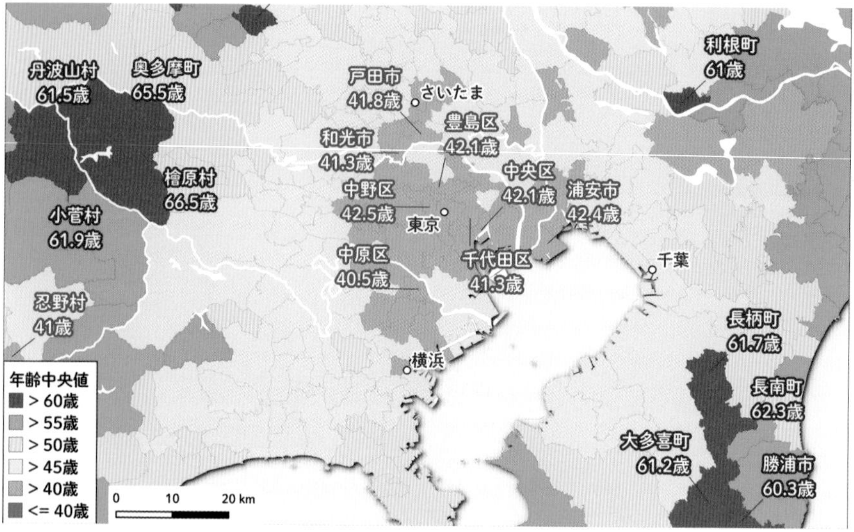


**図4** 年齢中央値（首都圏）

東京の中心部は若返りが進んでいる。

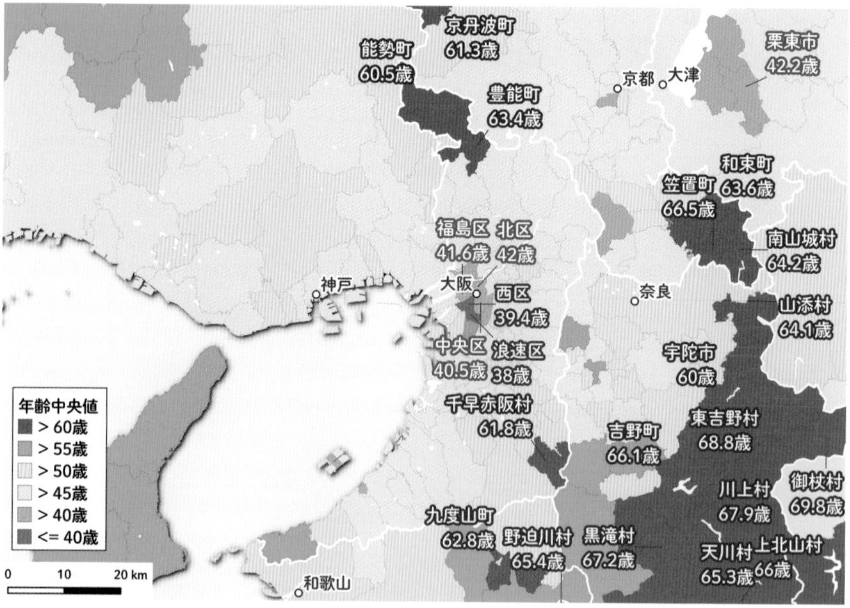


**図5** 年齢中央値（近畿圏）

大阪市浪速区は中央値が38.0歳。日本で「一番若い」。

参考：総務省統計局『令和２年国勢調査 人口等基本集計』

# 5-11 「共働き」が多い町、「専業主婦」が多い町

「都会では共働きが多い」「地方では専業主婦、主夫が多い」と言われることがありますが、本当でしょうか？　データを使って見てみましょう。

## ◎北陸で共働き世帯が多い理由

まず、0〜3歳の子どもがいる家庭で、共働き世帯の割合を地図にしてみました（図1）。

全国平均は58.5％。東北地方や北陸地方、山陰地方などが高くて、全国トップの島根県では90％が共働きです。これらの地域で共働きが多い理由としては、3世代が同居、または近居している世帯が多く、家族の育児支援

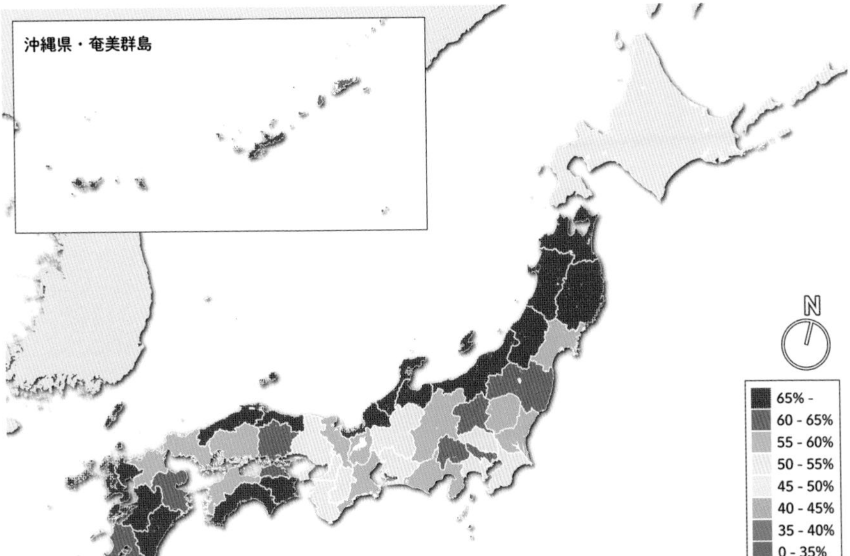


図1　0〜3歳の子どもがいる家庭の共働き率（全国）
九州、四国、山陰、北陸、東北北部で共働き率が高くなっている。これらの地域では3世代が同居している割合が高い。

を得やすいことや、「家族みなで働く」「社会全体で子どもを育てる」といった意識が浸透していることが挙げられます。なお、共働き世帯の中には、夫か妻が育児休業中の世帯も含まれます（出産、育児のために会社をやめた人は含まれません）。

## ◎若い世代では都心ほど共働き世帯が多い

大都市圏を拡大してみましょう（図2）。首都圏では都心やその周辺で70%に迫りますが、郊外に行くにつれて割合が下がります。東京、横浜などへの通勤圏で共働き率が特に低いのは、神奈川県横須賀市、座間市、綾瀬市、寒川町（43～44%）です。

都心ほど共働き率が高い理由として代表的なのが、家賃の違いと職場との位置関係です。都心やその周辺では家賃が極めて高いので、平均的なビジネスパーソン1人の稼ぎで広い家に住むのは難しく、結果的に共働き夫婦が増えることになります。また、子どもの送り迎えや、保育園に呼び出

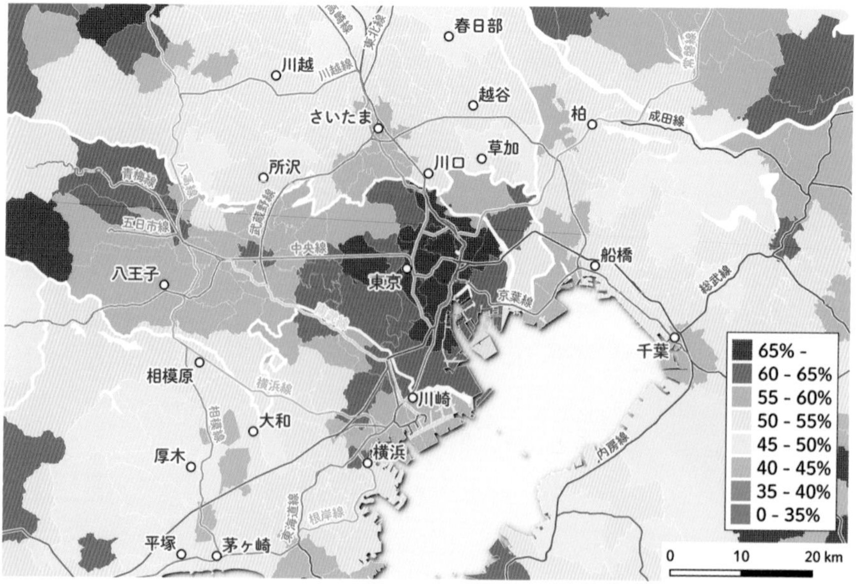


**図2** 0～3歳の子どもがいる家庭の共働き率（首都圏）
都心やその周辺で共働き率が高い。地方都市圏よりも正社員やフルタイムでの共働きが多いのも特徴。

されたときの対応などを考えると、「通勤時間をあまり長くしたくない」という心理も働きます。

近畿圏や中部圏でも、首都圏と同じような傾向が見て取れます（図3、4）。

## ◎子どもが成長すると、都心の共働き率が低下する

子どもがある程度成長して、中学生ぐらいの年齢（13〜15歳）になったらどうなるでしょうか（図5〜8）。

全国的にはおよそ8割（79.9％）の家庭が共働きです。全国的な傾向としては、さきほどの0〜3歳の子どもの図にも似ていますが、市区町村単位に拡大すると、0〜3歳とは裏腹に、都心ほど共働き率が低い（専業主婦が多い）ことが読み取れます。文京区、杉並区、世田谷区などの高級住宅地も青くなっていますね。

なぜ、「年齢が上がると、都心と郊外で共働き率が逆転するのか」――その理由についてはくわしい分析が必要ですが、東京都内では「世帯年収が1,500万円を超えると共働き率が下がる」というデータもあり（総務省統計局「令和4年就業構造基本調査」）、年齢とともに経済的に豊かになり、家事や育児に専念できる家庭が増えてくるのではないかと推察されます。

近畿圏では大阪市天王寺区と兵庫県芦屋市が青（共働き率64％以下）です。いずれも裕福なお屋敷街をかかえる自治体です。

## ◎物事を「切り刻んで」分析する

このように、データを年代別に分けてみると「郊外ではみんな専業主婦だ」といった俗説が半分正解で、半分誤りであることが見えてきます。

『デジタル大辞泉』によると、分析とは『複雑な事柄を一つ一つの要素や成分に分け、その構成などを明らかにすること』と定義されています。本章のテーマに当てはめると、単に共働き世帯の割合を地図化するだけでなく、大都市圏と地方圏、年代、職業、子どもの有無、数などの要素に分けて、地域差を確かめることが「分析」の最初の入り口だと言えるでしょう。物事を切り刻んで分析する方法は、仕事や学問などいろいろなシーンで役立つので、ぜひ実践してみましょう。

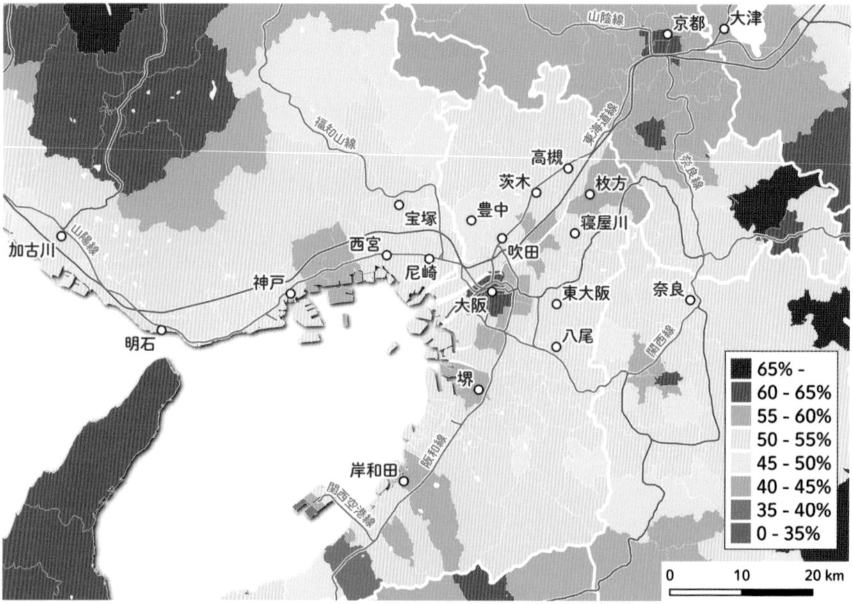


図3 0〜3歳の子どもがいる家庭の共働き率(近畿)

大阪市中心部や京阪間、阪神間の住宅地ではデスクワーク系の共働きが多い。

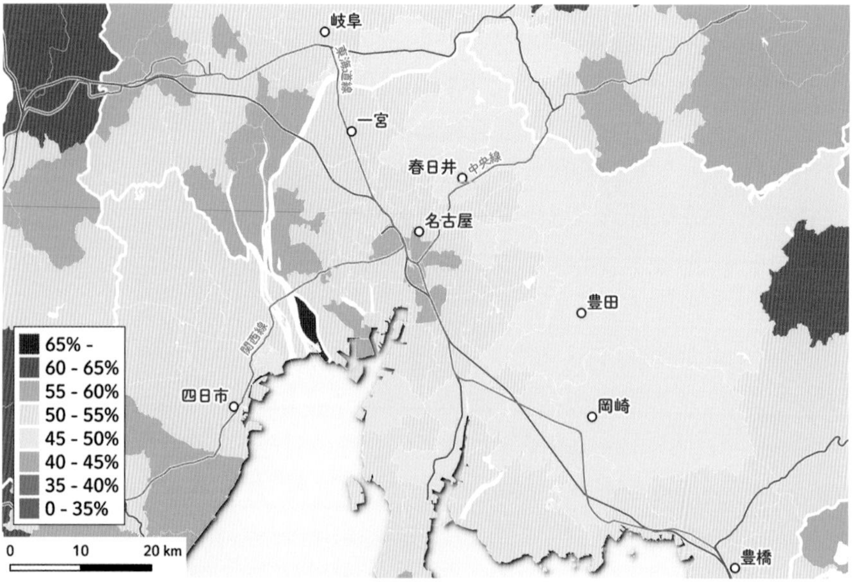


図4 0〜3歳の子どもがいる家庭の共働き率(名古屋)

トマトの名産地、三重県木曽岬町では共働き率が70%を超える。

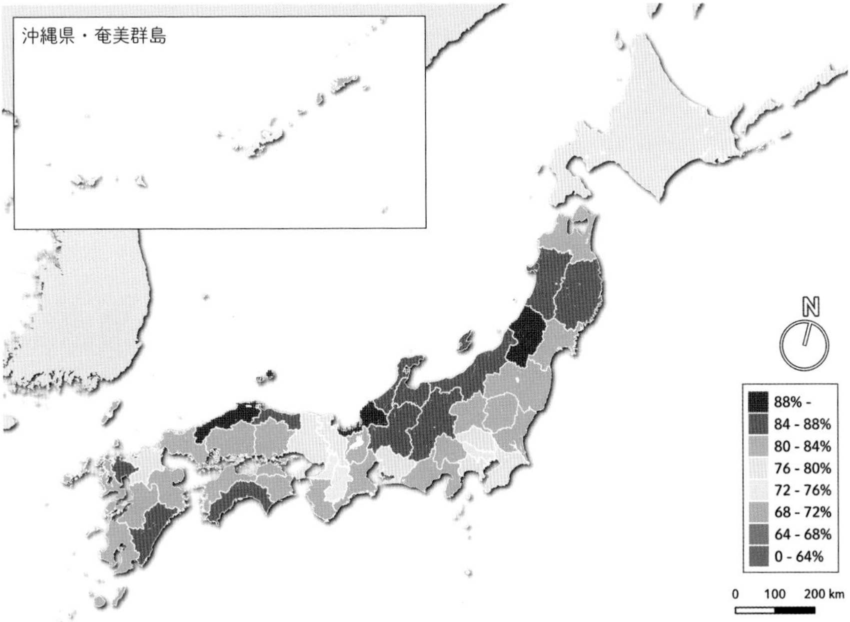


図5　13〜15歳の子どもがいる家庭の共働き率（全国）
全体的な傾向は「0〜3歳の子どもがいる世帯」に近い。

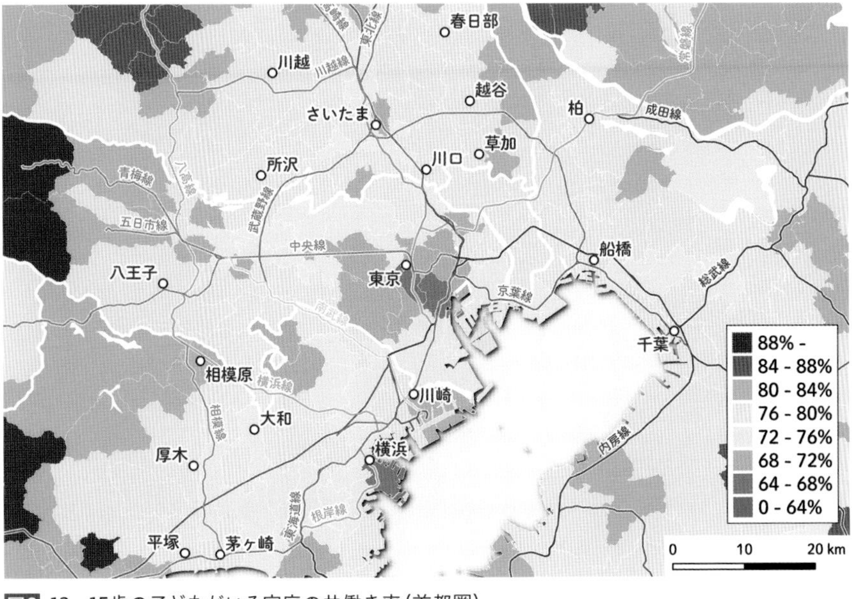


図6　13〜15歳の子どもがいる家庭の共働き率（首都圏）
「0〜3歳の子どもがいる世帯」とは打って変わって、都心周辺では共働き率が低い。

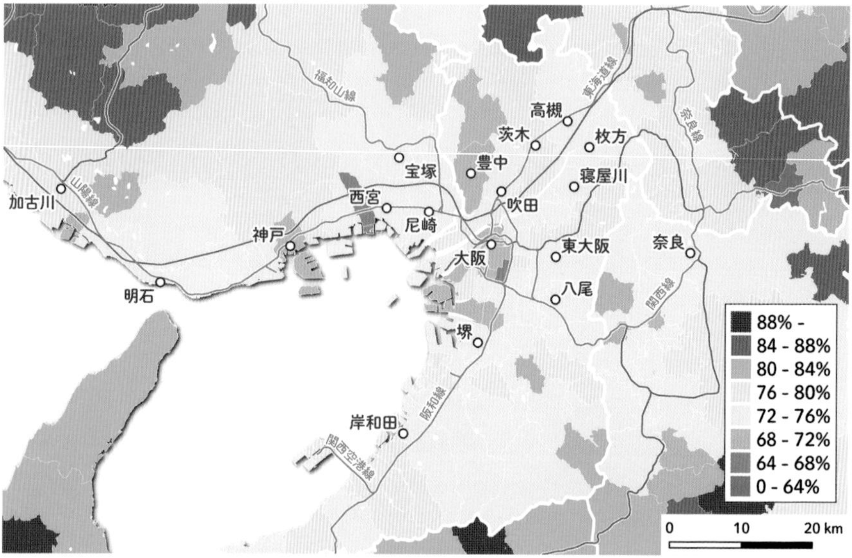


図7 13〜15歳の子どもがいる家庭の共働き率(近畿)
首都圏と同様、中心市街地では共働き率が低い。

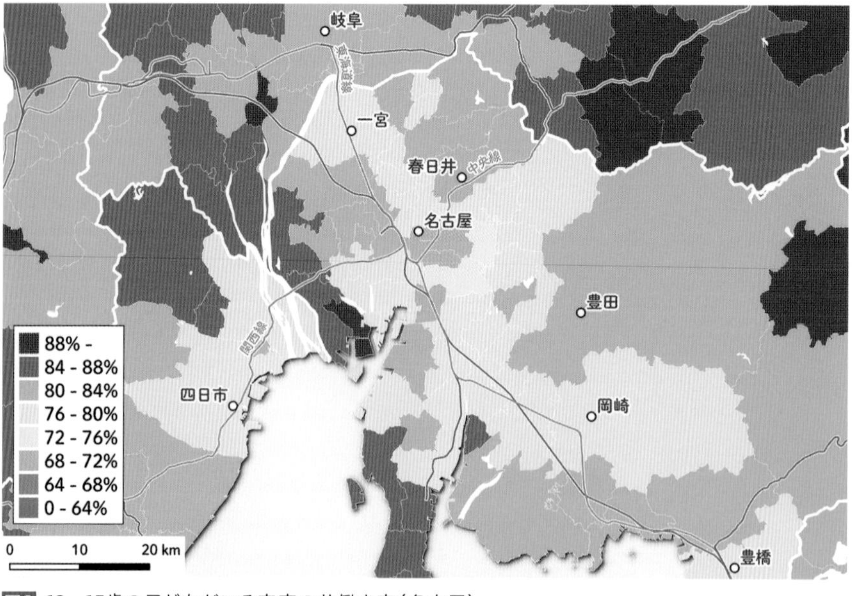


図8 13〜15歳の子どもがいる家庭の共働き率(名古屋)
都市的地域と工業地帯、そして農業が盛んな地域の違いが浮き彫りになっている。

参考：総務省統計局『令和２年国勢調査 就業状態等基本集計』

第6章

# まだまだいろいろ可視化！

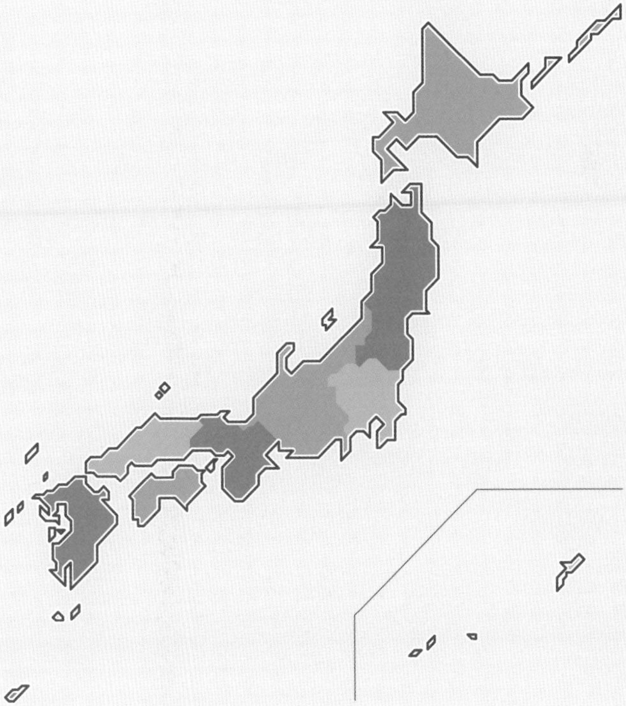

# 6-1 「湘南」っていったい、どこからどこまでなんだろう？

皆さんは「湘南」と聞いて、どのあたりの地名を思い浮かべますか？サザンオールスターズの桑田佳祐さんの故郷・茅ヶ崎市や、江ノ島のある藤沢市がぱっと思いつきますが、実際のところ、どのあたりまでが「湘南」なのでしょうか。この疑問を解くために、神奈川県内で「湘南」とつくお店や施設を可視化してみました。

海沿いのイメージが強い「湘南」ですが、その地名を冠した施設が、思いのほか広範囲に見られることがわかります（図1）。「どこまで湘南？」論争がまとまらないのもうなずけます。

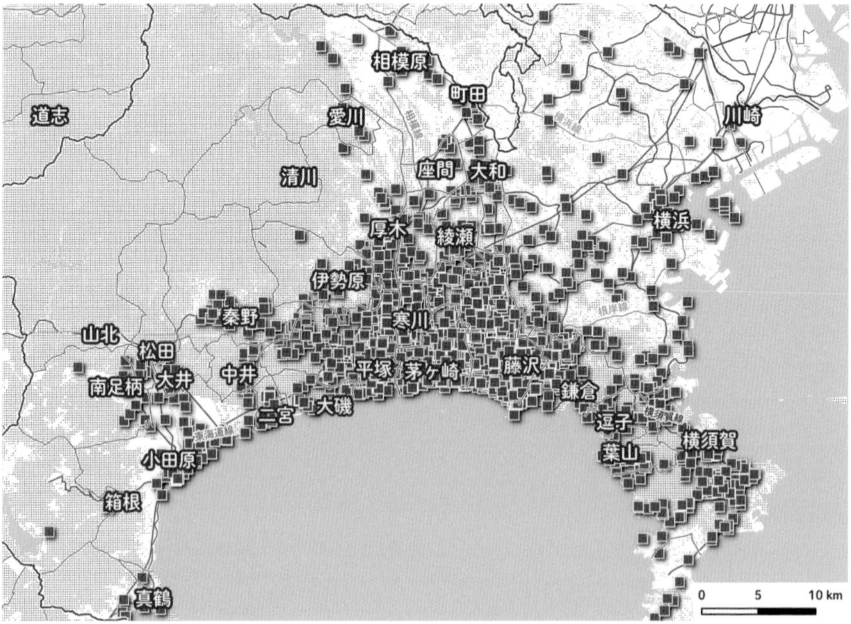


**図1**　「湘南」がつくお店や施設
「Yahoo！ローカルサーチ」を用いて、神奈川県と静岡県内を検索した。県内の広い範囲に“湘南”がつくお店や施設が広がっている。一部の有名チェーン（学習塾、信用金庫、美容外科）は筆者の判断で割愛した。

ブランド地名「湘南」の由来には諸説ありますが、一説として、鎌倉時代に日本に禅宗が入ってきたときに、中国の湘南地域（長江《ちょうこう》の支流・湘江《しょうこう》の南側）にあやかって、鎌倉周辺を「湘南」と呼ぶようになったと言われています。また、17世紀に崇雪《そうせつ》という人が大磯に俳諧道場・鴫立庵《しぎたつあん》を建てたときに、この地の景勝をたたえて標石に「著盡湘南清絶地」と刻んでいます※1。

## ◎「湘南」とつく市区町村が存在したことはなかった？

明治以降、保養地、別荘ブームに乗って相模湾沿いの開発が進んでいくにつれて、「湘南」というブランド地名が西へ東へと広がっていきます。さらに昭和に入ると、横浜市と横須賀市、逗子町の間に湘南電気鉄道（現在

※1：現在、この標石は少し離れた郷土資料館の建物内に移設されています。鴫立庵には標石のレプリカがあるほか、2016年には大磯駅前にも「湘南発祥の地」の石碑が建ちました。

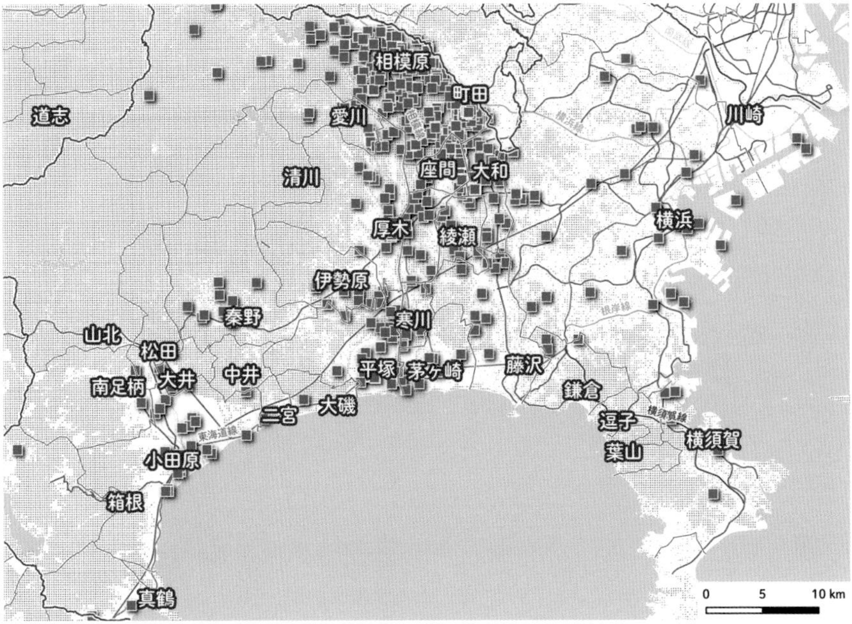


**図2**　「相模」がつくお店や施設
海から離れるほど、名前に“相模”とつくお店や施設が増えていく。「相模鉄道」は割愛した。

の京急）が開業し、高度経済成長期以降には、三浦半島や藤沢の内陸にも湘南を冠した新興住宅地が拓かれました（例：湘南鷹取、湘南桂台、湘南台、湘南ライフタウン）。

これまで、いわゆる湘南エリアに湘南とつく市区町村が存在したことはないのですが※2、それゆえ、「湘南」という地名の定義が時代の流れに合わせて拡大解釈されてきたとも言えるでしょう。もはや、地名の由来がどこかに飛んでいってしまったような状態ですが、それが許されるぐらい、神奈川（ほぼ）全域が海と日差しに恵まれた「湘南らしい地域」なのだと思います。

## ◎「湘南」と「相模」はどちらが多い？

神奈川県に広がるもうひとつの愛称地名、ブランド地名に「相模」があ

※2：明治から昭和中期にかけて、現在の相模原市緑区の山間部に津久井郡湘南村が存在しました。ただし、相模川（別名：湘江）の南にあることにちなんでおり、いわゆる「湘南エリア」とは無関係と考えられます。

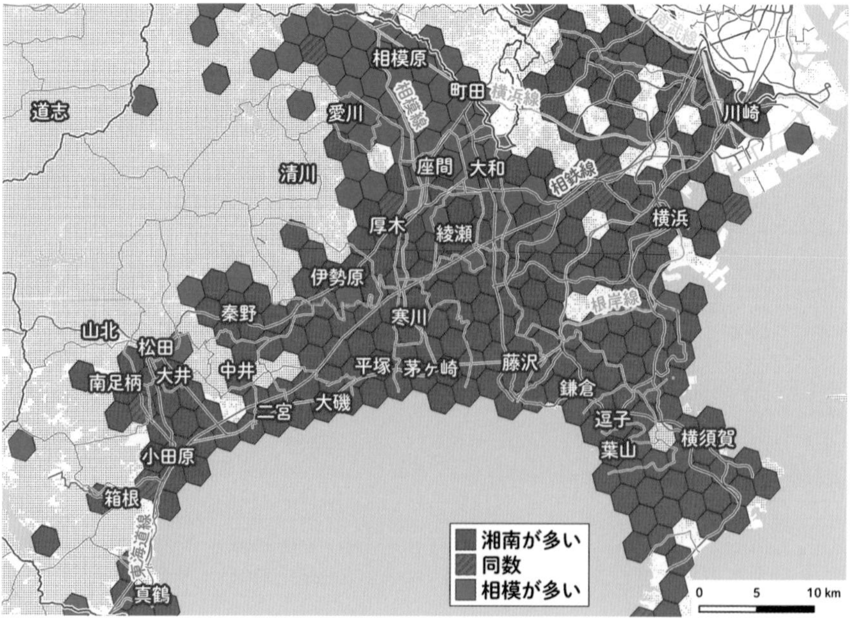


図3 「湘南」と「相模」はどちらが多いのか
秦野、伊勢原、厚木などの内陸の都市でも“湘南”が優勢。

ります。令制国（律令時代から明治初期までの行政区分）のひとつ、相模国が広域地名、愛称地名として残ったものです。

「相模」がつくお店や施設を地図にすると、神奈川県の県央、県北地域に印がたくさんつきました（図2）。湘南ほど広範囲に広がっているわけではありませんが、こちらもなかなかの存在感です。

各地域で「湘南」と「相模」、どちらが多いのかを比べてみると、おおむね相鉄線のあたりに分水嶺（2つの“流域”をへだてる尾根）があるようです（図3）。

## ◎どこまでが「軽井沢」と言える？

ブランド地名といえば「軽井沢」も有名です。行政区分としては長野県軽井沢町という自治体がありますが、地図を見るとお隣の御代田町《みよたまち》だけでなく、浅間山の北側に位置する群馬県長野原町、嬬恋《つまごい》村にも“軽井沢”が広がっています（図4）。

御代田町は高原野菜や製造業で栄える人口1.6万人の町で、近年では軽井沢町や佐久市のベッドタウンとしても人口を増やしています。さわやかな高原気候と雄大な浅間山ビューは軽井沢に勝るとも劣らず、町内のあちこちにホテルや貸別荘が建っています。また、群馬県側では1926年に軽井沢と草津温泉を結ぶ鉄道が開通し、その途中にあった地蔵谷、地蔵堂と呼ばれるなだらかな高原が避暑地「北軽井沢」として開発されるようになりました（鉄道路線は1960～1962年にかけて廃止）。

どちらも独自の風土や見どころがあるすぐれた避暑地ですが、知名度の高い軽井沢の名前を借りたことが知名度向上に一役買った――そんな側面もあると考えられます。

## ◎どこまでが「吉祥寺」と言える？

もう少し狭い範囲のブランド地名を見てみましょう。

東京・多摩地区（23区以外のエリア）で有数の商業エリア、吉祥寺。都心への通勤利便性や住環境にもすぐれ、住まいとしてもお出かけ先としても人気の街ですが、吉祥寺駅から離れたところでも「吉祥寺」を名乗るお店を見かけることがあります。

こうした店舗や施設を地図にすると、吉祥寺駅前だけでなく、吉祥寺駅から2kmほど離れたところにまで「吉祥寺」が広がっていることがわかります（図5）。三鷹駅（三鷹市）、武蔵関駅（練馬区）の近くや、三鷹の森ジブリ美術館のある下連雀エリア（三鷹市）などです。この地域を「吉祥寺通り」という主要道路が貫いている点を少し割り引く必要がありますが、西武新宿線に近いところや三鷹市役所の近くにも「吉祥寺」と名のつく建物が点在しているのを見ると、吉祥寺の駅勢圏（人を集める範囲）の広さやブランド力の強さを再認識させられます。

このようにブランド地名を地図に表してみると、土地の名前が指し示す範囲は厳密に決められたものではなく、グラデーション（色などの濃淡がなだらかに変化するさま）を描きながらゆるやかに変わっていくことがわかりま

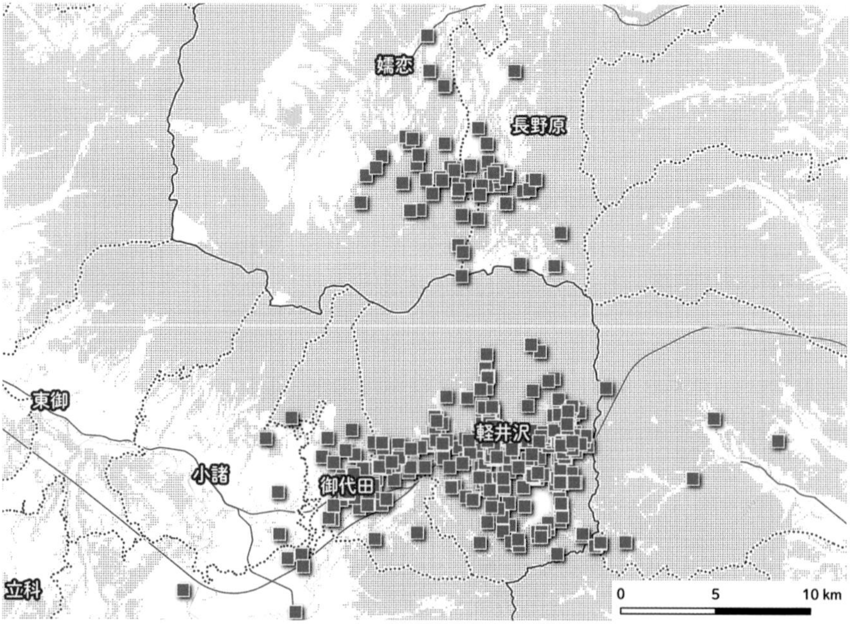


図4　どこまでが軽井沢？
「軽井沢」という地名は軽井沢町の外側でも広く使われている。浅間山を挟んで群馬県側にも“軽井沢”の密集地がある。

す。地理学や地名学の専門家の中には、有名観光地やブランド力のある地名を「勝手に」名乗ることを「僭称《せんしょう》地名」「キラキラ地名」と呼んで批判する向きもあるのですが、湘南のようにもともと定義があいまいだった地名であれば、ギリギリセーフといったところでしょうか。土地の名前は時代とともに変化していくものですから、その変化を楽しむ気持ちを持っていたいものです。

参考①：Yahoo! JAPAN『Yahoo! ローカルサーチAPI』(https://developer.yahoo.co.jp/webapi/map/openlocalplatform/v1/localsearch.html)

参考②：レファレンス協同データベース（https://crd.ndl.go.jp/reference/modules/d3ndlcrdentry/index.php?page=ref_view&id=1000159545)

参考③：図1、2、3、4、5の背景に国土地理院『地理院地図Vector（仮称）提供実験』のデータを使用

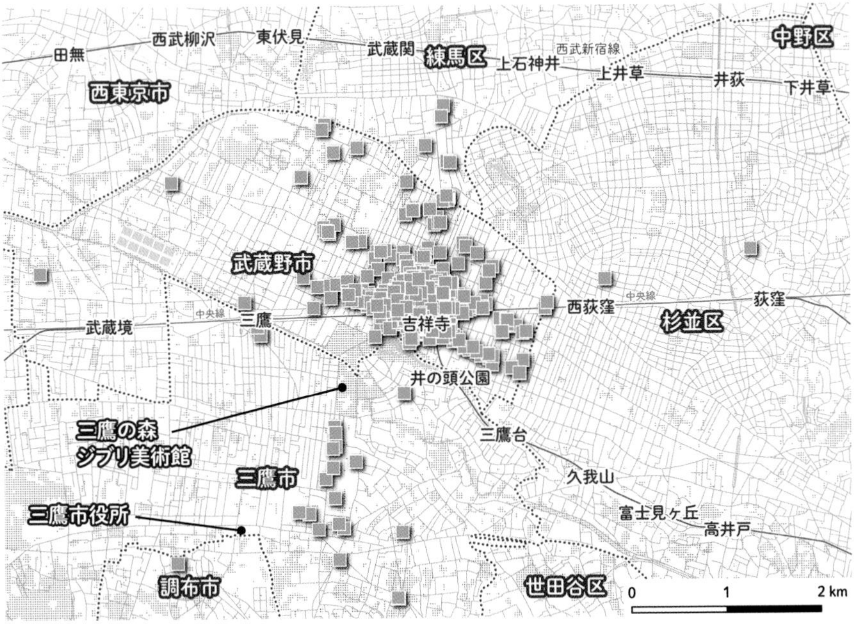


図5　どこまでが吉祥寺？

「三鷹市」の文字のあたりを歩くと、マンション名やお店の名前にいろいろな地名を見ることができる（例：吉祥寺、三鷹、井の頭公園、下連雀など）。地名は三鷹市下連雀。

# 6-2 「ちょう（町）」と「まち（町）」の違いから歴史をひも解く

地図を眺めていると、町の名前に「ちょう」と「まち」という2つの読み方があることに気づきます。例えば、東京都板橋区、中野区の本町は「ほんちょう」と読みますが、渋谷区の本町は「ほんまち」と読みます。

なぜ、同じ漢字でも読み方が違うのでしょうか？

「ちょう」と「まち」の読み方には、地域差や法則があるのでしょうか？

「町」という漢字は、もともとは「田」（水田）と「丁」（十字に切り分けられた土地）の合わせ文字で、農地などの境界を意味するものでしたが、日本では市街地やその一画を表す「まち」という言葉に当てられました。

図1は、全国743の町（地方自治体）を読み方によって塗り分けた地図で

図1　全国743の「町」（地方自治体）を読み方によって塗り分けた地図
西日本と北海道では「ちょう」で終わる町が多い。

す。「ちょう」は西日本や北海道に多く、「まち」は東日本に多いことがわかります。

本州の真ん中、甲信地方には「ちょう」と「まち」の境目が見られます（図2）。長野県はほとんどの町を「まち」と読みますが、一つだけ「ちょう」と読む町があります。それは愛知県と隣接する阿南町です。阿南町が「ちょう」と読む理由については諸説ありますが、阿南町の勝野一成町長は東海テレビの取材に対して「（愛知の文化が）阿智川を境にして入ってきたんですよ」と答え、昭和初期に愛知県の林業指導者が、阿南でヒノキの植林を指導した、というエピソードを紹介しています※。

※：東海テレビ『Your Scoop －“町”は「まち」か「ちょう」か…調査して分かった東日本、西日本での傾向 境界線らしき川が長野にあった』（https://www.tokai-tv.com/yourscoop/archive/000469.html）

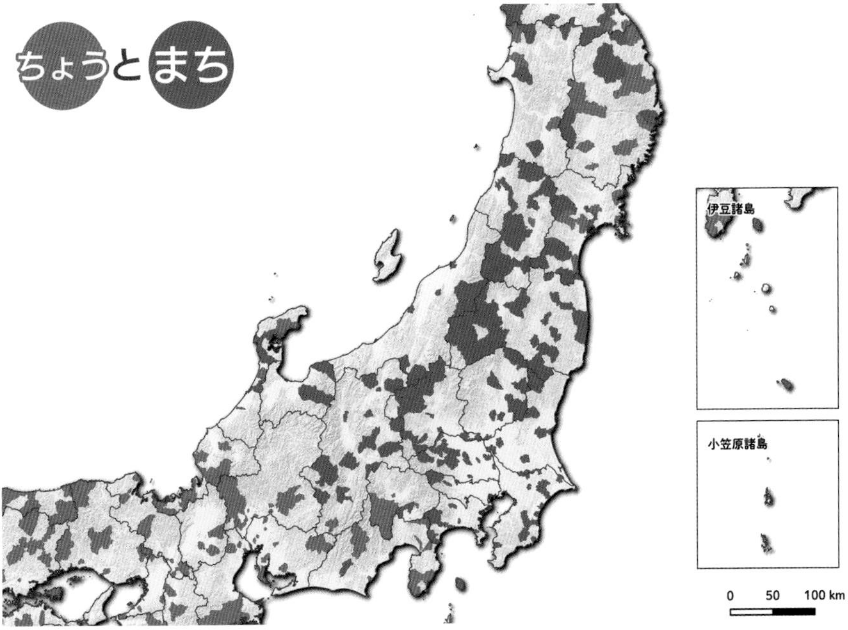


図2 甲信地方に見られる「ちょう」と「まち」の境目
同じ県の中にも長野県南部の阿南町（あなんちょう）、静岡県西部の森町（もりまち）などの例外がある。

### ◎自治体名が「まち」で、ローカルな地名が「ちょう」というねじれ現象

今度は市区町村内のローカルな地名で「ちょう」と「まち」の違いを見てみましょう。図3～6は、「町」で終わる町、字《あざ》を読み方によって塗り分けた地図です。日本郵政がWebサイトで公開している「郵便番号データ」を元に分類したので、日本全国すべての地名が網羅されているわけではないことにご注意ください。

地方自治体の読み方と比べると、だいぶ違いがあることにお気づきでしょうか？　例えば、関東地方ではすべての地方自治体を「まち」と読みますが、町、字単位で見ると「ちょう」と読む地域が優勢です。

このような違いが生まれた背景の一つが、**地名がつけられた時代**です。例えば、江戸時代の東京（江戸）では、武家地を「まち」、町人地を「ちょう」と呼び分ける習慣があったため、当時から存在するローカルな地名には

**図3**「町」で終わる町、字《あざ》を読み方で塗り分けた地図（全国）
自治体名と異なり、関東地方でも「ちょう」で終わる町が多い。

「まち」「ちょう」の両方の呼び方が混在しています。

また、1888年（明治21年）の市制、町村制の公布により市町村が設定されましたが、このときに江戸時代の「まち」と区別する意味で「ちょう」という呼び名が現れ始めました。町の呼び名が決まった経緯については、史料が残されていない地域も多いのですが、まわりの地域に合わせたり、語呂や読みやすさを重視して呼び名を決めたり……といったことが行われたために、結果として、ローカルな地名と自治体名称との間に、呼び名のねじれが生じてしまったと考えられています。

「ちょう」と「まち」の読み方には地域性が大きく、一般的な法則性を見出すのは難しいのですが、地図にして俯瞰《ふかん》することで、各地方の傾向を把握することができました。興味を持たれた方は、ぜひ地元の町の郷土史をひも解いてみてはいかがでしょうか？

参考：日本郵便株式会社『郵便番号データダウンロード』（2023年7月）（https://www.post.japanpost.jp/zipcode/download.html）

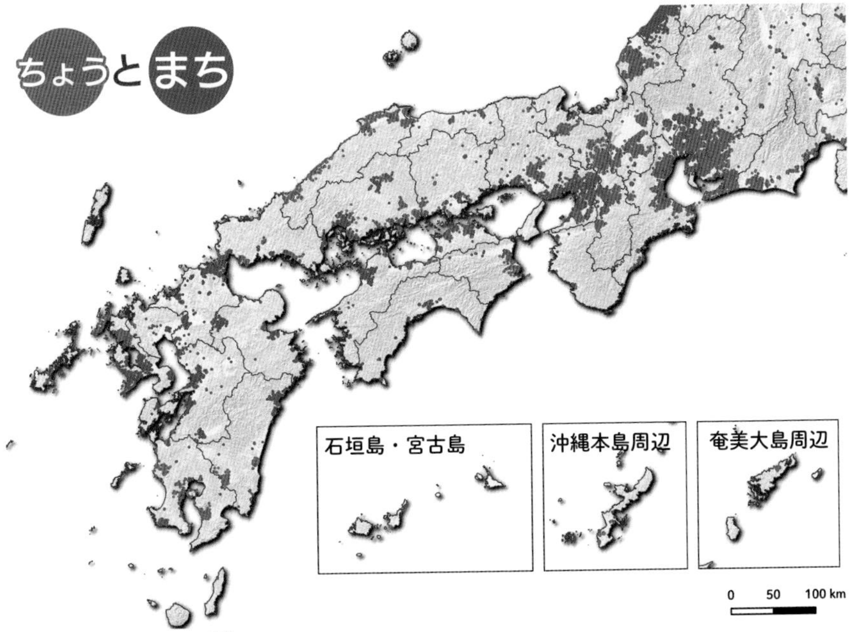


図4 「町」で終わる町、字《あざ》を読み方で塗り分けた地図（西日本）
大阪、名古屋や広島などの大都市では、町名、大字名に「ちょう」と「まち」が混在。

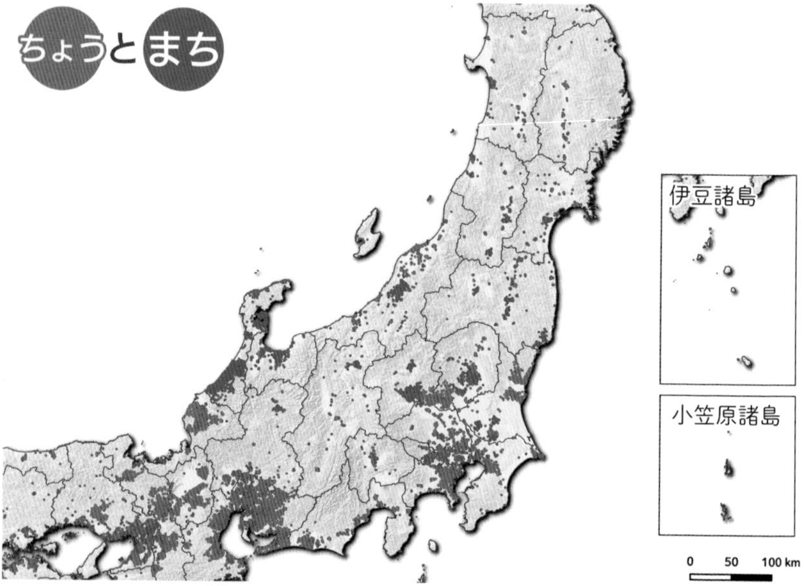


**図5** 「町」で終わる町、字《あざ》を読み方で塗り分けた地図(中部～東北南部)
関東地方でも「ちょう」と「まち」が混在。隣県である福井県と石川県の違いが興味深い。

**図6** 「町」で終わる町、字《あざ》を読み方で塗り分けた地図(東北北部、北海道)
北海道の自治体は、ほとんど「ちょう」で終わるが、町名単位では「まち」で終わるところも多い。

# 6-3 「地名」で地図を描いたら「地域差」や「流行り廃り」が見えてきた

「浜」がつく地名で日本地図を描いてみました(図1)。日本の輪郭がいい感じに浮かんできましたが、いかがでしょうか？

この地図のもととなったのは、人間文化研究機構とH-GIS研究会の研究成果『歴史地名データ』。明治から昭和にかけて編纂された地名辞書や地形図などをもとに、史料や古記録に現れる地名や神社など約30万件の位置が比定(史料などから推定すること)されている労作です。

「浜」がつく地名は海沿いだけでなく内陸にも見られます。その多くは川や湖、沼に面した水の多い地域で、史料をあたると水にまつわるエピソードが見つかることがあります。例えば、滋賀県の琵琶湖北端に位置する塩津浜(塩津港)は、北陸から陸路で運ばれた塩などを船に乗せ換えて大津に運ぶ

**図1** 「浜」がつく歴史地名
日本の海岸線が浮かび上がった。人名由来の地名もある。

ための中継港として栄えました。阿蘇山の景勝地「草千里ヶ浜」は、かつての火口跡にできた池が海のように見えることから“浜”と名付けられました。

### ◎映画『君の名は』に描かれた“内陸の海辺”

次に「海」がつく地名を重ねてみました（図2）。こちらは海沿いよりも内陸に多く見られる地名です。その由来はさまざまですが、地形が関係するところでは「浜」と同じく、水に関する伝承や逸話が見つかることがあります。

長野県の中部、千曲《ちくま》川の上流には「海」がつく地名がたくさん残っています。鉄道旅が好きな方であれば、JR小海線の駅名を思い出すでしょうか（佐久海ノ口、海尻、小海）。

このあたりでは887年に「仁和地震」（南海トラフ巨大地震の一つと考えられている）によって八ヶ岳連峰・天狗岳で大規模な山体崩壊が起きました。これにより千曲川の流れがせきとめられ、巨大な天然ダム「古千曲《こちくま》湖

**図2**　「海」「浜」がつく歴史地名
「海」がつく地名は内陸にも多く見られる。湖にまつわるものや、後から漢字をあてたものがある。

Ｉ」が形成されました（図3）。

このダムは約10か月後に決壊して、下流の佐久などに大洪水を引き起こすのですが、このときに流れ出た土砂が小海付近に天然ダム「古相木湖」をつくり、その後、中世まで残ったと考えられています。また、古千曲湖Ｉの残骸も「古千曲湖Ⅱ」として1000年前後まで残りました。湖の下流側が海尻《うみじり》、湖の上流側が海ノ口《うみのくち》と名付けられ、海ノ口には湊《みなと》神社も建立されました。どちらの湖も消え去ってしまったものの、地名が当時の災害の記憶を残しているのです。

ちなみに、小海から北東へ13kmほど離れた山奥に「日本で海岸線から一番遠い地点」があります。日本一海から離れた地域に小さな“海”ができ、海にまつわる地名がつけられたというのは、偶然の一致とはいえ、いろいろと想像力をかき立てられる話です。

## ◎「谷」と「沢」、どっちが多い？

ほかの地名も見てみましょう。「山や尾根に挟まれた標高の低いところ」

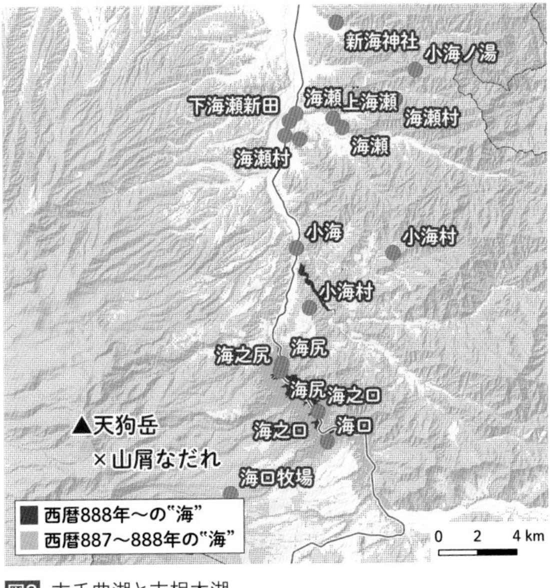


図3　古千曲湖と古相木湖

を示す地名としては「谷」と「沢」が一般的ですが、地域によって呼び方に違いがあります。地図を見ると、中部以西と関東地方では「谷」、甲信地方と東北・北海道では「沢」と呼ぶ傾向が見られますね（図4）。

「谷」の読み方にも地域差があって、中部以西では「たに、だに」、関東地方などでは「や」が多くなっています。前者は御所ヶ谷《ごしょがたに》、桃谷《ももだに》、後者は市ヶ《いちが》谷《や》、熊谷《くまがや》がその一例です。神奈川、埼玉、千葉などには、丘陵地に囲まれた細長い谷を指して「やと（谷戸）、やつ（谷津）、やち（谷地）」と呼んでいるところもあります。

このように、地名の呼び方や読み方には日本の東西で違いが生じることが多いのですが、特に岐阜県および富山県と長野県の県境付近（白馬岳から槍ヶ岳にかけての北アルプス）に境界線が集中する傾向があります。この境界線は「東西方言境界線」や「言語境界線」などと呼ばれ、地名だけでなく、さまざまな語彙や文法が変化することが知られています。

図4 「谷」と「沢」がつく歴史地名
甲信地方と東北、北海道には「沢」がつく歴史地名が多い。

①打消表現（行かない／行かぬ）
②指定表現（これだ／これじゃ or これや）
③形容詞連用形（雪が降って白くなった／白うなった）
④一般動詞命令形（起きろ／起きよ）
⑤ワ行五段動詞音便形（買った／買うた）

なお、太平洋側では言葉によって境界線のブレ幅が大きく、①行かない／行かぬは静岡県内に境目が、⑤買った／買うたは三重県、岐阜県の県境付近に境目があるとされています。

## ◎「川」を「沢」と呼ぶのは東日本だけ

河川の呼び方にも地域差があります。全国の河川を「○○川」と「○○沢」で塗り分けてみると、「沢」で終わる河川は、先ほど紹介した東西方言境界線よりも東側に集まっていることがわかります（図5）。特に上流に近い小

図5　「川」と「沢」
東日本では、源流に近い小さな川が「沢」と呼ばれることが多い。

さな河川を「沢」と呼ぶ傾向が読み取れますね。

地図上では省略されていますが、「○○沢」と呼ばれる小川は首都圏近郊でも見ることができます。横浜市南部には瀬上沢《せがみさわ》、荒井沢《あらいさわ》と呼ばれる清流がホタルの名所としてにぎわっていますし、世田谷区にも武蔵野台地を切り刻んでできた沢や、その沢に由来する地名（通称・世田谷七沢）があります。

## ◎「原」の読み方は？

九州には「○○原」と書いて「○○はる」「○○ばる」と読む地名が数多くあります（図6）。前原《まえばる》、白木原《しらきばる》、原田《はるだ》などです。九州南部や中部では、台地の上の平坦地を「原《はる》」と呼び、北部では開墾地を示す「治《はる》、墾《はる》」が「原《はる》」に転じたとする説が有力です。もちろん、他の由来で「はる」と読まれた地名に、

図6 「はる」と「ばる」
「はる」「ばる」は九州、沖縄に特有の読み方。

後から漢字の「原」をあてたところもあるでしょう。

## ◎「○○台」は東日本に多かった

高く平たい台地や丘陵地でよく見かける地名、「○○台」。高度経済成長期に開発された新興住宅地につけられることが多く、いまや全国各地に広がっていますが(図7)、江戸時代から戦前にかけては意外と“ローカル”な地名でした。

「台」で終わる歴史地名を可視化すると、山口県、愛媛県、大分県などに例外があるものの、大半が関東以北に集中していました(図8)。例えば、東京都の白金台(港区)、駿河台(千代田区)、初台(渋谷区)などは16～17世紀につけられた歴史ある地名ですし、江戸の外側の武蔵野台地や下総台地、上総丘陵にも「○○台」が広く分布していました。さらに時代をさかの

**図7**　「台」で終わる現代地名
現代では国内各地に「○○台」と呼ばれる新興住宅地が見られる。

ぼると、東京都品川区の旗の台は、平安時代に源頼信が平忠常討伐を誓って旗揚げした地で、周囲（立会川沿いの低地）と比べて少し小高くなっていたことから「旗の台」「旗岡」と名付けられました。

このような地形は西日本では「○○岡」や「○○山」とされることが多かったようです。大阪の上町台地に連なる夕日岡（現在の夕陽丘）、桃山、茶臼山、帝塚山などがその例で、台地や丘陵地のほか、古墳にも「岡」や「山」がつけられる傾向があったようです。

一方、「○○台」と同じく新興住宅地につけられることの多い地名、「○○丘」「○○ヶ丘」は比較的歴史が浅めです。歴史地名データによると、江戸時代〜昭和初期には一部の地域に点在している程度でしたが（図9）、語感や見た目の良さ、先行して有名になった「自由が丘」（1928年に開校した私立高校・自由ヶ丘学園が由来）などのイメージから爆発的に広がり、いまでは全国ほとんどの都道府県で見られるようになりました（図10）。

図8 「台」「岡」で終わる歴史地名
明治以前、「○○台」は関東以北を中心に分布していた。

図9 「丘」で終わる歴史地名
明治以前、「○○が丘」「○○丘」という地名はほとんどなかった。

図10 「丘」で終わる現代地名
現代では「○○台」と並んでメジャーな地名となっている。

だいぶ話が脱線してしまいましたが、日本全国に地形にまつわる地名が広がっていること、その呼び方や読み方に地域差（特に東日本と西日本での違い）や時代による流行《はや》り廃《すた》りがあることがおわかりいただけたのではないでしょうか。

最後に日本全国を「地形にまつわる歴史地名」で塗り分けた地図を掲載します（図11）。地名から現地の風景を想像してみるのもおもしろいかと思います。

参考①：人間文化研究機構、H-GIS研究会『歴史地名データ』（2023年5月2日版）（https://www.nihu.jp/ja/database/source_map）
参考②：日本郵便株式会社『郵便番号データダウンロード』（2023年7月）（https://www.post.japanpost.jp/zipcode/download.html）
参考③：総務省統計局『令和2年国勢調査　境界データ（小地域）』
参考④：国土交通省『国土数値情報（河川データ）』
参考⑤：大辞林 特別ページ 日本語の世界6 方言（一）（http://daijirin.dual-d.net/extra/hougen1.html）
参考⑥：リファレンス協同データベース（https://crd.ndl.go.jp/reference/detail?page=ref_view&id=1000065782）

Column ⑪

## 小海町は『君の名は。』にも出てきた？

映画『君の名は。』の新海 誠監督は長野県小海町の出身で、作中にも小海の風景が登場しています。新海監督は長野朝日放送の取材（2016年12月）で「自身の作品に、生まれ育った小海町の影響は？」という質問に対し、「それはもう、たくさん出ちゃってると思いますね」「川を描いたら小海町を流れている相木川や千曲川の絵になってしまうんですね」と答えていました。

序盤、若い男女が自転車に二人乗りしているシーンでは、1000年前後に湖畔だったと思われる「本村海神社」のすぐそばを通ります。災害によって地形が一変した千曲川の伝承も、新海監督の深層心理に少なからず影響しているのかもしれません。

図11 地形にまつわる歴史地名で日本地図を描いてみた
他にもいろいろな漢字が使われている。うまく調整すればきれいな日本地図が描けるかも？

Column 12

## 民話『鯨の夫婦』が教えてくれること

小海町には『鯨の夫婦』という民話が残っています。越後の海に住む鯨の夫婦が信濃川（千曲川）の上流に小海という平和な海があると聞き、夫婦で移住しようとするが、現地の農民に「小海は海ではない。村の名前だ。この先どこまで行ったって海はない」と言われてがっかりするという話です。

この話が生まれた当時、小海が“海”だったという伝承が残っていたかどうかは、今となっては知るよしもありませんが、もしかすると、初めのうちは“海”の話を知る人がいて、鯨たちが小海に安住の地を見出すというストーリーだったのかもしれません。あるいは、“海”の記憶がとっくになくなった後に、「なぜ小海なんだろう？」という疑問から物語が生まれたのかもしれません。災害の記憶はいつか失われますが、地名には土地の記憶が残り続ける……そう考えると、いろいろな場所の地名や伝承を探ってみたくなりませんか？

# 6-4 世界地図で進む「脱・メルカトル図法」

　世界で一番大きな島として知られるグリーンランド（デンマーク自治領）。世界地図にはアフリカ大陸に迫る大きさで描かれ、ひときわ大きな存在感を放っていますが、「実は、オーストラリアの28%、アフリカの7%の面積しかない」と聞いたら、皆さんは信じられるでしょうか？

　私たちが普段目にする地図には、いくつもの投影法（3次元空間に存在している地球を平面上に表現する方法）があります。その中でも世界地図によく使われるのが「メルカトル図法」。縦軸に緯度、横軸に経度をとり、緯線と経線が直交する……というおなじみの投影法です。大航海時代の1569年にフランダース（現在のベルギー北部）の地理学者・Gerardus Mercator

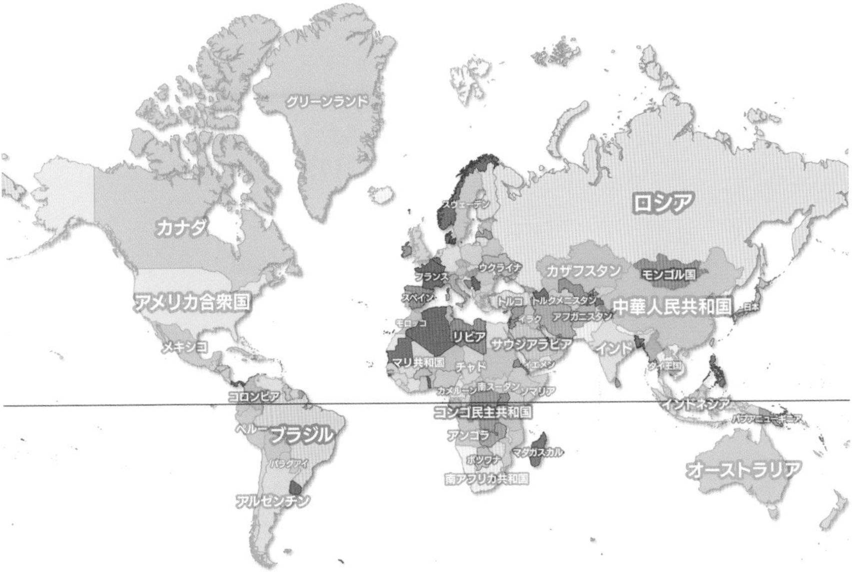


**図1** Webメルカトルで表現した世界地図

インターネット上の地図で見慣れた表現方法。カナダ、グリーンランド、ロシアなどの大きさが目立つ。

が発表したもので、地図上のどの場所をとっても「角度が正確である」という特徴から、船乗りたちに重宝されました。

このメルカトル図法の派生形で、インターネット地図でよく見る表現方法がWebメルカトルです（図1）。この方式で描かれた地図に、正しい面積に補正した国や地域を重ねてみました（図2）。

赤道直下の国々には、ほとんど変化が見られない一方、グリーンランドをはじめ、北極に近い地域は数分の一に縮んでしまいました。どうしてこのようなことが起きるのでしょうか？

## ◎Webメルカトルとは？

Webメルカトルは、丸い地球を正方形の平面上に表現したものです[※1]。

正方形の地図はコンピューターにとって扱いやすいのですが、球体を四

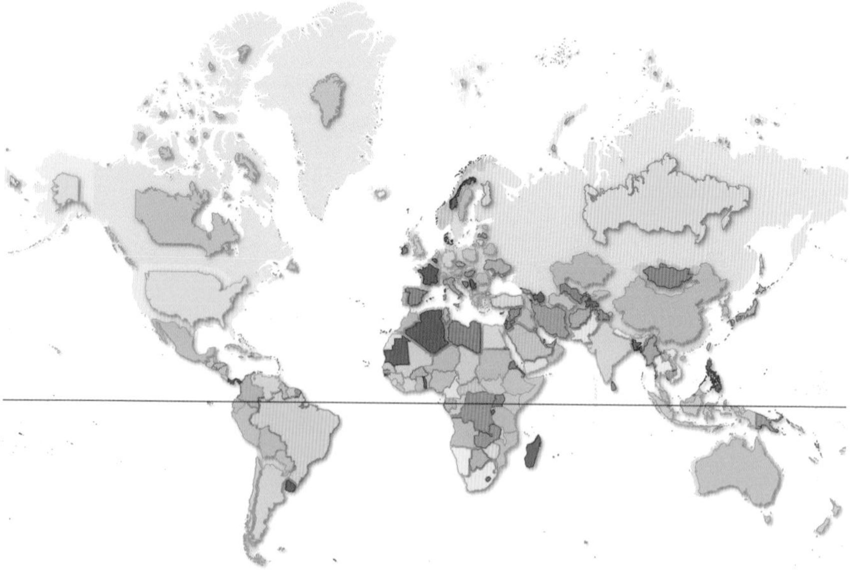

**図2** 各国の面積を“修正”した世界地図

国と地域、離島ごとにWebメルカトルでの拡大率を計算し、1枚の地図で正しい面積を表現できるように補正した。個々の地域の面積は正しくなったが、国々の位置や形は正しくないことに注意したい。

角い二次元空間に投影する都合上、赤道から離れたところほど東西南北に引き延ばされていく性質があり、その拡大率は北緯60度付近で赤道直下の2倍（面積4倍）、北緯85度付近で11.4倍（面積130倍）にも及びます。東西だけでなく南北にも拡大されることで、地図中のどの地点でも正確な角度を表現しています[※2]。

Webメルカトルで表した正方形の地球に、15度ごとの経緯線と半径500kmの円を並べてみました（図3）。高緯度ほど“歪んでいく”ようすが、おわかりいただけるのではないでしょうか。

## ◎他にこんな地図も

世界地図やカレンダーなどでは、正距円筒図法という投影法が用いられていることがあります（図4）。こちらの投影法では東西方向にしか拡大しないので、地球全体（北緯90度から南緯90度まで）を表現することができるのですが、高緯度になるほど東西方向に拡大されていく欠点は変わりません。

地理空間情報やデータ可視化の世界では、私たち一般市民がメルカトル図法やWebメルカトルによって誤ったスケール感覚を刷り込まれていることを「メルカトルの罠」「グリーンランド問題」などと呼んでいます。

面積の不正確さだけでなく、ヨーロッパが中心に置かれていることを問題視する向きもあります。たとえばドイツの歴史学者・Arno Peters博士（1916～2002年）は1973年に「Peters World Map」（図5）を考案し、ヨーロッパ中心の世界地図に一石を投じました。この地図では世界のすべての

※1：いま皆さんがいる場所を、どのような座標体系で表し（測地系）、それを平面上にどうやって表現するのか（投影法）によって地図の形が変わってきます。実際の地球は300分の1ほど南北方向につぶれた形で、地形や重力の違いによる凹凸もあるのですが、Webメルカトルでは地球を楕円体に模した上で緯度経度を測り（WGS84測地系）、今度は地球が“真球”であるとみなして、平面上に投影（真球メルカトル投影）しています。

※2：高緯度ほど拡大率が高くなるため、北極や南極の近くまで表現しようとすると、地図が縦方向に際限なく伸びてしまいます。そこでWebメルカトルでは、地図の形を正方形にするために、北緯約85.05度より北と、南緯約85.05度より南を省略しています。

国々を正しい面積で表現するとともに、人類発祥の地であるアフリカをその中心に置いています。

Webマップでも改善の動きがあります。近年、業界大手のGoogle社やMapbox社の地図では、Webメルカトル以外の投影法にも対応し、丸い地球を地球儀のように回せるようになりました。このようなデジタルならではの見せ方が普及すると、「グリーンランド問題」は過去のものとなるかもしれません。

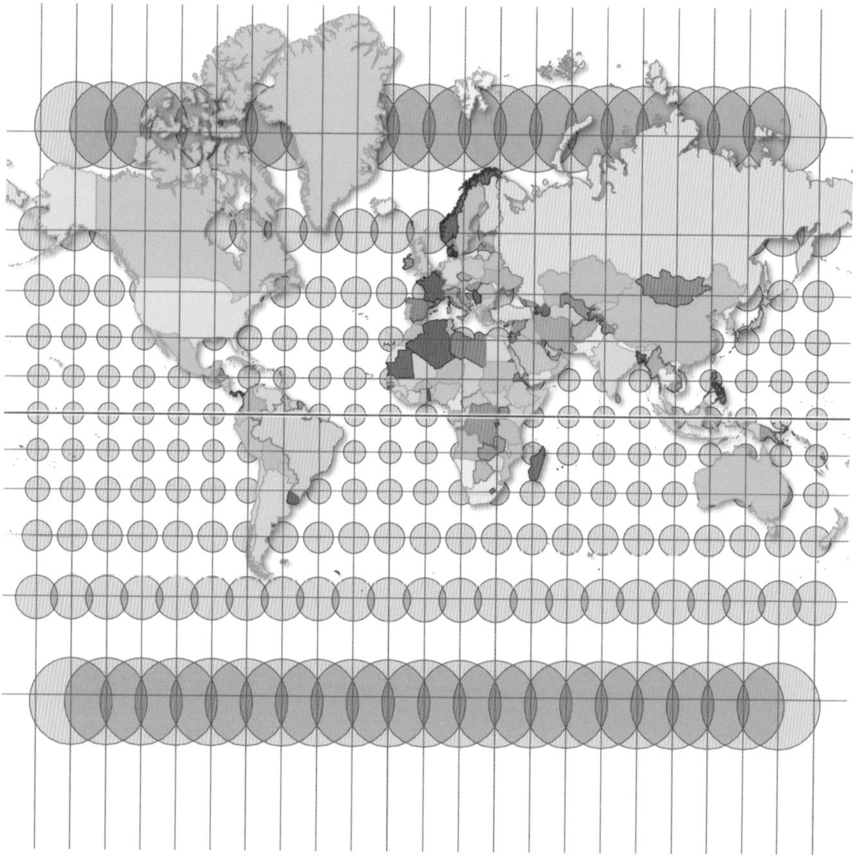

**図3** Webメルカトルで表現した世界地図
図1に経線、緯線、半径500kmの円を追加した。

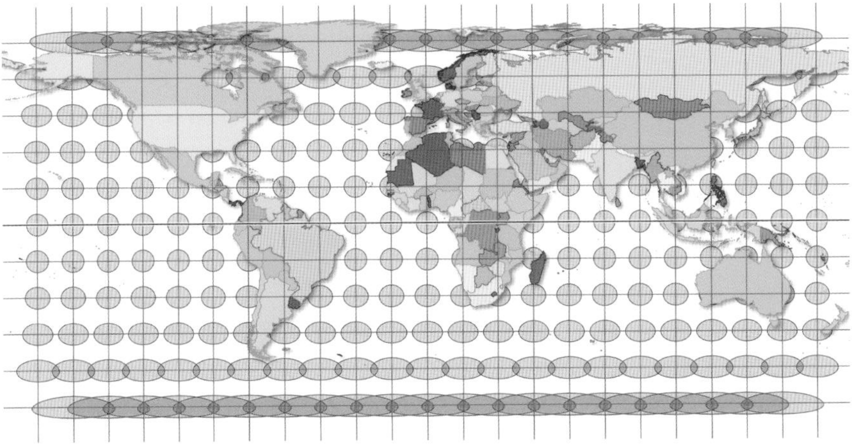

図4 正距円筒図法で描いた世界地図
緯線と経線が等間隔に引かれ、直角に交わっている。高緯度になるほど拡大されている。

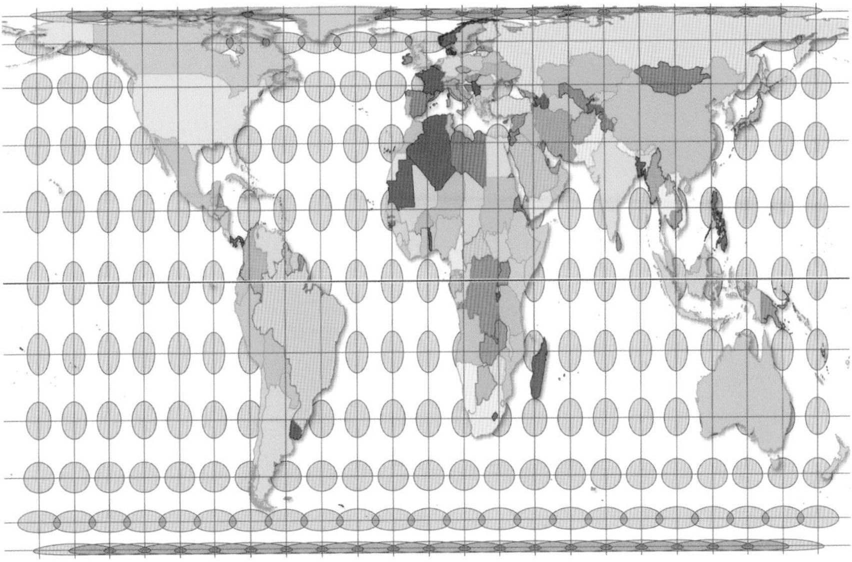

図5 Peters World Map
緯線と経線を直交させながら、緯線（北緯、南緯○○度線）の間隔を調整することで面積を正しく表現している。アフリカが大きく見えるが、面積比ではこれが正しい。スコットランドの聖職者James Gallが1855年に考案した図法と同じ。

# おわりに

筆者が、地図によるデータ可視化に興味を持ったのは、物心がつく前、5～6歳のころだと聞いています。実家にあった道路地図を読み漁るようになったのをきっかけに、チラシの裏に架空の都市を描いたり、ひたすら過去の天気図を読みふけっては架空の天気図を描いたり——と、いろいろな地図を生み出すうちに、地図を使ってデータや数値を表現する「可視化」の手法を身につけていったようです。

天気図とはおもしろいもので、日本や大陸の白地図の上に各地の観測結果が載っていますし、測候所などで観測された気圧が面的に補われて等圧線として表現されるなど、1枚の図の中にデータ可視化のエッセンスが凝縮されています。

それから数十年が経ちましたが、「三つ子の魂百まで」というように、心の根っこにある地理感覚は変わっていないようで、出先で地図を見かけるとうれしくなりますし、何か気になることがあれば自分で地図を描いて「俯瞰的に理解する」習慣が続いています。

本書ではデータ可視化を通じて「空から日本を見てみること」のおもしろさや奥深さを表現していますが、読者の皆さんにもその楽しさが伝わり、SNSなどで作品を披露される方が現れたら、作者冥利に尽きます。

本書の執筆にあたっては、知人やSNSのフォロワー様からいろいろなアイデアをいただき、大変感謝しています。また、執筆が多忙を極める中、私の活動に理解を示し、応援してくれた家族にも感謝の気持ちでいっぱいです。凝り性で遅筆な筆者を見守り、励ましてくれた編集者さんにも頭が上がりません。これからは家族や友人、知人への「ありがとう」の気持ちを、ビジュアル以外の形でも「可視化」していきます。

2023年11月　にゃんこそば

■著者
にゃんこそば

にゃんこそば@データ可視化
@ShinagawaJP

東京都生まれ、神奈川県育ち。データ可視化職人。民間企業でクラウドサービスの企画、開発やビッグデータ利活用に従事するかたわら、個人活動としてオープンデータや公的統計の可視化、地図アプリの作成に注力し、日本や世界の「いま」が一目でわかる作品を多数公開している。主な活動歴は、国土交通省『3D都市モデルの整備・活用促進に関する検討分科会』、内閣官房『データ分析セミナー』、東京都『第1回オープンデータ・ラウンドテーブル』『オープンデータコミュニティ』、NHK『NHKハッカソン2022(インプットトーク)』など。X(旧Twitter)のアカウント名は「にゃんこそば@ShinagawaJP」(フォロワー数:約6.9万人)。テレビ、新聞、ネットメディアでの取材歴多数。

■監修
宮路秀作(みやじ・しゅうさく)

宮地秀作(地理講師&コラムニスト)
@miyajiman0621

代々木ゼミナール地理講師、日本地理学会企画専門委員会委員。鹿児島市出身。「共通テスト地理」から「東大地理」まで、代々木ゼミナールのすべての地理講座を担当する実力派。地理を通して、現代世界の「なぜ?」「どうして?」を解き明かす講義は、9割以上の生徒から「地理を学んでよかった!」と大好評。2017年に刊行した『経済は地理から学べ!』はベストセラーとなり、これが「地理学の啓発・普及に貢献した」と評価され、2017年度の日本地理学会賞(社会貢献部門)を受賞。またコラムニストとして、「Yahoo! ニュース」での連載やラジオ出演、トークイベントの開催、YouTubeチャンネルの運営、メルマガの発行など幅広く活動している。著書に『経済は地理から学べ!』(ダイヤモンド社)、『ニュースがわかる!世界が見える!おもしろすぎる地理』(大和書房)、『目からウロコのなるほど地理講義(系統地理編)・(地誌編)』(学研プラス)、『大学入試　マンガで地理が面白いほどわかる本』(KADOKAWA)、『くわしい中学地理』(文英堂)、『現代史は地理から学べ』(SBクリエイティブ)などがある。

■複数の章で参考にしたもの

●行政区域データ

・国土交通省『国土数値情報(行政区域データ)』
・Natural Earthプロジェクト『Natural Earth』(https://www.naturalearthdata.com/)
・日本国外の企業や団体が作成したデータなので、日本国の領土認識と異なる国境が示されている場合がある。筆者において可能な限り修正したが、抜け、漏れが生じている可能性がある。

●地形データ

・国土地理院『地理院タイル(陰影起伏図)』
・国土地理院『地球地図日本』(https://www.gsi.go.jp/kankyochiri/gm_jpn.html)
・Mapzen『Mapzen Terrain Tiles』(https://registry.opendata.aws/terrain-tiles/)

●その他

・国土交通省『国土数値情報(市区町村役場(ポイント))』
・国土交通省『国土数値情報(鉄道(ライン))』
・国土交通省『国土数値情報(鉄道時系列(ライン))』

# ビジュアルでわかる日本《にほん》

## データに隠《かく》された真実《しんじつ》

2023年12月19日　初版第1刷発行
2023年12月28日　初版第3刷発行

著者　にゃんこそば

監修　宮路秀作

発行者　小川 淳

発行所　SBクリエイティブ株式会社
〒106-0032　東京都港区六本木2-4-5
電話　03(5549)1201(営業部)

装丁　マツヤマ チヒロ(AKICHI)

本文デザイン　笹沢記良(クニメディア)

編集　石井顕一(SBクリエイティブ)

印刷・製本　株式会社シナノ パブリッシング プレス



本書をお読みになったご意見・ご感想を
下記URL、QRコードよりお寄せください。
https://isbn2.sbcr.jp/15208/

　ISBN:978-4-8156-1520-8